FL

Geiriadur
Cynradd Gomer

D. Geraint Lewis

Darluniau gan
Peter Brown a Graham Howells

Gomer

Cyhoeddwyd yn 1999 gan
Wasg Gomer, Llandysul, Ceredigion SA44 4JL

Ail argraffiad – 2000
Trydydd argraffiad – 2010

ISBN 978 1 85902 758 5

Cyhoeddwyd yn wreiddiol dan nawdd Cynllun Cyhoeddiadau
Cyd-bwyllgor Addysg Cymru.

Dymuna'r cyhoeddwyr gydnabod cymorth
Cyngor Llyfrau Cymru.

Argraffwyd a rhwymwyd yng Nghymru gan
Wasg Gomer, Llandysul, Ceredigion

Cyflwynedig i'm cyfeillion
Roger Williams, Cyfarwyddwr Addysg Ceredigion,
Dewi Hughes a Mark Fowler,
am eu gwaith diflino dros blant ac ysgolion y sir.

Cynnwys   Contents

Rhagair

Mae'r geiriadur hwn yn un o'r geiriaduron yng nghyfres Cyd-bwyllgor Addysg Cymru ac fe'i lluniwyd fel 'brawd bach' i *Geiriadur Gomer i'r Ifanc*.

Ni fyddai wedi bod yn bosibl ei gyhoeddi heb gydweithrediad nifer o sefydliadau. I ACCAC a Chyd-bwyllgor Addysg Cymru y mae'r diolch pennaf, a chydnabyddaf yn llawen y cymorth anuniongyrchol a gafwyd gan Gyngor Llyfrau Cymru.

Bu Elisabeth Davies yn hael ei chymorth a sicr ei chyngor a diolchaf i Gwennan Davies a phlant Ysgol Llanllechid, Audrey Evans a phlant Ysgol Gymraeg Aberystwyth a Sue Rees a phlant Ysgol Llangwyryfon am ymateb mor gadarnhaol i'm cais am eu barn ar gynnwys y geiriadur. Felly hefyd i Marian Beech Hughes a Glenys Roberts am drylwyredd eu darllen yr wyf wedi dod i ddibynnu arno.

Diolchaf i'r arlunwyr, Peter Brown a Graham Howells, am eu cyfraniad hollbwysig hwythau.

Yn olaf, pleser eto yw diolch i staff Gwasg Gomer, i Mairwen Prys Jones a Gordon Jones am iddynt gredu yn y gyfrol a brwydro drosti ac i weddill y staff am gynnal y safonau hynny yr wyf mor falch o fod yn gysylltiedig â nhw.

D. Geraint Lewis
Llangwyryfon
Tachwedd 1999

A a

â neu **ag** *arddodiad* gyda, trwy ddefnyddio *Torrodd ei fys â chyllell. Mae'n llenwi'r sach ag aur.* WITH

abaty *hwn enw* (**abatai**) **1** adeilad y bu mynachod neu leianod yn byw ac yn gweithio ynddo gynt ABBEY
2 hen eglwys fawr a oedd yn rhan o abaty ABBEY

aber *hwn enw* y fan y mae afon yn cyrraedd y môr neu yn llifo i afon fwy: *Aberaeron, Aberconwy, Abercynon* MOUTH (OF A RIVER)

aberth *hwn enw* (**ebyrth**) **1** rhywbeth yr ydych yn hoff iawn ohono ond yn mynd hebddo er mwyn helpu rhywun SACRIFICE
2 rhodd i Dduw SACRIFICE

aberthu *berfenw* gwneud aberth
TO SACRIFICE

absennol *ansoddair* i ffwrdd, heb fod yn y lle *Roedd Richard yn absennol o'r ysgol ddoe.* ABSENT

absenoldeb *hwn enw* ABSENCE

abwyd *hwn enw* bwyd sy'n cael ei ddefnyddio i ddal pysgodyn neu anifail BAIT

acen *hon enw* (**acenion**) **1** arwydd uwchben llythyren fel yn *gwên, gweddïo, caniatáu* yn dangos hyd ncu bwyslais arbcnnig ACCENT
2 y ffordd y mae pobl yn dweud geiriau *Mae Huw yn siarad ag acen y Gogledd a Mair ag acen y De.* ACCENT

acen grom y to bach ^, *gwên; cân*

acennog *ansoddair* ag acen ACCENTED

acrobat *hwn enw* person sy'n gallu neidio a defnyddio'i gorff i wneud campau sy'n difyrru pobl ACROBAT

actio *berfenw* cymryd rhan mewn drama *Actiodd Dafydd ran y brenin.* TO ACT

actor *hwn enw* (**actorion**) dyn sy'n cymryd rhan mewn drama ACTOR

actores *hon enw* (**actoresau**) menyw neu ferch sy'n cymryd rhan mewn drama ACTRESS

acw *adferf* yna, nid yma *Ydych chi'n gallu gweld y tŷ acw?* THERE

acwariwm *hwn enw* tanc gwydr i gadw pysgod ynddo AQUARIUM

a
b
c
ch
d
dd
e
f
ff
g
ng
h
i
j
k
l
ll
m
n
o
p
ph
r
rh
s
t
th
u
w
y

achlysur *hwn* *enw* (**achlysuron**) yr amser pryd y mae rhywbeth yn digwydd *achlysur arbennig* OCCASION

achos *arddodiad* oherwydd, am y rheswm *Rhedodd y bachgen i ffwrdd o achos y ci.* BECAUSE

achosi *berfenw* gwneud i rywbeth ddigwydd *Achosodd y ci ddamwain gas pan redodd o flaen y car.* TO CAUSE

achub *berfenw* cadw rhywun neu rywbeth rhag cael niwed *Achubodd y dynion tân y babi.* TO SAVE

achwyn *berfenw* dweud nad ydych chi'n hapus *Aeth Siôn yn ôl i'r siop i achwyn nad oedd ei gar tegan newydd yn gweithio.* TO COMPLAIN

adain *hon* *enw* un o nifer o **adenydd**

adar *hyn* *enw* mwy nag un **aderyn**

adeg *hon* *enw* (**adegau**) amser arbennig *adeg y Nadolig* TIME

adeilad *hwn* *enw* (**adeiladau**) rhywbeth sydd wedi cael ei godi er mwyn i bobl fyw neu weithio ynddo, neu i gadw pethau ynddo. Mae *ysgol* yn adeilad ac mae *siopau*, *tai* a *chapeli* hefyd yn adeiladau. BUILDING

adeiladu *berfenw* (fel arfer, mae "codi" yn air gwell) gwneud rhywbeth trwy roi un peth ar ben y llall yn ofalus TO BUILD

aden *hon* *enw* un o nifer o **adenydd**

adenydd *hyn* *enw* mwy nag un **adain** neu **aden** **1** y rhannau hynny o'i gorff y mae aderyn neu drychfilyn yn eu defnyddio i hedfan WINGS **2** rhannau tebyg ar awyren WINGS

aderyn *hwn* *enw* (**adar**) anifail â phlu, adenydd a phig, sy'n dodwy wyau BIRD

adfail *hwn* *enw* (**adfeilion**) hen adeilad sydd wedi disgyn RUIN

adfeilion *hyn* *enw* mwy nag un **adfail**, hefyd y darnau sydd ar ôl o hen adeilad wedi disgyn RUINS

adfer *berfenw* gwneud i rywbeth edrych neu weithio cystal ag yr oedd o'r blaen TO RESTORE

adferf *hon* *enw* (**adferfau**) gair sy'n dweud pryd, ble neu sut y mae rhywbeth yn digwydd. Mae *ddoe*, *gartref* ac *yn gyflym* i gyd yn adferfau. ADVERB

adio *berfenw* **1** cael ateb i sym fel 4+3+2= *Adiwch bedwar a thri a dau.* TO ADD
2 mae "ychwanegu" yn air gwell am ystyron eraill *to add*

adlais *hwn* *enw* (**adleisiau**) sŵn yr ydych yn ei glywed eto, wrth iddo gael ei fwrw yn ôl atoch ar ôl iddo daro yn erbyn rhywbeth caled. Mae carreg ateb yn achosi adlais. ECHO

adleisiau *hyn* *enw* mwy nag un **adlais**

adleisio *berfenw* creu adlais TO ECHO

adlewyrchu *berfenw* **1** taflu goleuni yn ôl oddi ar rywbeth disglair. Mae dŵr yn gallu adlewyrchu golau'r haul. TO REFLECT
2 dangos llun o rywbeth fel y mae drych yn ei wneud *Roedd llun o goeden yn cael ei adlewyrchu yn y llyn.* TO REFLECT

adloniadol *ansoddair* yn adloniant
ENTERTAINING

adloniant *hwn enw* unrhyw beth sy'n difyrru pobl ac sy'n gwneud iddynt fwynhau eu hunain ENTERTAINMENT

adnabod *berfenw* bod wedi gweld rhywun neu rywle o'r blaen *Rwy'n adnabod Gwen a'i chwaer. Doedd e ddim yn adnabod Gwen ar unwaith.*
TO KNOW (A PERSON)

adnabyddiaeth *hon enw* pa mor dda yr ydych chi'n adnabod rhywun
KNOWLEDGE

adnabyddus *ansoddair* gair i ddisgrifio rhywun neu rywle mae pobl yn ei adnabod (yn dda fel arfer) WELL-KNOWN

adnod *hon enw* (**adnodau**) darn o bennod o'r Beibl VERSE

adref *adferf* i gyfeiriad eich cartref *Rwy'n mynd adref.* (*Edrychwch hefyd dan* **gartref** *i weld y gwahaniaeth*)
HOMEWARDS

adrodd *berfenw* dweud rhywbeth (darn o farddoniaeth fel arfer) yr ydych wedi'i ddysgu ar eich cof *Adroddodd Elgan enwau'r holl chwaraewyr a chwaraeodd i dîm Cymru y llynedd.*
TO RECITE

adroddiad *hwn enw* (**adroddiadau**) **1** rhywbeth y mae rhywun yn ei ddweud neu yn ei ysgrifennu am rywbeth sydd wedi digwydd REPORT **2** rhywbeth y mae athro yn ei ysgrifennu am eich gwaith chi *adroddiad ysgol* REPORT

adweithio *berfenw* gwneud rhywbeth oherwydd rhywbeth arall sydd wedi digwydd TO REACT

adwy *hon enw* bwlch mewn wal neu glawdd GAP

addas *ansoddair* yn iawn i, i'r dim *Esgidiau addas i redeg ynddyn nhw.*
SUITABLE

addasu *berfenw* gwneud yn addas
TO ADAPT

addewid *hwn enw* (**addewidion**) yr hyn yr ydych chi'n ei addo i rywun
PROMISE

addfwyn *ansoddair* tyner a mwyn
MEEK

addo *berfenw* dweud yn bendant (y byddwch yn gwneud rhywbeth neu na fyddwch yn ei wneud) *Addawodd Dafydd dalu am y ffenestr a pheidio chwarae pêl yn y tŷ eto.*
TO PROMISE

addoli *berfenw* caru a chanmol rhywun *Mae pobl sy'n mynd i'r capel ac i'r eglwys yn addoli Duw.*
TO WORSHIP

adduned *hon enw* (**addunedau**) math arbennig o addewid *adduned blwyddyn newydd* RESOLUTION

addunedu *berfenw* gwneud adduned
TO RESOLVE

addurn *hwn enw* (**addurniadau**) rhywbeth sy'n gwneud i rywun neu rywle edrych yn hardd DECORATION

addurniadol *ansoddair* yn addurno
DECORATIVE

addurno *berfenw* gwneud i rywun neu rywbeth edrych yn hardd *Addurnodd y plant y goeden Nadolig.* TO
DECORATE

b
c
ch
d
dd
e
f
ff
g
ng
h
i
j
k
l
ll
m
n
o
p
ph
r
rh
s
t
th
u
w
y

addysg *hon enw* y dysgu a'r hyfforddi yr ydych yn eu derbyn mewn ysgol a choleg EDUCATION

addysgiadol *ansoddair* yn addysgu EDUCATIONAL

addysgu *berfenw* cael rhywun arall i ddeall rhywbeth neu i lwyddo i wneud rhywbeth TO TEACH

aeddfed *ansoddair* yn barod i'w gasglu neu ei fwyta *ffrwythau aeddfed* RIPE

aeddfedu *berfenw* tyfu'n aeddfed *tomatos yn aeddfedu yn y tŷ gwydr* TO RIPEN

ael *hon enw* (**aeliau**) y llinell o flew sy'n tyfu ar eich wyneb uwchben eich llygad EYEBROW

aelod *hwn enw* (**aelodau**) rhywun sy'n perthyn i grŵp *aelod o dîm, aelod o gymdeithas* MEMBER

aelwyd *hon enw* (**aelwydydd**) lle tân mewn cartref (weithiau mae'r enw'n cael ei ddefnyddio am y cartref i gyd) HEARTH

aer *hwn enw* yr hyn yr ydym yn ei anadlu; awyr AIR

aer-dynn *ansoddair* wedi'i gau yn dynn fel na all aer fynd i mewn nac allan AIRTIGHT

aeron *hyn enw* ffrwythau bychain fel mwyar neu gwrens BERRIES

aeth *berf edrychwch dan* **mynd**

afal *hwn enw* (**afalau**) ffrwyth crwn, caled y goeden afalau APPLE

afal pin *hwn enw* (**afalau pin**) ffrwyth mawr y mae ei groen tew a lympiau drosto. Mae'n tyfu mewn gwledydd poeth; pinafal PINEAPPLE

afan coch *hyn enw* ffrwythau bach coch, melys, tebyg i fwyar; mafon RASPBERRIES

afiach *ansoddair* heb fod yn iach UNHEALTHY

afiechyd *hwn enw* (**afiechydon**) rhywbeth sy'n gwneud pobl yn sâl ILLNESS

aflonydd *ansoddair* methu aros yn llonydd RESTLESS

aflonyddwch *hwn enw* bod yn aflonydd RESTLESSNESS

afon *hon enw* (**afonydd**) nant fawr neu lif mawr o ddŵr RIVER

afrosgo *ansoddair* lletchwith a thrwsgl CLUMSY

ag *edrychwch dan* **â**

ager *hwn enw* dŵr poeth iawn sydd wedi troi yn niwl; anwedd STEAM

agor *berfenw* symud rhywbeth er mwyn i rywun gael gweld neu fynd trwyddo *Agorodd Dad y drws i ni. Agorodd y drws yn y gwynt.* TO OPEN

agored *ansoddair* ar agor OPEN

agoriad *hwn enw* (**agoriadau**) allwedd KEY

agoriadol *ansoddair* yn agor OPENING

agos *ansoddair* heb fod yn bell *Mae Mair yn byw yn agos i Gaerdydd. Mae Ifan yn hoffi eistedd yn agos at Megan.* NEAR (*Edrychwch hefyd dan* **nes** *a* **nesaf**)

angel *hwn enw* (**angylion**) un sy'n cario negeseuon Duw ANGEL

angen *hwn enw* (**anghenion**) y gofyn sydd am rywbeth nad yw ar gael NEED

angenfilod *hyn enw* mwy nag un **anghenfil**

angenrheidiol *ansoddair* rhaid ei gael NECESSARY

anghenfil *hwn enw* (**angenfilod**) anifail mawr sy'n codi braw ar bobl mewn storïau MONSTER

anghenion *hyn enw* mwy nag un **angen**

anghofio *berfenw* methu cofio *Anghofiodd Meilyr ei arian cinio eto.* TO FORGET

anghofus *ansoddair* yn anghofio FORGETFUL

anghwrtais *ansoddair* heb fod yn fonheddig RUDE

anghwrteisi *hwn enw* bod yn anghwrtais RUDENESS

anghyfforddus *ansoddair* heb fod yn gysurus *sêt anghyfforddus* UNCOMFORTABLE

anghyffredin *ansoddair* heb fod yn arferol; prin UNUSUAL

anghysbell *ansoddair* yn bell o bob man REMOTE

anghysurus *ansoddair* heb fod yn gyfforddus; anesmwyth UNCOMFORTABLE

anghytundeb *hwn enw* anghytuno rhwng dau neu fwy DISAGREEMENT

anghytuno *berfenw* meddwl mai chi sydd yn iawn a bod y person arall yn anghywir *Roedd Gareth a Gwilym yn anghytuno p'un ai gan Lanelli neu Gaerdydd oedd y tîm gorau.* TO DISAGREE

anghywir *ansoddair* heb fod yn iawn *ateb anghywir* WRONG

angladd *hwn enw* (**angladdau**) gwasanaeth pan fydd corff rhywun sydd wedi marw yn cael ei gladdu neu ei losgi FUNERAL

angor *hwn enw* (**angorau**) darn mawr o ddur ar ben cadwyn, sy'n cael ei ddefnyddio i fachu llong wrth wely'r môr ANCHOR

angori *berfenw* defnyddio angor TO ANCHOR

angyles *hon enw* (**angylion**) merch sy'n angel

angylion *hyn* *enw* mwy nag un **angel** neu **angyles**

ail *ansoddair* y nesaf at y cyntaf *ail wobr* SECOND

ailadrodd *berfenw* dweud yr un peth eto TO REPEAT

alarch *hwn* *enw* (**elyrch**) aderyn mawr gwyn â gwddf hir a welwch yn nofio ar wyneb y dŵr SWAN

alaw *hon* *enw* (**alawon**) rhes o nodau sy'n gwneud darn o gerddoriaeth MELODY

alcohol *hwn* *enw* hylif di-liw sydd i'w gael mewn cwrw a rhai diodydd eraill ALCOHOL

almon *hon* *enw* (**almonau**) math o gneuen felys sy'n tyfu ar bren almon ALMOND

alwminiwm *hwn* *enw* metel ysgafn yr un lliw ag arian ALUMINIUM

allan *adferf* heb fod i mewn, ma's OUT

allanfa *hon* *enw* ffordd allan EXIT

allor *hon* *enw* (**allorau**) y bwrdd a chroes arno ym mhen pellaf eglwys ALTAR

allt *hon* *enw* (**elltydd**) **1** (yn y Gogledd) rhiw, bryn HILL **2** (yn y De) ochr mynydd a choed arni WOOD

alltud *hwn* *enw* (**alltudion**) rhywun sy'n gorfod byw y tu allan i'w wlad ei hun EXILE

alltudio *berfenw* gorfodi rhywun i fyw y tu allan i'w wlad ei hun TO EXILE

allwedd *hon* *enw* (**allweddau** neu **allweddi**) darn o fetel sy'n ffitio i mewn i glo er mwyn ei agor neu ei gloi; agoriad KEY

allweddol *ansoddair* yn agor fel y mae allwedd yn agor clo

am *arddodiad*

amdanaf fi	amdanom ni
amdanat ti	amdanoch chi
amdano ef	amdanynt hwy *neu*
amdani hi	amdanyn nhw

am byth heb ddiwedd FOREVER
am y cyntaf rasio i fod yn gyntaf

amaethu *berfenw* ffermio TO FARM

amaethwr *hwn* *enw* (**amaethwyr**) ffermwr FARMER

amatur *hwn* *enw* (**amaturiaid**) rhywun sy'n gwneud rhywbeth am ddim y mae pobl eraill yn arfer cael eu talu am ei wneud AMATEUR

amau *berfenw* heb fod yn siŵr am rywun neu rywbeth *Roedd Anne yn amau nad oedd Megan yn dweud y gwir.* TO DOUBT

ambarél *hwn* *enw* darn crwn o ddefnydd sy'n dynn wrth fframyn sy'n gallu agor a chau. Yr ydych yn dal ambarél uwch eich pen i'ch cadw'n sych yn y glaw. UMBRELLA

ambell *ansoddair* ychydig (o bethau) OCCASIONAL
ambell waith weithiau, bob hyn a hyn OCCASIONALLY

ambiwlans *hwn* *enw* fan arbennig sy'n mynd â chleifion a phobl sâl i'r ysbyty AMBULANCE

amcangyfrif *berfenw* dweud beth yw maint rhywbeth yn eich barn chi *Rydw i'n amcangyfrif bod 40,000 o bobl yn gwylio'r gêm.* TO ESTIMATE

amdanaf fi *arddodiad* edrychwch dan **am**

amddiffyn *berfenw* cadw rhag perygl *Amddiffynnodd Mari ei brawd bach rhag y ci cas.* TO DEFEND

amddiffynnodd *berf* edrychwch dan **amddiffyn**

amddiffynnol *ansoddair* yn amddiffyn DEFENSIVE

amen *hwn enw* gair sy'n cael ei ddefnyddio i orffen emyn neu weddi AMEN

amgueddfa *hon enw* (**amgueddfeydd**) lle sy'n cadw llawer o bethau diddorol er mwyn i bobl gael eu gweld MUSEUM

amgylchedd *hwn enw* y byd o'n cwmpas, y planhigion a'r anifeiliaid, y dŵr a'r awyr ENVIRONMENT

amheus *ansoddair* yn gwneud i rywun amau SUSPICIOUS

amhosibl *ansoddair* na allwch ei wneud *Mae'n amhosibl cyfrif pob un oedd yn y stadiwm.* IMPOSSIBLE

aml *ansoddair* dro ar ôl tro OFTEN

amlach *ansoddair* yn fwy **aml**

amlen *hon enw* (**amlenni**) math o fag papur i ddal llythyr ENVELOPE

amlwg *ansoddair* y gallwch ei weld yn glir OBVIOUS

amlygrwydd *hwn enw* pa mor amlwg yw rhywbeth PROMINENCE

amrant *hwn enw* (**amrannau**) y darn o groen sy'n cau'r llygad EYELID

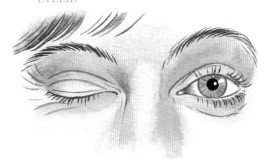

amryw *ansoddair* gwahanol VARIOUS

amrywiaeth *hwn enw* gwahanol fathau o bethau *Maen nhw'n gwerthu amrywiaeth o hufen iâ yn y siop.* VARIETY

amrywio *berfenw* dangos amrywiaeth TO VARY

amser *hwn enw* (**amserau**)
1 eiliadau, munudau, oriau, dyddiau, wythnosau, misoedd, blynyddoedd TIME
2 adeg arbennig yn ystod y dydd neu'r flwyddyn *amser te, amser plannu'r ardd* TIME

amserlen *hon enw* rhestr yn dangos pryd y mae pethau'n digwydd TIMETABLE

amseru *berfenw* mesur faint o amser TO TIME

amynedd *hwn enw* y gallu i aros yn hir heb golli'ch tymer PATIENCE

amyneddgar *ansoddair* yn dangos amynedd PATIENT

anadl *hon enw* yr aer yr ydym yn ei anadlu BREATH

7

anadlu *berfenw* tynnu aer i mewn i'r corff ac yna ei ollwng yn rhydd TO BREATHE

anaf *hwn enw* (**anafiadau**) dolur, niwed WOUND

anafu *berfenw* cael dolur, gwneud niwed *Anafodd ei goes pan syrthiodd i lawr y grisiau.* TO INJURE

anarferol *ansoddair* anghyffredin *Roedd clywed y gwcw mor gynnar â hyn yn y flwyddyn yn anarferol iawn.* UNUSUAL

anawsterau *hyn enw* mwy nag un **anhawster**

anelu *berfenw* pwyntio rhywbeth at fan arbennig (fel arfer gyda'r bwriad o daro rhywbeth sydd yna) *Anelodd at y targed.* TO AIM

anerchodd *berf edrychwch dan* **annerch**

anesmwyth *ansoddair* heb fod yn esmwyth neu yn dawel eich meddwl *Roeddwn yn teimlo'n anesmwyth yng nghwmni'r dyn dieithr.* UNEASY

anfarwol *ansoddair* (am rywbeth da) y byddwch yn ei gofio am byth UNFORGETTABLE

anferth *neu* **anferthol** *ansoddair* mawr iawn, iawn HUGE

anfon *berfenw* gwneud i rywun neu rywbeth fynd i rywle *Anfonodd Dafydd garden at Delyth. Anfonodd Mr Davies Emlyn i ystafell yr athrawon.* TO SEND (Sylwch: yr ydych yn anfon **i** le ac yn anfon **at** berson)

anfwriadol *ansoddair* trwy ddamwain UNINTENTIONAL

anffodus *ansoddair* anlwcus, heb fod yn ffodus UNFORTUNATE

anhapus *ansoddair* trist, heb fod yn hapus UNHAPPY

anhawster *hwn enw* (**anawsterau**) problem, rhywbeth anodd DIFFICULTY

anhygoel *ansoddair* anodd iawn ei gredu INCREDIBLE

anialwch *hwn enw* tir sych iawn lle nad oes llawer o bethau'n gallu tyfu DESERT

anifail *hwn enw* (**anifeiliaid**) unrhyw beth byw sy'n gallu symud o le i le, creadur. Mae *adar, pysgod, pryfed, nadredd* a *llewod* i gyd yn anifeiliaid. ANIMAL
anifail anwes creadur y mae pobl yn dod ag ef i'r tŷ i fyw PET

anlwcus *ansoddair* heb lwc; anffodus UNLUCKY

annerch *berfenw* dweud wrth gynulleidfa *Anerchodd y prifathro yr ysgol gyfan o'r llwyfan.* TO ADDRESS

annheg *ansoddair* heb fod yn iawn nac yn deg UNFAIR

annhegwch *hwn* *enw* rhywbeth annheg
UNFAIRNESS

anniben *ansoddair* blêr, dros y lle i gyd UNTIDY

annibendod *hwn* *enw* llawer o bethau anniben; blerwch UNTIDINESS

annibynnol *ansoddair* ar eich pen eich hunan INDEPENDENT

annisgwyl *ansoddair* heb fod neb yn ei ddisgwyl *Roedd eira ym mis Awst yn gwbl annisgwyl.* UNEXPECTED

annog *berfenw* ceisio cael rhywun i wneud rhywbeth heb oedi *Anogodd y capten ei dîm i chwarae yn well yn yr ail hanner.* TO URGE

annwyd *hwn* *enw* (**anwydau**) afiechyd sy'n gwneud i'ch trwyn redeg a gwneud ichi disian COLD

annwyl *ansoddair* gair i ddisgrifio rhywun neu rywbeth yr ydych yn hoff iawn ohono. Hefyd, yr ydych yn defnyddio *annwyl* ar ddechrau llythyr, *Annwyl Miss Evans...* DEAR (*Edrychwch hefyd dan* **anwylaf**)

anobeithio *berfenw* colli pob gobaith

anobeithiol *ansoddair* heb fod yn dda am wneud rhywbeth, gwael iawn HOPELESS

anodd *ansoddair* caled, heb fod yn rhwydd DIFFICULT

anogodd *berf* edrychwch dan **annog**

anorac *hwn* *enw* math o got â hwd i'ch cadw'n gynnes ac yn sych ANORAK

anrheg *hon* *enw* (**anrhegion**) rhywbeth yr ydych yn ei roi i rywun am ddim *anrheg Nadolig* PRESENT

anrhegu *berfenw* rhoi anrheg i

ansawdd *hwn* *enw* pa mor dda neu wael yw rhywbeth *papur o ansawdd da* QUALITY

ansicr *ansoddair* heb fod yn sicr, amau rhywbeth UNCERTAIN

ansicrwydd *hwn* *enw* teimlo'n ansicr UNCERTAINTY

ansoddair *hwn* *enw* (**ansoddeiriau**) gair sy'n disgrifio, sy'n dweud wrthych chi pa fath o beth yw rhywbeth neu pa fath o berson yw rhywun. Mae *bach, pert, cas, blasus* ac *anodd* i gyd yn ansoddeiriau. ADJECTIVE

antur *hon* *enw* (**anturiaethau**) rhywbeth cyffrous sy'n digwydd ichi ADVENTURE

anturio *berfenw* mynd i chwilio am antur TO VENTURE

anuniongyrchol *ansoddair* yn mynd o gwmpas, heb fynd yn syth INDIRECT

anwastad *ansoddair* heb fod yn llyfn neu yn fflat UNEVEN

anwedd *hwn* *enw* y niwl sy'n codi o ddŵr sy'n berwi; ager STEAM

anweddu *berfenw* troi yn anwedd TO STEAM

anweledig *ansoddair* gair i ddisgrifio rhywbeth na allwch ei weld INVISIBLE

anwiredd *hwn* *enw* (**anwireddau**) celwydd UNTRUTH

anwybyddu *berfenw* peidio â chymryd unrhyw sylw *Anwybyddodd Rhys rybudd yr athro i beidio â chwarae ar lan yr afon.* TO IGNORE

anwydau *hyn* *enw* mwy nag un **annwyd**

anwylaf *ansoddair* mwyaf **annwyl**

anymwybodol *ansoddair* gair i
ddisgrifio rhywun neu rywbeth sy'n
ymddangos fel petai mewn cwsg
trwm UNCONSCIOUS

ap (mewn enw person) yn fab i *Dafydd
ap Gwilym*

apêl *hwn neu hon enw* gofyn am
rywbeth mae'n rhaid ei gael
AN APPEAL

apelio *berfenw* gwneud apêl *Apeliodd y
prifathro am fwyd a dillad i helpu
plant digartref.* TO APPEAL

ar *arddodiad*

arnaf fi	arnom ni
arnat ti	arnoch chi
arno ef	arnynt hwy *neu*
arni hi	arnyn nhw

ar agor wedi'i agor OPEN
ar bwys yn agos NEAR
ar ddihun wedi'i ddihuno AWAKE
ar gyfer yn barod i FOR
ar ôl yn dilyn AFTER

aradr *hwn enw* (**erydr**) peiriant ffarm
sy'n troi'r tir PLOUGH

araf *ansoddair* **1** yn cymryd mwy o
amser nag arfer SLOW
2 yn dangos amser sy'n gynharach
na'r amser cywir *Mae'r cloc hanner
awr yn araf.* SLOW

arafu *berfenw* mynd yn fwy araf
TO SLOW

araith *hon enw* (**areithiau**) sgwrs i
gynulleidfa SPEECH

arall *ansoddair* **1** yn ychwanegol *A gaf
fi ddarn arall, os gwelwch yn dda?*
ANOTHER
2 un o'r lleill *Dewiswch rywun arall
yn lle Alan.* ANOTHER

arbed *berfenw* **1** achub rhag perygl
Arbedodd y ci fywyd y babi bach.
TO SAVE
2 peidio â gwastraffu *Os prynwn ni'r
llyfr hwn, gallwn arbed dwy bunt arno.*
TO SAVE

arbennig *ansoddair* **1** yn wahanol i
unrhyw fath arall SPECIAL
2 i rywun neu rywrai yn unig *Mae
hwn yn arbennig i ti.* SPECIAL

arbrawf *hwn enw* (**arbrofion**) ffordd i
brofi a yw syniad yn gweithio neu
beidio EXPERIMENT

arbrofi *berfenw* gwneud arbrawf
TO EXPERIMENT

arbrofion *hyn enw* mwy nag un
arbrawf

arch *hon enw* (**eirch**) bocs hir i gadw
corff rhywun sydd wedi marw
ynddo COFFIN

archeb *hon enw* (**archebion**)
rhywbeth sydd wedi cael ei archebu
ORDER

archebu *berfenw* gofyn i rywun ddod â
rhywbeth ichi *Archebodd chwe phaned
o de.* TO ORDER

archwaeth *hwn enw* faint o eisiau
bwyd sydd arnoch chi APPETITE

archwiliad *hwn enw* y gwaith o
archwilio INSPECTION

archwilio *berfenw* edrych yn fanwl ar
rywbeth *Archwiliodd y plisman deiars
y car.* TO INSPECT

ardal *hon* *enw* (**ardaloedd**) rhan o dref neu o ddinas, neu ddarn eang o dir DISTRICT

arddangos *berfenw* dangos fel mewn arddangosfa TO DISPLAY

arddangosfa *hon* *enw* (**arddangosfeydd**) casgliad o bethau wedi'u trefnu er mwyn i bobl gael eu gweld *arddangosfa o hen luniau* DISPLAY

ardderchog *ansoddair* y gorau o'i fath EXCELLENT

arddodiad *hwn* *enw* (**arddodiaid**) gair sy'n dangos ym mha ffordd y mae'r gair sy'n ei ddilyn yn perthyn i'r gair sy'n dod o'i flaen. Yn '*Mae Ron yn y car, mae Ron dan y car, mae Ron ar y car,*' mae *yn*, *dan* ac *ar* yn arddodiaid. PREPOSITION

arddwrn *neu* **garddwrn** *hwn* *enw* (**arddyrnau**) rhan gul y fraich, nesaf at y llaw WRIST

aredig *berfenw* defnyddio aradr i droi'r tir TO PLOUGH

areithiau *hyn* *enw* mwy nag un **araith**

arestio *berfenw* gwneud rhywun yn garcharor *Arestiodd plismon y lleidr.* TO ARREST

arf *hwn* *enw* (**arfau**) rhywbeth sy'n cael ei ddefnyddio i ladd neu wneud niwed i rywun wrth ymladd WEAPON

arfau *hyn* *enw* mwy nag un **arf**; **erfyn**

arfer *hwn* *enw* (**arferion**)
1 rhywbeth sydd yn cael ei wneud yn yr un ffordd ers amser maith *Mae hel calennig yn hen arfer Cymreig.* CUSTOM
2 *berfenw* gwneud rhywbeth yn yr un ffordd ag y mae wedi cael ei wneud ers amser *Rydw i'n arfer mynd i'r gwely am naw o'r gloch bob nos.*
fel arfer bron bob tro USUALLY

arferol *ansoddair* yn yr un ffordd ag arfer USUAL

arfordir *hwn* *enw* y tir sydd agosaf at y môr COAST

arfordirol *ansoddair* yn digwydd neu yn tyfu ar arfordir COASTAL

argae *hwn* *enw* (**argaeau**) wal uchel sy'n dal dŵr er mwyn creu llyn DAM

arglwydd *hwn* *enw* (**arglwyddi**) enw ar ddyn, sy'n dangos ei fod yn nes at y brenin neu'r frenhines o ran pwysigrwydd nag at bobl gyffredin LORD

arglwyddes *hon* *enw* (**arglwyddesau**) gwraig sy'n arglwydd neu sy'n briod ag arglwydd LADY

argraffu *berfenw* defnyddio peiriant sy'n gwasgu geiriau a lluniau ar bapur *Mae papurau newydd a llyfrau yn cael eu hargraffu.* TO PRINT

argyhoeddedig *ansoddair* wedi cael ei argyhoeddi CONVINCED

argyhoeddi *berfenw* gwneud i rywun gredu rhywbeth *Argyhoeddodd y siaradwr y gynulleidfa mai ef oedd yn iawn.* TO CONVINCE

arholiad *hwn enw* (**arholiadau**) math o brawf ar yr hyn rydych yn ei wybod, lle'r ydych chi'n gorfod ateb cwestiynau EXAMINATION

arholwr *hwn enw* (**arholwyr**) yr un sy'n holi mewn arholiad EXAMINER

arhosodd *berf edrychwch dan* **aros**

arian *hwn enw* **1** y papurau a'r darnau metel sy'n cael eu defnyddio wrth i bobl brynu a gwerthu pethau. Mae *punt, papur degpunt* a *cheiniog* i gyd yn arian. MONEY
2 metel disglair, gwerthfawr SILVER

ariannog *ansoddair* â llawer o arian WEALTHY

arlunio *berfenw* tynnu llun â phensil neu baent TO PAINT

arlunydd *hwn enw* (**arlunwyr**) rhywun sy'n medru arlunio ARTIST

arlywydd *hwn enw* (**arlywyddion**) rhywun sydd wedi cael ei ddewis i fod yn arweinydd ar wlad lle nad oes brenin neu frenhines PRESIDENT

arllwys *berfenw* gwneud i rywbeth lifo neu redeg; tywallt *Arllwysodd Dic y llaeth i lawr y sinc.* TO POUR

arnaf fi *arddodiad edrychwch dan* **ar**

arnofio *berfenw* gorwedd ar wyneb dŵr (neu hylif arall) TO FLOAT

arogl *neu* **aroglau** *hwn enw* (**arogleuon**) rhywbeth yr ydych yn dod i wybod amdano trwy ddefnyddio eich trwyn SMELL

arogli *berfenw* defnyddio eich trwyn i wybod am rywbeth *Cyrhaeddodd y traeth ac aroglodd wynt y môr.* TO SMELL

aros *berfenw* **1** bod yn yr un man am gyfnod *Arhosodd hanner awr am fws.* TO WAIT
2 byw yn rhywle dros dro *Rydw i'n aros gyda mam-gu nos yfory.* TO STAY

arswyd *hwn neu hon enw* ofn mawr FEAR

arswydus *ansoddair* yn achosi arswyd FEARFUL

artist *hwn enw* (**artistiaid**) rhywun sy'n medru creu pethau neu sy'n perfformio'n dda iawn ARTIST

artistig *ansoddair* yn debyg i waith artist ARTISTIC

arth *hon enw* (**eirth**) anifail mawr â chot flewog, drwchus BEAR

arthio *berfenw* gweiddi'n gas

arwain *berfenw* **1** mynd ar y blaen i ddangos y ffordd *Arweiniodd y plant allan o'r ogof ac i le diogel.* TO LEAD
2 yr hyn y mae arweinydd yn ei wneud TO CONDUCT

arweiniodd *berf edrychwch dan* **arwain**

arweinydd *hwn enw* (**arweinyddion**)
1 person sy'n wynebu côr, band neu gerddorfa ac yn gwneud yn siŵr fod pawb yn chwarae yr un pryd a gyda'i gilydd CONDUCTOR
2 person sy'n arwain LEADER

arwerthiant *hwn enw* math o gyfarfod lle y mae pethau'n cael eu gwerthu i'r person sy'n cynnig talu'r arian mwyaf amdanyn nhw AUCTION

arwr *hwn* *enw* (**arwyr**) dyn neu fachgen dewr iawn HERO

arwres *hon* *enw* (**arwresau**) gwraig neu ferch ddewr iawn HEROINE

arwrol *ansoddair* yn gwneud pethau fel arwr neu arwres HEROIC

arwydd *hwn* *enw* (**arwyddion**) unrhyw beth sy'n defnyddio geiriau neu luniau i gyfeirio pobl *arwyddion ffyrdd* SIGN

arwyddo *berfenw* torri eich enw, ysgrifennu eich enw ar rywbeth; llofnodi *Arwyddodd hi siec am £1,000.* TO SIGN

arwynebedd *hwn* *enw* maint wyneb rhywbeth *Yr ydych yn darganfod maint arwynebedd petryal trwy luosi ei hyd â'i led.* AREA

arwyr *hyn* *enw* mwy nag un **arwr**

asen *hon* *enw* (**asennau**) un o'r esgyrn yr ydych chi'n gallu eu teimlo wrth wasgu eich ochr RIB

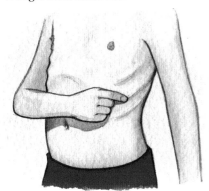

asesu *berfenw* dweud beth yw gwerth rhywbeth yn eich barn chi TO ASSESS

asgell *hon* *enw* (**esgyll**) **1** gair arall am **adain** WING
2 un o ddwy ochr cae chwarae mewn gêmau fel rygbi, pêl-droed a hoci WING

asgwrn *hwn* *enw* (**esgyrn**) unrhyw ddarn unigol o'ch sgerbwd, un o'r darnau caled yr ydych yn gallu eu teimlo dan eich croen BONE

asiant *hwn* *enw* (**asiantiaid**) rhywun sy'n cael ei dalu i drefnu pethau dros bobl eraill *asiant teithio* AGENT

asid *hwn* *enw* (**asidau**) hylif â blas sur, y mae rhai mathau yn gallu llosgi eich croen *Mae finegr yn un math o asid.* ACID

astronot *hwn* *enw* rhywun sy'n teithio yn y gofod; gofodwr ASTRONAUT

astrus *ansoddair* anodd ei ddeall COMPLICATED

astud *ansoddair* gair i ddisgrifio ffordd o wrando yn ofalus INTENT

astudio *berfenw* **1** treulio amser yn dysgu am rywbeth *Astudiodd Siân fathemateg am dair blynedd yn y coleg.* TO STUDY
2 edrych yn galed ac yn fanwl *Astudiodd Ifan y map am hanner awr cyn cychwyn ar y daith.* TO STUDY

asyn *hwn* *enw* (**asynnod**) anifail tebyg i geffyl bychan sydd â chlustiau hir ac sy'n nadu ASS

at *arddodiad*

ataf fi	atom ni
atat ti	atoch chi
ato ef	atynt hwy *neu*
ati hi	atyn nhw

atal *berfenw* **1** rhwystro rhywbeth rhag digwydd, dal rhywbeth yn ôl *Oherwydd nad oedd gwaith neb yn ddigon da i haeddu'r wobr, ataliodd y prifathro'r wobr am y flwyddyn honno.* TO HOLD BACK
2 *hwn enw* nam ar siarad rhywun lle mae'n ail-ddweud y synau ar ddechrau gair wrth siarad *d-d-diolch yn f-fawr* STAMMER

atalnod *hwn enw* (**atalnodau**) marc fel atalnod llawn (.) coma (,) neu farc cwestiwn (?) sy'n cael ei ddefnyddio mewn darn wedi'i ysgrifennu er mwyn ei wneud yn haws ei ddeall PUNCTUATION MARK

atalnodi *berfenw* gosod atalnodau
TO PUNCTUATE

ateb *berfenw* **1** dweud rhywbeth wrth rywun sydd wedi gofyn cwestiwn i chi *Beth yw eog? "Pysgodyn," atebodd Keith.* TO ANSWER
2 *hwn enw* (**atebion**) rhywbeth yr ydych chi'n ei dderbyn yn ôl *Wyt ti wedi cael ateb i dy lythyr di eto?* ANSWER

atgoffa *berfenw* gwneud i rywun gofio rhywbeth *Atgoffodd Mrs Williams y plant am daith yr ysgol ddydd Llun.* TO REMIND

atgyweirio *berfenw* cael rhywbeth sydd wedi torri i weithio eto, neu wneud rhywbeth sydd â nam arno cystal ag y bu; trwsio TO REPAIR

ati *arddodiad edrychwch dan* **at**

atlas *hwn enw* (**atlasau**) llyfr o fapiau (mapiau) ATLAS

atmosffer *hwn enw* yr awyr sydd o gwmpas y Ddaear ATMOSPHERE

ato *arddodiad edrychwch dan* **at**

atom **1** *hwn enw* (**atomau**) un o'r pethau bach lleiaf y mae popeth wedi'i wneud ohonyn nhw ATOM
2 *arddodiad edrychwch dan* **at**

atomig *ansoddair* yn perthyn i atom
ATOMIC

atsain *hon enw* (**atseiniau**) adlais
ECHO

atseinio *berfenw* gwneud sŵn fel atsain TO ECHO

atyniad *hwn enw* (**atyniadau**) rhywbeth atyniadol ATTRACTION

atyniadol *ansoddair* yn eich tynnu i edrych arno ATTRACTIVE

athletau *hyn enw* math o gystadlu sy'n cynnwys rhedeg, neidio a thaflu
ATHLETICS

athrawes *hon enw* (**athrawesau**) merch neu wraig sy'n addysgu
TEACHER

athrawon *hyn enw* mwy nag un **athro**

athro *hwn enw* (**athrawon**) dyn sy'n addysgu TEACHER

aur *hwn enw* metel gwerthfawr iawn o liw melyn disglair GOLD

awdur *hwn enw* (**awduron**) rhywun sy'n ysgrifennu llyfrau neu straeon
AUTHOR

awdurdod *hwn enw* y grym i orfodi pobl eraill i wneud yr hyn yr ydych chi yn dweud wrthyn nhw am ei wneud AUTHORITY

awdurdodol *ansoddair* yn llawn awdurdod AUTHORITATIVE

awdures *hon enw* merch neu wraig sy'n ysgrifennu llyfrau neu straeon AUTHORESS

awel *hon enw* (**awelon**) gwynt bach ysgafn BREEZE

awgrym *hwn enw* (**awgrymiadau**) syniad da yr ydych yn ei gynnig i rywun arall SUGGESTION

awgrymu *berfenw* cynnig yr hyn rydych chi'n ei feddwl i rywun arall *Awgrymodd Mei ein bod i gyd yn mynd i'r traeth yn y prynhawn.* TO SUGGEST

awn *berf* byddwn ni'n **mynd** *Awn ni i lawr i'r traeth y prynhawn 'ma.*

awr *hon enw* (**oriau**) chwe deg munud HOUR

awtomatig *ansoddair* yn gallu gweithio a rheoli ei hun *Mae rhai ceir yn newid gêr yn awtomatig.* AUTOMATIC

awydd *hwn enw* eisiau mawr iawn DESIRE

awyddus *ansoddair* yn llawn awydd EAGER

awyr *hon enw* **1** yr hyn yr ydym i gyd yn ei anadlu *awyr iach*; aer AIR **2** y gofod uwch ein pennau lle gallwn weld yr haul, y lleuad a'r sêr *awyr las* SKY

awyren *hon enw* (**awyrennau**) peiriant hedfan ag adenydd AEROPLANE

B b

baban *hwn enw* (**babanod**) plentyn ifanc iawn; babi BABY

babi *hwn enw* (**babis**) baban BABY

bach *ansoddair* heb fod yn fawr; bychan SMALL (*Edrychwch hefyd dan* **llai** *a* **lleiaf**)

bachau *hyn enw* mwy nag un **bachyn**

bachgen *hwn enw* (**bechgyn**) plentyn cyn iddo dyfu'n ddyn BOY

bachyn *hwn enw* (**bachau**) darn o fetel wedi'i blygu er mwyn dal pethau HOOK

bachu *berfenw* dal ar fachyn TO HOOK

bad *hwn enw* (**badau**) rhywbeth sy'n cael ei yrru ar wyneb y dŵr ac sydd â lle ynddo i gario pobl neu bethau eraill; cwch BOAT
bad achub cwch arbennig sy'n mynd i'r môr pan fydd y tywydd yn ddrwg, er mwyn achub bywydau pobl LIFEBOAT

bae *hwn enw* man ar lan y môr lle y mae darn o dir wedi diflannu a'r môr wedi llifo i mewn iddo BAY

baedd *hwn enw* **1** mochyn gwyllt BOAR **2** mochyn gwryw BOAR

bag *hwn enw* (**bagiau**) math o gwdyn i ddal pethau BAG

bagl *hon enw* (**baglau**) math o ffon y mae rhywun cloff yn gallu ei rhoi dan ei gesail er mwyn pwyso arni CRUTCH

baglu *berfenw* syrthio dros rywbeth TO TRIP

bai *hwn enw* (**beiau**) rhywbeth nad yw'n iawn, sy'n tynnu oddi ar pa mor dda yw rhywun neu rywbeth FAULT

baich *hwn enw* (**beichiau**) rhywbeth y mae'n rhaid ei gario BURDEN

a
b
c
ch
d
dd
e
f
ff
g
ng
h
i
j
k
l
ll
m
n
o
p
ph
r
rh
s
t
th
u
w
y

balch *ansoddair* hapus *Rydw i'n falch iawn o weld cymaint o bobl yn y gynulleidfa.* PLEASED

balchder *hwn enw* y teimlad hapus pan fyddwch wedi gwneud yn dda neu fod rhywun sy'n perthyn wedi gwneud yn dda PRIDE

bale *hwn enw* stori sy'n cael ei dawnsio (ar lwyfan) i gerddoriaeth BALLET

balŵn *hwn enw* (**balwnau**)
1 cwdyn bach o rwber lliw y gallwch chwythu i mewn iddo a'i chwyddo ag aer BALLOON
2 cwdyn mawr iawn y mae modd ei lenwi â nwy neu aer poeth er mwyn iddo hedfan gan gario pobl mewn basged tano BALLOON

bambŵ *hwn enw* planhigyn tal â choes tew sy'n tyfu mewn gwledydd poeth iawn BAMBOO

banana *hon enw* (**bananas**) ffrwyth hir, melyn â chroen trwchus BANANA

banc *hwn enw* (**banciau**) man sy'n edrych ar ôl arian pobl a phethau gwerthfawr eraill BANK

bancio *berfenw* rhoi arian i'w gadw mewn banc TO BANK

band *hwn enw* (**bandiau**) grŵp o bobl yn canu offerynnau BAND

baner *hon enw* (**baneri**) darn o ddefnydd a phatrwm arbennig o liwiau arno. Mae gan bob gwlad ei baner ei hun. FLAG

banjô *hwn enw* offeryn cerdd yr ydych yn ei chwarae â'ch bysedd. Mae'n perthyn i'r un teulu â'r gitâr ond mae'n llai o faint ac yn fwy crwn. BANJO

bant *adferf* i ffwrdd, heb fod yma AWAY

bar *hwn enw* (**barrau**) **1** darn hir, cul o fetel BAR
2 darn cyfan o siocled, cyflaith neu sebon BAR

bara *hwn enw* bwyd wedi'i wneud o does sy'n cael ei bobi'n dorth BREAD

barbwr *hwn enw* dyn sy'n torri gwallt dynion a bechgyn BARBER

barcud *hwn enw* (**barcutiaid**)
1 aderyn tebyg i hebog ond â chynffon fforchog fel gwennol KITE
2 ffrâm ysgafn a phapur neu ddefnydd drosti sy'n cael ei hedfan yn y gwynt ar ben darn hir o gortyn KITE

bardd *hwn enw* (**beirdd**) rhywun sy'n ysgrifennu barddoniaeth POET

barddoni *berfenw* ysgrifennu barddoniaeth

barddoniaeth *hon enw* math o ysgrifennu sydd â rhythm arbennig ac yn aml (ond nid bob tro) odlau ar ddiwedd llinell POETRY

barf *hon* (**barfau**) *enw* y blew sy'n tyfu ar ên dyn BEARD

barfog *ansoddair* â barf BEARDED

bargen *hon* *enw* (**bargeinion**) rhywbeth sy'n costio'n llai nag arfer *Fe gewch chi fargeinion yn y sêl lyfrau.* BARGAIN

baril *hwn* *enw* (**barilau**) **1** math o ddrwm i ddal pethau BARREL **2** pen dryll sy'n edrych fel tiwb BARREL

bariwns *hwn* *enw* rhwystr neu fath o glawdd sy'n sefyll yn y ffordd BARRIER

barlat *hwn* *enw* ceiliog hwyad DRAKE

barlys *hyn* *enw* planhigyn tebyg i ŷd sy'n cael ei dyfu am ei rawn; haidd BARLEY

barn *hon* *enw* yr hyn yr ydych chi'n ei feddwl am rywbeth OPINION

barnu *berfenw* rhoi eich barn TO JUDGE

barrau *hyn* *enw* mwy nag un **bar**

barrug *hwn* *enw* iâ tebyg i bowdr gwyn sy'n cuddio popeth pan fydd y tywydd yn oer iawn; llwydrew FROST

barugog *ansoddair* a barrug drosto FROSTY

barus *ansoddair* gair i ddisgrifio rhywun sydd eisiau llawer mwy (o fwyd neu arian) nag sydd ei angen arno *Y bolgi barus â thi!* GREEDY

bas *ansoddair* heb fod yn ddwfn SHALLOW

basâr *hwn* *enw* rhes o stondinau sy'n gwerthu pethau *basâr yr eglwys* BAZAAR

basged *hon* *enw* (**basgedi**) llestr neu fag wedi'i wneud yn wreiddiol o frwyn neu wiail (darnau tenau o bren) wedi'u plethu BASKET

basgedaid *hon* *enw* llond basged

basn *hwn* *enw* (**basnau**) bowlen BASIN

basnaid *hwn* *enw* llond basn

bat *hwn* *enw* (**batiau**) darn o bren ar gyfer taro pêl mewn gêmau BAT

batiad *hwn* *enw* eich tro chi i fatio mewn gêm INNINGS

batio *berfenw* cymryd eich tro i ddefnyddio'r bat mewn gêm fel criced TO BAT

batri *hwn* *enw* (**batris**) math o focs sy'n cynhyrchu trydan. Yr ydych yn rhoi batri mewn radio neu fflachlamp er mwyn iddyn nhw weithio. BATTERY

bath *hwn* *enw* math o fasn mawr yr ydych yn gallu ei lenwi â dŵr ac eistedd ynddo er mwyn ymolchi BATH

bathdy *hwn* *enw* y man lle y mae arian (ceiniogau, punnoedd etc.) yn cael ei wneud MINT

bathodyn *hwn* *enw* (**bathodynnau**) math o lun neu arwydd bach sy'n dangos i ba grŵp y mae rhywun yn perthyn neu beth mae rhywun yn ei wneud *bathodyn y beirniad mewn eisteddfod* BADGE

bathu *berfenw* gwneud arian TO COIN

baw *hwn* *enw* llwch, llaid neu ddom anifail DIRT

bawd *hwn* *enw* (**bodiau**) y bys byr, tew ar ochr eich llaw a'ch troed THUMB, BIG TOE

bawlyd *ansoddair* a baw drosto DIRTY

bechgyn *hyn* *enw* mwy nag un **bachgen**

bedydd *hwn* *enw* y gwasanaeth bedyddio BAPTISM

bedyddio *berfenw* rhoi enw ar fabi mewn gwasanaeth yn y capel neu'r eglwys TO CHRISTEN

bedd *hwn* *enw* (**beddau**) y twll yn y ddaear y mae rhywun sydd wedi marw yn cael ei gladdu ynddo GRAVE

beiau *hyn* *enw* mwy nag un **bai**

Beibl *hwn* *enw* y llyfr cysegredig sy'n cael ei ddarllen mewn eglwysi a chapeli BIBLE

beic *hwn* *enw* (**beiciau**) peiriant â dwy olwyn yr ydych yn ei yrru trwy wthio ei bedalau â'ch coesau BICYCLE

beicio *berfenw* gyrru beic TO CYCLE

beichiau *hyn* *enw* mwy nag un **baich**

beichiog *ansoddair* gair i ddisgrifio gwraig sy'n disgwyl babi PREGNANT

beiddgar *ansoddair* mentrus iawn DARING

beiddio *berfenw* bod yn ddigon mentrus i wneud rhywbeth *A feiddiodd Dai fynd i'r dref wedyn ar ôl i'r athro ddweud wrtho am beidio?* TO DARE

beio *berfenw* dweud mai oherwydd rhywun neu rywbeth (arall) y mae rhyw ddrwg wedi digwydd *Beiodd y ffermwyr yr haf gwlyb am y cynhaeaf gwael.* TO BLAME

beirdd *hyn* *enw* mwy nag un **bardd**

beirniad *hwn* *enw* (**beirniaid**) rhywun sy'n beirniadu JUDGE

beirniadu *berfenw* penderfynu pa mor dda neu ddrwg yw rhywbeth *Pwy sy'n beirniadu'r gystadleuaeth arlunio eleni?* TO JUDGE; TO ADJUDICATE

beisicl *hwn* *enw* beic BICYCLE

belt *hon* *enw* (**beltiau**) stribed o ddefnydd cryf sy'n cael ei glymu o gwmpas eich canol; gwregys BELT

bendigedig *ansoddair* hyfryd iawn LOVELY

bendith *hon* *enw* (**bendithion**) gofal Duw BLESSING
gofyn bendith gweddïo cyn pryd o fwyd TO SAY GRACE

benthyca *berfenw* **1** gadael i rywun ddefnyddio, am gyfnod byr, rywbeth sy'n perthyn i chi *Benthycodd ei feic i'w chwaer am y diwrnod.* TO LEND
2 cael yr hawl i ddefnyddio rhywbeth am gyfnod byr cyn mynd ag ef yn ôl *Benthycais feic fy mrawd am y diwrnod.* TO BORROW

benthyg *berfenw* **1** gair arall am **benthyca**
2 *ansoddair* gair i ddisgrifio rhywbeth sydd wedi'i fenthyca *arian benthyg; llyfr benthyg*

benyw *hon* *enw* (**benywod**) unrhyw berson neu anifail sy'n gallu bod yn fam FEMALE

berf *hon* *enw* (**berfau**) ffurf ar y **berfenw** sy'n dweud wrthych chi pwy sy'n gwneud rhywbeth (fi, ti, ni) a phryd mae'n cael ei wneud (nawr *presennol*, ddoe *gorffennol*). Mae *gwelodd, af, rhedais, eisteddwch,* i gyd yn ferfau. VERB

berfa *hon* *enw* cart bach ag un olwyn ar y blaen y mae rhywun yn ei wthio; whilber WHEELBARROW

berfenw *hwn* *enw* (**berfenwau**) gair yn enwi rhywbeth sy'n cael ei wneud, ond nid yw'n dweud pwy sy'n gwneud y peth, na phryd y mae'n cael ei wneud. Mae *gweld, mynd, rhedeg* ac *eistedd* i gyd yn ferfenwau. (*Edrychwch hefyd dan* **berf**)

berwedig *ansoddair* yn berwi BOILING HOT

berwi *berfenw* **1** cynhesu dŵr (neu hylif arall) nes ei fod yn byrlymu TO BOIL
2 coginio rhywbeth mewn dŵr sydd mor boeth nes ei fod yn byrlymu TO BOIL

berwr *hwn* *enw* planhigyn bach gwyrdd sy'n cael ei fwyta heb ei goginio CRESS

betys *hyn* *enw* llysiau crwn o liw coch tywyll iawn BEETROOT

beth *rhagenw* gair ar ddechrau cwestiwn yn gofyn "pa beth" *Beth yw hwn?* WHAT

beudy *hwn* *enw* (**beudái**) adeilad y mae da neu wartheg yn cael eu cadw ynddo COWSHED

bil *hwn* *enw* (**biliau**) darn o bapur yn dweud faint o arian sydd arnoch chi i rywun BILL

biliards *hyn* *enw* gêm sy'n cael ei chwarae ar fwrdd mawr gyda thair pêl fach a ffyn arbennig i'w taro BILLIARDS

bilidowcar *hwn* *enw* aderyn y môr o liw du sydd â gwddf hir a phig gam CORMORANT

bisgeden:bisgïen *hon* *enw* (**bisgedi**) math o deisen fach galed, denau BISCUIT

bit *hwn* *enw* y darn o ffrwyn ceffyl sydd yn mynd i'w geg; genfa BIT

blaen *hwn* *enw* (**blaenau**) yr ochr y mae pobl yn arfer ei gweld neu ei chyrraedd gyntaf FRONT
o'r blaen cyn hyn *Rydw i wedi'i gweld hi o'r blaen yn rhywle.* BEFORE

blaenaf *ansoddair* mwyaf blaen FOREMOST

blaguro *berfenw* dechrau tyfu *Mae gweld y cloddiau yn blaguro yn dangos bod y gwanwyn ar ei ffordd.* TO SPROUT

blaguryn *hwn enw* (**blagur**) blodyn cyn iddo agor neu ddeilen cyn iddi agor BUD

blaidd *hwn enw* (**bleiddiaid**) anifail gwyllt tebyg i gi mawr WOLF

blanced *hon enw* (**blancedi**) darn o frethyn trwchus, meddal i'w daenu dros wely BLANKET

blas *hwn enw* y teimlad y mae'r tafod yn ei roi ichi wrth fwyta neu yfed TASTE

blasu *berfenw* profi blas TO TASTE

blasus *ansoddair* a blas da arno TASTY

blawd *hwn enw* powdr wedi'i wneud o ŷd, sy'n cael ei ddefnyddio i wneud bara a theisennau FLOUR

ble *rhagenw* gair ar ddechrau cwestiwn yn gofyn "i ba le" neu "o ba le" WHERE

blêr *ansoddair* anniben UNTIDY

blerwch *hwn enw* bod yn flêr; annibendod UNTIDINESS

blew *hyn enw* y gwallt meddal sy'n cuddio corff rhai anifeiliaid FUR

blewog *ansoddair* a blew drosto HAIRY

blin *ansoddair* drwg ei dymer CROSS **mae'n flin gennyf** mae'n ddrwg gennyf I'M SORRY

blinedig *ansoddair* wedi blino TIRED

blino *berfenw* **1** eisiau cysgu *Roedd y plant wedi blino'n lân ar ôl diwrnod ar lan y môr.* TO BECOME TIRED **2** cael digon *Rydw i wedi blino chwarae â'r trên.* TO TIRE

blith draphlith *adferf* dros y lle i gyd, sang-di-fang TOPSY-TURVY

bloc:blocyn *hwn enw* (**blociau**) darn tew o bren, plastig neu ddefnydd solet arall BLOCK

blocio *berfenw* bod yn y ffordd fel na all dim fynd heibio TO BLOCK

blodau *hyn enw* mwy nag un **blodyn**

blodyn *hwn enw* (**blodau**) y rhan o blanhigyn â phetalau, lle y mae'r hadau yn tyfu FLOWER

bloeddio *berfenw* gweiddi'n uchel *Bloeddiodd y dorf drwy'r gêm.* TO SHOUT

blows:blowsen *hon enw* math o grys ysgafn i ferched BLOUSE

blwch *hwn enw* (**blychau**) bocs BOX

blwydd *hon enw* blwyddyn o oedran *tair blwydd oed*

blwyddyn *hon enw* (**blynyddoedd**) mesur o amser yn cynnwys deuddeg mis neu dri chant chwe deg a phump o ddiwrnodau YEAR

blychau *hyn enw* mwy nag un **blwch**

blynedd *hyn enw* mwy nag un flwyddyn (**blwyddyn**) *pum mlynedd yn yr ysgol*

blynyddoedd *hyn enw* mwy nag un flwyddyn (**blwyddyn**) *y blynyddoedd rhwng 1990 a 1993*

bocs *hwn enw* (**bocsys**) blwch; cynhwysydd a chlawr iddo BOX

bocsio *berfenw* ymladd â'r dyrnau; paffio TO BOX

boch *hon enw* (**bochau**) ochr eich wyneb dan y llygad CHEEK

bodiau *hyn enw* mwy nag un **bawd**

bodlon:boddlon *ansoddair* bod yn hapus fod rhywbeth yn ddigon da *Nid yw ef byth yn fodlon, mae'n gweld bai ar bopeth.* SATISFIED

bodd
wrth fy modd yn hollol fodlon

boddi *berfenw* marw oherwydd bod eich pen dan ddŵr ac nad ydych yn gallu anadlu TO DROWN

bol:bola *hwn enw* (**boliau**) y darn yng nghanol eich corff lle mae bwyd yn mynd; stumog STOMACH

bolgi *hwn enw* rhywun sy'n bwyta gormod GLUTTON

boliog *ansoddair* â bol mawr FAT

bollt *hon enw* (**bolltau**) **1** rhoden o haearn ar gyfer cloi drws BOLT **2** math o sgriw sy'n cymryd nyten BOLT

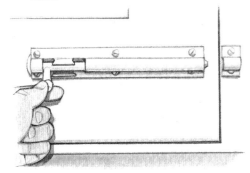

bom *hwn enw* (**bomiau**) arf sy'n ffrwydro ac yn gwneud llawer o ddifrod BOMB

bomio *berfenw* gollwng bomiau o awyren TO BOMB

bôn *hwn enw* (**bonion**) gwaelod BASE

boned *hwn enw* (**bonedau**) **1** het merch sy'n cael ei chlymu dan yr ên BONNET **2** y rhan o gar sy'n cau dros yr injan BONNET

bonheddig *ansoddair* cwrtais a charedig POLITE

bord *hon enw* (**bordydd**) dodrefnyn ag wyneb gwastad a choesau; bwrdd TABLE

bore *hwn enw* (**boreuau**) yr amser o ddechrau'r diwrnod hyd at hanner dydd MORNING

bostio *berfenw* dweud wrth bawb pa mor dda yr ydych, yn eich barn chi *Bostiodd Cyril ei fod yn well nofiwr na neb arall yn yr ysgol.* TO BOAST

botwm *hwn enw* (**botymau**) darn bach (crwn, caled, fel arfer) sy'n cael ei wnïo ar ddillad ac sy'n ffitio i dwll priodol er mwyn cau'r dilledyn BUTTON

botwm bol y pant bach sydd gan bawb yng nghroen y bola

botymu *berfenw* cau â botwm TO BUTTON

bowlen *hon enw* (**bowlenni**) math o gwpan mawr heb ddolen *bowlen olchi llestri* BOWL

bowlennaid *hon enw* llond bowlen

bowlio *berfenw* ffordd arbennig o daflu pêl at fatiwr TO BOWL

bradwr *hwn enw* (**bradwyr**) rhywun sy'n gwneud drwg trwy ddweud cyfrinachau wrth y gelyn am ei gyfeillion neu am ei wlad TRAITOR

bradychu *berfenw* dweud cyfrinachau am eich cyfeillion neu eich gwlad wrth y gelyn TO BETRAY

braf *ansoddair* teg a hyfryd *diwrnod braf* FINE

brafiach *ansoddair* mwy braf

braich *hon enw* (**breichiau**) y darn o'ch corff rhwng eich ysgwydd a'ch llaw ARM

Braille *hwn enw* patrwm o ddotiau ar bapur y mae pobl ddall yn gallu eu teimlo â'u bysedd a'u darllen BRAILLE

brain *hyn enw* mwy nag un frân (**brân**)

a
b
c
ch
d
dd
e
f
ff
g
ng
h
i
j
k
l
ll
m
n
o
p
ph
r
rh
s
t
th
u
w
y

brân *hon* *enw* (**brain**) aderyn mawr, du, cyffredin CROW

bras *ansoddair* heb fod yn fân nac yn dwt *darnau bras o law* COARSE

braslun *hwn* *enw* (**brasluniau**) darlun cyflym heb lawer o fanylion SKETCH

braster *hwn* *enw* saim sy'n cael ei ddefnyddio ar gyfer coginio FAT

brathiad *hwn* *enw* (**brathiadau**) ôl brathu A BITE

brathu *berfenw* cnoi *Mae'r ci wedi brathu fy nghoes.* TO BITE

brau *ansoddair* hawdd ei dorri BRITTLE

braw *hwn* *enw* ofn mawr FRIGHT

brawd *hwn* *enw* (**brodyr**) dyn neu fachgen sydd â'r un rhieni â chi BROTHER

brawddeg *hon* *enw* (**brawddegau**) geiriau wedi'u rhoi at ei gilydd i greu ystyr. Mae brawddeg ysgrifenedig yn dechrau â phriflythyren ac yn gorffen ag atalnod llawn (.), ebychnod (!) neu farc cwestiwn (**?**). SENTENCE

brawychu *berfenw* achosi braw TO FRIGHTEN

brawychus *ansoddair* yn achosi braw FRIGHTENING

brêc *hwn* *enw* (**breciau**) y darn hwnnw o gar neu feic sy'n gwneud iddo arafu BRAKE

brecio *berfenw* gwasgu'r breciau TO BRAKE

brecwast *hwn* *enw* (**brecwastau**) pryd bwyd cynta'r dydd BREAKFAST

brechdan *hon* *enw* (**brechdanau**)
1 darn o fara menyn
2 dau ddarn o fara menyn a bwyd rhyngddyn nhw SANDWICH

brechiad *hwn* *enw* (**brechiadau**) chwistrelliad i'ch cadw rhag mynd yn sâl VACCINATION

brechu *berfenw* rhoi chwistrelliad i berson neu anifail i'w gadw rhag mynd yn sâl TO VACCINATE

bref *hon* *enw* (**brefiadau**) sŵn dafad A BLEAT

brefu *berfenw* gwneud yr un sŵn â dafad TO BLEAT

breichiau *hyn* *enw* mwy nag un fraich (**braich**)

breichled *hon* *enw* (**breichledau**) cadwyn, gleiniau neu gylch sy'n cael eu gwisgo am eich braich BRACELET

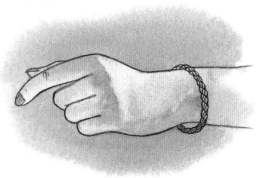

brenhines *hon* *enw* (**breninesau**)
1 merch neu wraig sydd wedi cael ei choroni yn bennaeth ar deyrnas QUEEN
2 gwraig brenin QUEEN

brenhinoedd *hyn* *enw* mwy nag un **brenin**

brenin *hwn* *enw* (**brenhinoedd**) gŵr sydd wedi cael ei goroni i fod yn ben ar deyrnas KING

breninesau *hyn* *enw* mwy nag un frenhines (**brenhines**)

brest *hon* *enw* rhan flaen eich corff rhwng y gwddf a'r bola; bron CHEST

bresus:bresys *hyn* *enw* pâr o strapiau sy'n cael eu gwisgo am yr ysgwyddau i gadw trywsus rhag disgyn BRACES

bresych *hyn* *enw* llysiau â llawer o ddail gwyrdd CABBAGE

brethyn *hwn enw* math o ddefnydd wedi'i wneud o wlân CLOTH

breuddwyd *hon enw* (**breuddwydion**) y lluniau yr ydych yn eu gweld pan fyddwch yn cysgu DREAM

breuddwydio *berfenw* gweld (a chlywed) pethau pan fyddwch yn cysgu TO DREAM

breuddwydiol *ansoddair* mewn breuddwyd DREAMY

bri *hwn enw* parch mawr HONOUR **o fri** enwog iawn RENOWNED

briallu *hyn enw* blodau bach melyn golau sy'n agor ar ddechrau'r gwanwyn PRIMROSES

bricsen *hon enw* (**briciau**) blocyn bach hirsgwar sy'n cael ei ddefnyddio i adeiladu pethau BRICK

bridio *berfenw* cadw anifeiliaid er mwyn magu rhai bach TO BREED

brifo *berfenw* cael niwed neu wneud niwed *Brifodd ei droed wrth chwarae pêl-droed. Mae fy nghoes i'n brifo.* TO HURT

brig *hwn enw* pen TOP

brigâd *hon enw* grŵp o bobl mewn lifrai, wedi'u hyfforddi i wneud gwaith arbennig *brigâd dân* BRIGADE

brigau *hyn enw* coed mân fel y rheini sy'n tyfu ar ben y goeden TWIGS

brith *ansoddair* a smotiau bach drosto SPECKLED

brithyll *hwn enw* (**brithyllod**) pysgodyn y gallwch ei fwyta, sydd i'w gael mewn llynnoedd ac afonydd TROUT

briwsion *hyn enw* darnau mân o fara neu deisen CRUMBS

bro *hon enw* (**broydd**) ardal, rhan o wlad *papur bro*

broc môr *hwn enw* pethau sy'n cael eu golchi i'r lan gan y môr FLOTSAM

brodor *hwn enw* (**brodorion**) rhywun sy'n dod yn wreiddiol o ardal neu o wlad arbennig NATIVE

brodorol *ansoddair* yn frodor NATIVE

brodwaith *hwn enw* math o wnïo pert i addurno defnydd EMBROIDERY

brodyr *hyn enw* mwy nag un **brawd**

broga *hwn enw* (**brogaod**) (enw'r De am lyffant melyn y Gogledd) anifal bach â chroen llyfn, llaith ac sy'n gallu nofio a sboncio FROG

brolio:brolian *berfenw* bostio TO BOAST

broliwr *hwn enw* (**brolwyr**) un sy'n brolian ei hun BRAGGART

bron[1] *hon enw* rhan flaen eich corff rhwng y gwddf a'r bola; brest CHEST

bron[2] *adferf* o fewn y dim *Rydw i bron â gorffen.* ALMOST

bronfraith *hon enw* aderyn â brest wen a smotiau drosti THRUSH

brwdfrydedd *hwn enw* diddordeb mawr iawn mewn rhywbeth ENTHUSIASM

brwdfrydig *ansoddair* llawn brwdfrydedd ENTHUSIASTIC

brwnt *ansoddair* **1** a baw drosto DIRTY **2** cas a chreulon NASTY

brws *hwn enw* (**brwsys**) teclyn â choes (o bren neu blastig) a blew bach byr ar ei ben. Mae brwsys yn cael eu defnyddio i gadw gwallt yn daclus, i lanhau, ac i beintio pethau. BRUSH

brwydr *hon enw* (**brwydrau**) ymladd rhwng dwy ochr BATTLE

brwydro *berfenw* ymladd TO FIGHT

brwyn *hyn enw* math o borfa wyrdd tywyll sy'n tyfu yn ymyl dŵr RUSHES

brychau *hyn enw* mwy nag un **brycheuyn**

brycheuyn *hwn enw* (**brychau**) smotyn SPOT

bryn *hwn enw* (**bryniau**) tir sy'n codi'n uwch na'r tir o'i gwmpas HILL

brys *hwn enw* mynd yn gyflym HASTE

brysio *berfenw* symud yn gyflym *Brysiodd Mari adre o'r ysgol.* TO HURRY

buan *ansoddair* cyflym QUICK

buarth *hwn enw* darn o dir agored o flaen ffermdy; clos fferm FARMYARD

buchod *hyn enw* mwy nag un fuwch (**buwch**)

budr *ansoddair* a baw drosto DIRTY

buddiol *ansoddair* yn werth ei wneud, yn gymorth BENEFICIAL

buddugol *ansoddair* gair i ddisgrifio rhywun neu rhywbeth sy'n ennill VICTORIOUS

buddugoliaeth *hon enw* ennill brwydr neu gêm VICTORY

bugail *hwn enw* (**bugeiliaid**) rhywun sy'n gofalu am ddefaid SHEPHERD

bugeilio *berfenw* gwneud gwaith bugail TO SHEPHERD

busnes *hwn enw* (**busnesau**) siop, cwmni neu waith BUSINESS

buwch *hon enw* (**buchod**) yr anifail mawr â chyrn sy'n rhoi llaeth i ni COW

buwch goch gota *hon enw* trychfilyn neu bryfyn â chorff coch neu felyn a smotiau duon drosto LADYBIRD

bwa *hwn enw* (**bwâu**) **1** darn o bren wedi'i ddal ar ffurf hanner cylch gan gordyn cryf iawn. Mae'n cael ei ddefnyddio i saethu saethau. BOW **2** darn o bren arbennig, â rhawn (blew mwng ceffyl) yn cysylltu'i ddau ben, sy'n cael ei ddefnyddio i ganu'r ffidl BOW **3** rhywbeth wedi'i adeiladu ar ffurf hanner cylch ARCH

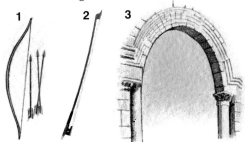

bwced *hwn enw* (**bwcedi**) llestr o fetel neu blastig â dolen ond dim clawr, ar gyfer cario dŵr, tywod ac ati BUCKET

bwcedaid *hwn enw* llond bwced

bwcl *hwn enw* (**byclau**) rhywbeth ar ben belt neu strapen sy'n cael ei ddefnyddio i'w gau BUCKLE

bwch *hwn enw* (**bychod**) gwryw gafr, cwningen a charw BUCK

bwgan *hwn enw* (**bwganod**) rhywbeth sydd yn codi ofn arnoch chi GHOST **bwgan brain** rhywbeth sydd yn edrych fel person ac sy'n cael ei osod mewn cae i godi ofn ar adar a'u cadw rhag bwyta hadau neu blanhigion SCARECROW

bwi *hwn enw* (**bwïau**) dyfais sy'n arnofio ar y môr i rybuddio llongau am beryglon BUOY

bwlb *hwn enw* (**bylbiau**) **1** y darn o lamp sy'n rhoi'r golau BULB **2** gwreiddyn planhigyn sy'n edrych yn debyg i wynionyn BULB

bwlch *hwn enw* (**bylchau**) man gwag GAP

bwled *hon enw* (**bwledi**) darn bach o fetel i'w saethu o ddryll BULLET

bwli *hwn enw* rhywun sy'n ymosod ar bobl sy'n wannach nag ef (neu hi) BULLY

bwlian *berfenw* yr hyn y mae bwli yn ei wneud TO BULLY

bwlyn *hwn enw* nobyn drws KNOB

bwmerang *hwn enw* darn o bren ar ffurf hanner cylch, sy'n dod yn ôl at y person sy'n ei daflu BOOMERANG

bwrdd *hwn enw* (**byrddau**) dodrefnyn â thop gwastad a choesau; bord TABLE

bwrdd du darn o bren du neu wyrdd tywyll y mae'n bosibl ysgrifennu arno â sialc BLACKBOARD

bwriadol *ansoddair* wedi'i wneud o bwrpas, heb fod yn ddamweiniol ON PURPOSE

bwriadu *berfenw* mynd i wneud TO INTEND

bwrn *hwn enw* (**byrnau**) llwyth trwm BURDEN

bwrw *berfenw* **1** taro, curo TO HIT **2** glawio TO RAIN

bws *hwn enw* (**bysiau**) cerbyd mawr i gario nifer o bobl BUS

bwthyn *hwn enw* (**bythynnod**) tŷ bach twt yn y wlad COTTAGE

bwyall *hon enw* (**bwyeill**) arf torri coed AXE

bwyd *hwn enw* (**bwydydd**) unrhyw beth yr ydych yn ei fwyta sy'n eich helpu chi i dyfu FOOD

bwydo *berfenw* rhoi bwyd i berson neu anifail *Rydw i'n bwydo'r ieir bob bore cyn mynd i'r ysgol.* TO FEED

bwyeill *hyn enw* mwy nag un fwyall (**bwyall**)

bwystfil *hwn enw* (**bwystfilod**) anifail gwyllt BEAST

bwyta *berfenw* cnoi a llyncu bwyd TO EAT

byclau *hyn* mwy nag un **bwcl**

bychan *ansoddair* bach SMALL (*Edrychwch hefyd dan* **fechan**)

bychod *hyn enw* mwy nag un **bwch**

byd *hwn enw* (**bydoedd**) y Ddaear neu unrhyw blaned yn y gofod sy'n debyg iddi WORLD

byd-eang *ansoddair* dros y byd i gyd WORLD-WIDE

bydysawd *hwn enw* y gofod a phopeth sydd ynddo (yr holl sêr a'r planedau) UNIVERSE

byddar *ansoddair* yn methu clywed DEAF

byddaru *berfenw* gwneud yn fyddar (trwy fod yn rhy swnllyd) TO DEAFEN

byddin *hon enw* (**byddinoedd**) grŵp mawr o bobl wedi'u dysgu i ymladd brwydrau ARMY

bygwth *berfenw* addo gwneud drwg i rywun neu rywbeth os nad ydynt yn gwneud yr hyn yr ydych chi eisiau TO THREATEN

bygythiad *hwn enw* (**bygythiadau**) rhywbeth sy'n bygwth THREAT

bylbiau *hyn* *enw* mwy nag un **bwlb**

bylchau *hyn* *enw* mwy nag un **bwlch**

býngalo:bynglo *hwn* *enw* tŷ unllawr
BUNGALOW

bynnen:bynsen *hon* *enw* (**byns**)
teisen felys ar ffurf torth fach gron
BUN

byr *ansoddair* **1** heb fod yn hir SHORT
2 heb fod yn dal SHORT (*Edrychwch
hefyd dan* **fer; byrrach, byrraf**)

byrbwyll *ansoddair* wedi'i wneud ar
frys, heb ystyried digon RASH

byrddaid *hwn* *enw* llond bwrdd

byrddau *hyn* *enw* mwy nag un **bwrdd**

byrhau *berfenw* torri'n fyr
TO SHORTEN

byrlymu *berfenw* berwi'n wyllt fel y
mae dŵr yn gallu'i wneud; llifo'n
rhwydd TO BUBBLE

byrnau *hyn* *enw* mwy nag un **bwrn**

byrrach:byrraf *ansoddair* mwy **byr:**
mwyaf **byr**

byrstio *berfenw* torri ar agor yn sydyn
oherwydd bod gormod y tu mewn
TO BURST

bys *hwn* *enw* (**bysedd**) **1** un o'r pump
rhan o'ch corff ar flaen eich llaw
FINGER
2 un o'r pump rhan debyg ar flaen
eich troed TOE

bysellfwrdd *hwn* *enw* y teclyn a'r holl
lythrennau a rhifau arno a ddaw
gyda chyfrifiadur KEYBOARD

bysiau:bysys *hyn* *enw* mwy nag un
bws

byth *adferf* nid ar unrhyw adeg *Dydw i
byth yn mynd i'r lle 'na eto.* NEVER
am byth bob amser *Hoffwn i aros
yma am byth.* FOR EVER

bythwyrdd:bytholwyrdd *ansoddair*
unrhyw goeden sydd â dail gwyrdd
drwy'r flwyddyn EVERGREEN

bythynnod *hyn* mwy nag un **bwthyn**

byw[1] *berfenw* **1** bod â bywyd TO LIVE
2 bod â'ch cartref mewn man
arbennig *Rwy'n byw yn
Llangwyryfon.* TO LIVE

byw[2] *ansoddair* a bywyd ynddo ALIVE

bywiog *ansoddair* yn llawn bywyd
LIVELY

bywyd *hwn* *enw* (**bywydau**) yr amser
rhwng geni a marw LIFE

C c

cab *hwn* *enw* y rhan honno o lorri,
trên, tractor neu fws y mae'r gyrrwr
yn eistedd ynddi CAB

cabaets *hyn* *enw* bresych CABBAGE

caban *hwn* *enw* (**cabanau**)
1 adeilad bychan (wedi'i wneud o
bren fel arfer) CABIN
2 ystafell ar long neu mewn awyren
CABIN

cabinet *hwn* *enw* math o gwpwrdd â
droriau CABINET

caboli *berfenw* rhwbio wyneb rhywbeth
nes iddo ddisgleirio
TO POLISH

cacen *hon* *enw* (**cacennau**) teisen
CAKE

cactws *hwn* *enw* planhigyn â choes a changhennau tew, gwyrdd, pigog. Mae'n tyfu mewn mannau sych a phoeth a does dim angen llawer o ddŵr arno. CACTUS

cacwn *hyn* *enw* trychfilod sy'n hedfan ac yn gallu pigo. Gallwch eu hadnabod wrth y bandiau du a melyn ar hyd eu cyrff. WASPS

cacynen *hon* *enw* un o nifer o gacwn (**cacwn**) WASP

cadair *hon* *enw* (**cadeiriau**) sedd i un person CHAIR

cadarn *ansoddair* **1** wedi'i osod fel ei fod yn anodd ei symud FIRM
2 (am ddiod) yn cynnwys alcohol

cadeiriau *hyn* *enw* mwy nag un gadair (**cadair**)

cadeirio *berfenw* gwobrwyo'r bardd sydd wedi ennill y gadair mewn eisteddfod TO CHAIR

cadnawes *hon* *enw* cadno benyw VIXEN

cadno *hwn* *enw* (**cadnoid**) anifail gwyllt tebyg i gi, â blew coch a chynffon hir; llwynog FOX

cadw *berfenw* **1** cymryd rhywbeth a pheidio â'i roi i neb arall *Cadwodd Dafydd y bunt a welodd ar y llawr.* TO KEEP
2 edrych ar ôl *Mae fy nhad yn cadw siop ddillad.* TO KEEP
3 atal, rhwystro *Beth sy'n cadw Siôn? Mae'n hwyr.* TO KEEP

cadw-mi-gei *hwn* *enw* bocs-cadw-arian plentyn MONEY-BOX

cadwyn *hon* *enw* (**cadwynau**) rhes o gylchoedd metel wedi'u cysylltu â'i gilydd CHAIN

cadwyno *berfenw* clymu â chadwyn TO CHAIN

cae *hwn* *enw* (**caeau**) darn o dir lle y mae rhywbeth yn tyfu, a ffens neu glawdd o'i gwmpas FIELD

caead *hwn* *enw* (**caeadau**) y rhan sy'n cau ar ben rhywbeth; clawr LID

cael *berfenw* **1** derbyn, dod i feddiant *Rydw i'n cael car trydan ar fy mhen blwydd. Cafodd Ann geffyl ar ei phen blwydd.* TO HAVE
2 rhoi neu dderbyn caniatâd *Ydw i'n cael mynd ar drip yr ysgol? A gei di ddod i'm parti?* TO BE ALLOWED
3 mwynhau neu ddioddef *Rydw i'n mynd i gael torri 'ngwallt ddydd Iau. Cefais amser da iawn yn y parti.* TO HAVE

caeodd *berf* edrychwch dan **cau**

caer *hon* *enw* (**caerau**) lle cadarn gyda milwyr i'w amddiffyn yn erbyn gelynion FORT

caeth *ansoddair* **1** heb fod yn rhydd *Mae'r fyddin y tu allan i'r dref ac mae'r bobl i gyd yn gaeth y tu fewn.* CAPTIVE
2 gair am rywun sy'n methu rhoi'r gorau i gymryd cyffuriau ADDICTED

caethferch *hon* *enw* merch sy'n cael ei phrynu a'i gwerthu fel darn o eiddo SLAVE

caethion *hyn* *enw* mwy nag un peth **caeth**

caethwas *hwn* *enw* (**caethweision**) dyn neu fachgen sy'n cael ei brynu a'i werthu fel darn o eiddo SLAVE

caf *berf* rydw i'n **cael** *Caf aros gartref fory.*

a
b
c
ch
d
dd
e
f
ff
g
ng
h
i
j
k
l
ll
m
n
o
p
ph
r
rh
s
t
th
u
w
y

27

cafn *hwn enw* (**cafnau**)
1 llestr i ddal dŵr i anifeiliaid yfed ohono TROUGH
2 man i dderbyn dŵr glaw wrth ochr pafin neu do tŷ GUTTER

cafodd *berf* mae ef/hi wedi **cael**
Cafodd Edwin 9 allan o 10 am ei draethawd.

caffi *hwn enw* adeilad lle y gallwch brynu pryd o fwyd a rhywbeth i'w yfed CAFÉ

cangarŵ *edrychwch dan* **can(-)garŵ**

cangen *hon enw* (**canghennau**)
darn o bren sy'n tyfu o fôn coeden BRANCH

canghennau *hyn enw* mwy nag un gangen (**cangen**)

caib *hon enw* (**ceibiau**) erfyn i dorri'r ddaear ag ef MATTOCK

cais *hwn enw* (**ceisiau**) sgôr mewn gêm rygbi TRY

calan *hwn enw* diwrnod cyntaf y flwyddyn *Dydd Calan*

calch *hwn enw* math o garreg wen, feddal LIME

caled *ansoddair* **1** heb fod yn feddal *pêl griced galed* HARD
2 anodd *cwestiwn caled* HARD
3 cas, anodd ei ddioddef *gaeaf caled* HARD (*Edrychwch hefyd dan* **caletach, caletaf**)

calendr *hwn enw* (**calendrau**) rhestr yn dangos misoedd, wythnosau a dyddiau'r flwyddyn CALENDAR

calennig *hwn enw* anrheg sy'n cael ei rhoi ar ddydd cyntaf y flwyddyn (dydd Calan)

caletach:caletaf *ansoddair* mwy **caled:mwyaf caled**

calon *hon enw* (**calonnau**) **1** y rhan o'r corff sy'n gwthio'r gwaed trwy'r corff HEART
2 y siâp HEART

call *ansoddair* yn deall llawer; doeth SENSIBLE

cam[1] *hwn enw* (**camau**) y ffordd y mae eich troed yn symud wrth ichi gerdded, rhedeg neu ddawnsio STEP

cam[2] *ansoddair* wedi plygu, heb fod yn syth BENT

camarwain *berfenw* gwneud i rywun fynd i'r cyfeiriad anghywir TO MISLEAD

cam-drin *berfenw* trin rhywun neu rywbeth yn wael neu yn gas TO ILL-TREAT

camddeall *berfenw* deall yn anghywir TO MISUNDERSTAND

camel *hwn enw* (**camelod**) anifail mawr â naill ai un neu ddau grwmp ar ei gefn. Mae'n cael ei ddefnyddio yn lle ceffyl yn yr anialwch oherwydd ei fod yn gallu teithio yn bell heb ddŵr na bwyd. CAMEL

camera *hwn* *enw* (**camerâu**) dyfais tynnu lluniau CAMERA

camfa *hon* *enw* (**camfeydd**) grisiau i helpu pobl i ddringo dros glawdd; sticil STILE

camgymeriad *hwn* *enw* (**camgymeriadau**) rhywbeth anghywir; camsyniad MISTAKE

camgymryd *berfenw* gwneud camgymeriad TO MISTAKE

camlas *hon* *enw* (**camlesi**) math o afon wedi'i chreu gan ddyn fel y gall llongau fynd yn syth o un man i'r llall CANAL

camp *hon* *enw* (**campau**) rhywbeth anodd neu ddewr sydd wedi ei wneud FEAT

campfa *hon* *enw* (**campfeydd**) adeilad ar gyfer ymarfer campau a gêmau GYMNASIUM

campus *ansoddair* rhagorol SPLENDID

camsyniad *hwn* *enw* (**camsyniadau**) rhywbeth yr ydych chi wedi'i wneud neu'i feddwl sydd yn anghywir; camgymeriad MISTAKE

camu *berfenw* cerdded fesul cam TO STEP

can[1] *hwn* *enw* cant HUNDRED

can[2] *hwn* *enw* blawd gwyn FLOUR

cân *hon* *enw* (**caneuon**) geiriau sy'n cael eu canu SONG

cancr *hwn* *enw* afiechyd lle y mae'r drwg yn tyfu o fewn y corff CANCER

caneri *hwn* *enw* (**caneris**) aderyn bach melyn sy'n canu'n bert CANARY

caneuon *hyn* *enw* mwy nag un gân (**cân**)

cangarŵ *hwn* *enw* (**cangarŵod**) anifail o Awstralia sy'n symud trwy neidio. Mae gan gangarŵ benyw gwdyn o groen i gario'i rhai bach. KANGAROO

canhwyllbren *hwn* *enw* (**canwyllbrennau**) llestr i ddal cannwyll CANDLESTICK

canhwyllau *hyn* *enw* mwy nag un gannwyll (**cannwyll**)

caniatâd *hwn* *enw* gadael i rywbeth ddigwydd PERMISSION

caniatáu *berfenw* rhoi neu dderbyn caniatâd *Caniataodd y prifathro i'r plant wisgo dillad bob dydd i'r ysgol.* TO PERMIT

canlyniad *hwn* *enw* (**canlyniadau**)
1 y marciau neu'r hyn sy'n cael ei benderfynu ar ddiwedd arholiad neu gystadleuaeth RESULT
2 yr hyn sydd yn digwydd oherwydd rhywbeth arall RESULT

canmlwyddiant *hwn* *enw* dathlu pen blwydd yn gant oed CENTENARY

canmol *berfenw* rhoi canmoliaeth
TO PRAISE

canmoliaeth *hon enw* dweud bod rhywun neu rywbeth yn dda iawn
PRAISE

cannoedd *hyn enw* mwy nag un **cant**

cannwyll *hon enw* (**canhwyllau**) colofn o gŵyr sy'n taflu goleuni wrth iddo losgi CANDLE

canol *hwn enw* man sydd yr un pellter o bob ymyl neu o ddau ben unrhyw beth MIDDLE

canolbwyntio *berfenw* meddwl yn galed am un peth yn unig
TO CONCENTRATE

canolfan *hon enw* (**canolfannau**) man canolog lle y gall pobl gyfarfod
CENTRE

canolog *ansoddair* yn y canol
CENTRAL

canrif *hon enw* (**canrifoedd**) can mlynedd CENTURY

cansen *hon enw* (**cansenni**)
1 ffon hir denau CANE
2 coes llyfn, caled rhai planhigion
CANE

cant:can *hwn enw* (**cannoedd**) 100
HUNDRED

cantîn *hwn enw* math o gaffi i weithwyr *cantîn ffatri, ysbyty, ysgol ac ati* CANTEEN

canu *berfenw* **1** defnyddio'r llais i greu alaw ar eiriau *Rwy'n canu yng nghôr yr ysgol. Canodd Ieuan yn yr eisteddfod.* TO SING
2 chwarae alaw ar offeryn cerdd *canu'r ffidl; canu'r piano* TO PLAY

canŵ *hwn enw* (**canŵs**) cwch hir ysgafn yr ydych yn ei yrru â rhodlau CANOE

canwio *berfenw* teithio mewn canŵ
TO CANOE

canwr *hwn enw* (**canwyr**) dyn neu fachgen sy'n canu SINGER

canwyllbrennau *hyn enw* mwy nag un **canhwyllbren**

cap *hwn enw* (**capiau**) math o het ysgafn CAP

capel *hwn enw* (**capeli**) adeilad lle y mae pobl yn dod at ei gilydd i addoli CHAPEL

capten *hwn enw* (**capteniaid**)
1 y person sy'n gofalu am yrru llong neu awyren CAPTAIN
2 y person sy'n ben ar dîm CAPTAIN

car *hwn enw* (**ceir**) cerbyd i gario pobl y mae un o'r teithwyr yn gallu ei yrru CAR

carafán *hon enw* (**carafannau**) math o dŷ ar olwynion sy'n gallu cael ei dynnu o le i le gan gar neu lorri
CARAVAN

carchar *hwn enw* (**carcharau**) adeilad y mae pobl sy'n torri'r gyfraith yn cael eu cadw ynddo, fel cosb
PRISON

carcharor *hwn enw* (**carcharorion**) rhywun sy'n cael ei gadw yn y carchar PRISONER

carcharu *berfenw* cau yn y carchar
TO JAIL

cardfwrdd *hwn enw* math o bapur trwchus sy'n gryf iawn CARDBOARD

carden *hon enw* (**cardiau**) **1** darn o bapur trwchus neu gardfwrdd tenau a llun a neges arno *carden Nadolig* CARD
2 un o set o gardiau a llun neu rif arnynt sy'n cael eu defnyddio i chwarae gwahanol gêmau CARD

cardiau *hyn enw* mwy nag un garden neu gerdyn (**carden/cerdyn**)

caredig *ansoddair* yn barod i helpu ac yn hoffi pobl eraill KIND

caregog *ansoddair* â cherrig ym mhob man STONY

careiau *hyn enw* mwy nag un garrai (**carrai**)

cargo *hwn enw* yr hyn sy'n cael ei gario o le i le gan long neu awyren CARGO

cariad *hwn enw* y teimlad o hoffi rhywun yn fawr iawn LOVE

cario *berfenw* mynd â phobl, pethau neu anifeiliaid o un man i fan arall TO CARRY

carlamu *berfenw* symud fel y mae ceffyl yn ei wneud pan fydd yn rhedeg yn gyflym TO GALLOP

carlwm *hwn enw* (**carlymod**) anifail bach brown â chorff hir sy'n lladd ac yn bwyta cwningod, llygod ac adar STOAT

carn *hwn enw* (**carnau**) darn caled troed ceffyl HOOF

cárnifal *hwn enw* gorymdaith o bobl yn gwisgo dillad llawn lliw CARNIVAL

carol *hon enw* (**carolau**) cân neu emyn i ddathlu'r Nadolig CAROL

carped *hwn enw* (**carpedi**) math o frethyn trwchus i gerdded arno CARPET

carrai *hon enw* (**careiau**) darn tenau o gortyn i glymu esgid SHOELACE

carreg *hon enw* (**cerrig**) **1** darn bach o graig STONE
2 yr hedyn caled y tu mewn i ffrwythau fel ceirios neu eirin STONE

cart *hwn enw* (**certi:ceirt**) math o focs ar olwynion sy'n cael ei dynnu gan geffyl neu y mae rhywun yn ei wthio CART

cartref *hwn enw* (**cartrefi**) y man lle yr ydych chi'n byw HOME

cartrisen *hon enw* (**certrys:cetris**) tiwb sy'n dal bwled, ffilm, inc ac ati CARTRIDGE

cartŵn *hwn enw* (**cartwnau**) **1** ffilm sy'n defnyddio darluniau yn lle actorion CARTOON
2 darlun sy'n dweud jôc CARTOON

carthen *hon enw* (**carthenni**) blanced o wlân lliwgar BLANKET

caru *berfenw* hoffi rhywun neu rywbeth yn fawr iawn TO LOVE

a
b
c
ch
d
dd
e
f
ff
g
ng
h
i
j
k
l
ll
m
n
o
p
ph
r
rh
s
t
th
u
w
y

31

carw *hwn enw* (**ceirw**) anifail gosgeiddig sy'n gallu rhedeg yn gyflym. Mae carw gwryw yn tyfu cyrn arbennig ar ei ben. DEER

cas *ansoddair* heb fod yn bleserus neu yn flasus neu yn garedig *tywydd cas; blas cas; hen ddyn cas* NASTY

casáu *berfenw* teimlo'n gryf iawn nad ydych yn hoffi rhywun neu rywbeth *Rydw i'n casáu bresych.* TO HATE

caseg *hon enw* (**cesig**) ceffyl benyw MARE

casét *hwn enw* (**casetiau**) bocs a thâp arbennig ynddo y mae modd ei osod mewn peiriant i recordio sain neu sain a llun CASSETTE

casgliad *hwn enw* (**casgliadau**)
1 set o bethau sydd wedi cael eu casglu *casgliad o stampiau* COLLECTION
2 arian wedi'i gasglu oddi wrth lawer o bobl at achos da COLLECTION

casglu *berfenw* **1** dod â phethau at ei gilydd o wahanol lefydd TO COLLECT
2 galw am rywbeth a mynd ag ef gyda chi TO COLLECT

castan *hon enw* (**castanau**) cneuen coeden arbennig (y gastanwydden). Mae dau fath; gallwch fwyta un math a chwarae concers â'r math arall. CHESTNUT; HORSE CHESTNUT

castell *hwn enw* (**cestyll**) hen adeilad mawr cryf â muriau trwchus i amddiffyn y bobl oedd yn byw ynddo rhag eu gelynion CASTLE

casyn *hwn enw* (**casys**) rhywbeth i gadw pethau ynddo er mwyn eu symud o gwmpas neu eu cadw yn ddiogel *casyn sbectol; casyn cloc* CASE

cath *hon enw* (**cathod**) anifail anwes bach sydd â chot o ffwr ac sy'n mewian CAT
cath fach babi'r gath KITTEN

cau *berfenw* symud clawr neu ddrws i lenwi bwlch *Caeodd Mari'r drws ar ei hôl pan adawodd yr ystafell.* TO CLOSE

cawell *hwn* (**cewyll**) basged o wellt neu wiail wedi'u plethu BASKET

cawl *hwn enw* bwyd gwlyb wedi'i wneud o gig a/neu lysiau SOUP
gwneud cawl (o bethau) creu dryswch neu annibendod TO MAKE A MESS

cawlio *berfenw* gwneud cawl o bethau TO MAKE A MESS

cawn *hyn enw* planhigion tal, cryf, tebyg i wellt, sy'n tyfu yn ymyl dŵr REEDS

cawod *hon enw* (**cawodydd**)
1 cyfnod byr o law, eira neu genllysg SHOWER
2 dyfais sy'n gollwng dŵr fel y gallwch ymolchi tano SHOWER

cawr *hwn* *enw* (**cewri**) un o'r bobl fawr iawn mewn straeon tylwyth teg GIANT

caws *hwn* *enw* bwyd wedi'i wneud o laeth sydd wedi cael ei droi cymaint nes iddo galedu CHEESE

caws llyffant *hyn* *enw* planhigion gwenwynig sydd yn edrych yn debyg i fadarch TOADSTOOL

cefn *hwn* *enw* (**cefnau**) **1** ochr ôl rhywbeth, nid y blaen BACK **2** y rhan o'ch corff rhwng cefn eich gwddf a'ch pen ôl BACK

cefnder *hwn* *enw* (**cefndryd: cefnderoedd**) plentyn ewythr neu fodryb COUSIN

cefnfor *hwn* *enw* (**cefnforoedd**) y môr mawr OCEAN

cefnogi *berfenw* helpu rhywun neu rywbeth, bod o blaid TO SUPPORT

cefnogwr *hwn* *enw* (**cefnogwyr**) rhywun sy'n cefnogi SUPPORTER

cefnu *berfenw* troi cefn ar TO TURN ONE'S BACK (ON)

ceffyl *hwn* *enw* (**ceffylau**) anifail cryf, â mwng, cynffon a charnau, sy'n gweithio ac yn cael ei farchogaeth HORSE

ceg *hon* *enw* (**cegau**) y rhan honno o'r wyneb sy'n agor a chau er mwyn siarad a bwyta MOUTH

cegin *hon* *enw* (**ceginau**) ystafell lle y mae bwyd yn cael ei baratoi a'i goginio KITCHEN

cei[1] *hwn* *enw* (**ceiau**) man lle y mae llongau'n gallu cael eu llwytho a'u dadlwytho QUAY

cei[2] *berf* rwyt ti'n/byddi di'n **cael** *Cei di fynd i chwarae ar ôl gorffen dy waith cartref.*

ceibiau *hyn* *enw* mwy nag un gaib (**caib**)

ceiliog *hwn* *enw* (**ceiliogod**) aderyn gwryw sy'n cael ei gadw gyda'r ieir COCKEREL

ceiniog *hon* *enw* (**ceiniogau**) darn o arian *Mae can ceiniog mewn punt.* PENNY

ceir *hyn* *enw* mwy nag un **car**

ceirch *hyn* *enw* planhigion y mae eu hadau'n cael eu defnyddio yn fwyd i anifeiliaid OATS

ceirios *hyn* *enw* ffrwythau bach coch neu ddu â charreg yn eu canol CHERRIES

ceirt *hyn* *enw* mwy nag un **cart**

ceirw *hyn* *enw* mwy nag un **carw**

ceisiau *hyn* *enw* mwy nag un **cais**

ceisio *berfenw* gweithio wrth rywbeth yr ydych chi'n dymuno ei wneud *Ceisiodd Emyr daro'r bêl i'r rhwyd.* TO TRY

celfi *hyn* *enw* pethau fel cadeiriau neu welyau; pethau symudol mae'n rhaid eu cael mewn tŷ FURNITURE

celfyddyd *hon* *enw* (**celfyddydau**) **1** lluniau ART **2** y ddawn i wneud rhywbeth sy'n anodd ART

Celt *hwn* *enw* (**Celtiaid**) un o'r hen hen bobloedd y mae'r Cymry, y Gwyddelod a'r Albanwyr yn perthyn iddynt CELT

celwydd *hwn* *enw* (**celwyddau**) rhywbeth yr ydych yn ei ddweud nad yw'n wir LIE

celwyddgi *hwn* *enw* rhywun sy'n dweud celwyddau LIAR

celyn *hyn* *enw* coed â dail pigog ac aeron coch yn y gaeaf HOLLY

cell *hon* *enw* (**celloedd**) 1 ystafell i gadw carcharorion ynddi CELL 2 y darn lleiaf mewn rhywbeth byw CELL

cen *hwn* *enw* un o'r darnau bach o groen caled sy'n cuddio corff pysgodyn neu neidr SCALE

cenau *hwn* *enw* (**cenawon**) un o rai bach anifeiliaid fel y llew, yr arth, y blaidd ac ati CUB

cenawon *hyn* *enw* mwy nag un **cenau**

cenedl *hon* *enw* (**cenhedloedd**) gwlad a'r bobl sy'n byw ynddi NATION

cenedlaethol *ansoddair* yn perthyn i'r genedl NATIONAL

cenel *hwn* *enw* (**cenelau**) tŷ ci, cwt ci KENNEL

cenfigen *hon* *enw* teimlad o fod yn anhapus oherwydd bod rhywun arall â mwy o rywbeth na chi, neu yn gwneud yn well na chi ENVY

cenfigennus *ansoddair* yn llawn cenfigen JEALOUS

cenhadu *berfenw* mynd i rywle i geisio perswadio pobl i gredu yn Nuw

cenhadwr *hwn* *enw* (**cenhadon**) rhywun sy'n cenhadu MISSIONARY

cenhedloedd *hyn* *enw* mwy nag un genedl (**cenedl**)

cenhinen *hon* *enw* (**cennin**) llysieuyn â choes gwyn hir a dail gwyrdd sy'n blasu fel wynionyn LEEK **cenhinen Bedr** blodyn melyn sy'n tyfu o fwlb ac sy'n cael ei ddefnyddio fel arwydd o Gymru DAFFODIL

cenllysg *hyn* *enw* darnau bach o iâ sy'n disgyn o'r awyr fel y mae glaw yn ei wneud; cesair HAIL

cennin *hyn* *enw* mwy nag un genhinen (**cenhinen**)

cennog *ansoddair* a chen drosto (fel pysgodyn) SCALY

centimetr *hwn* *enw* (**centimetrau**) uned i fesur hyd CENTIMETRE

cerbyd *hwn* *enw* (**cerbydau**) unrhyw beth sy'n mynd â phobl neu bethau o un man i fan arall dros y tir. Mae *ceir, bysiau, lorïau, trenau, ceirt* a *beiciau* i gyd yn gerbydau. VEHICLE

cerdyn *hwn* *enw* (**cardiau**) 1 darn o bapur trwchus, stiff â llun a neges arno, e.e. *cerdyn Nadolig, cerdyn pen blwydd* CARD 2 un o set o gardiau a llun neu rif arnynt sy'n cael eu defnyddio i chwarae gwahanol gêmau CARD

cerdd *hon* *enw* (**cerddi**) darn o farddoniaeth POEM

cerdded *berfenw* symud ymlaen trwy roi un droed o flaen y llall TO WALK

cerddorfa *hon* *enw* (**cerddorfeydd**) grŵp o bobl yn canu offerynnau gyda'i gilydd ORCHESTRA

cerddoriaeth *hon* *enw* y sain sy'n cael ei chreu wrth ganu MUSIC

cerddorol *ansoddair* yn llawn cerddoriaeth MUSICAL

cerddwr *hwn* *enw* (**cerddwyr**) rhywun sy'n cerdded WALKER, PEDESTRIAN

cerfio *berfenw* **1** torri pren neu garreg i wneud llun neu ffurf arbennig TO CARVE
2 torri cig TO CARVE

cerflun *hwn* *enw* (**cerfluniau**) model o berson wedi'i gerfio o fetel neu garreg STATUE

cerflunydd *hwn* *enw* (**cerflunwyr**) artist sy'n creu cerfluniau SCULPTOR

cerhyntau *hyn* *enw* mwy nag un **cerrynt**

cerrig *hyn* *enw* mwy nag un garreg (**carreg**)

cerrynt *hwn* *enw* (**cerhyntau: ceryntau**) trydan, dŵr neu aer sy'n symud mewn un cyfeiriad CURRENT

certrys *hyn* *enw* mwy nag un gartrisen (**cartrisen**)

ceryntau *hyn* *enw* mwy nag un **cerrynt**

cesail *hon* *enw* (**ceseiliau**) y man o dan ben y fraich lle mae'n cysylltu â'r corff ARMPIT

cesair *hyn* *enw* darnau bach o iâ sy'n disgyn o'r awyr fel y mae glaw yn ei wneud; cenllysg HAIL

cesig *hyn* *enw* mwy nag un gaseg (**caseg**)

cestyll *hyn* *enw* mwy nag un **castell**

ceulan *hon* *enw* (**ceulannau**) glan afon sy'n beryglus oherwydd bod y dŵr wedi golchi'r pridd oddi tani i ffwrdd HOLLOW RIVER BANK

cewri *hyn* *enw* mwy nag un **cawr**

cewyll *hyn* *enw* mwy nag un **cawell**

ceyrydd *hyn* *enw* mwy nag un gaer (**caer**)

ci *hwn enw* (**cŵn**) anifail cyffredin sy'n cyfarth. Mae *corgi, milgi* a *chi defaid* i gyd yn gŵn. DOG

cic *hwn neu hon enw* (**ciciau**) taro rhywbeth â blaen eich troed KICK

cicio *berfenw* rhoi cic i rywbeth *Ciciodd Ifan y bêl i'r rhwyd.* TO KICK

cig *hwn enw* (**cigoedd**) cnawd anifail sy'n cael ei fwyta gan bobl MEAT

cigydd *hwn enw* (**cigyddion**) rhywun sydd â'r gwaith o dorri cig a'i werthu BUTCHER

cilio *berfenw* tynnu neu symud yn ôl yn raddol *Ciliodd y môr o'r traeth yn y prynhawn.* TO RETREAT, TO RECEDE

cilogram *hwn enw* (**cilogramau**) uned i fesur pwysau KILOGRAM

cilometr *hwn enw* (**cilometrau**) uned i fesur hyd KILOMETRE

cimwch *hwn enw* (**cimychiaid**) anifail sy'n byw yn y môr; mae ganddo wyth coes, dwy grafanc fawr a chynffon LOBSTER

cinio *hwn enw* (**ciniawau**) prif bryd bwyd y dydd DINNER

cip *hwn enw* golwg brysiog, edrych yn gyflym A GLANCE

cipio *berfenw* cymryd rhywbeth yn gyflym *Cipiodd y lleidr y bag a rhedeg nerth ei draed.* TO SNATCH

cist *hon enw* (**cistiau**) blwch mawr cryf CHEST

ciw[1] *hwn enw* rhes o bobl yn aros am rywbeth QUEUE

ciw[2] *hwn enw* ffon arbennig i daro peli snwcer CUE

ciwb *hwn enw* (**ciwbiau**) mae gan giwb chwe ochr sgwâr, i gyd o'r un maint; mae dis yn giwb CUBE

ciwcymber *hwn enw* (**ciwcymerau**) llysieuyn hir, gwyrdd sy'n cael ei fwyta heb ei goginio CUCUMBER

clacwydd *hwn enw* (**clacwyddau**) gŵydd wryw GANDER

claddu *berfenw* gosod rhywun neu rywbeth mewn twll yn y ddaear a'i guddio â phridd neu dywod *Claddodd y môr-ladron eu trysor ar ynys ym Môr y De.* TO BURY

claear *ansoddair* heb fod yn boeth nac yn oer LUKEWARM, TEPID

claf *hwn enw* (**cleifion**) rhywun sy'n sâl (A) PATIENT

clai *hwn enw* (**cleiau**) math o bridd trwm, llaith sy'n cael ei ddefnyddio i wneud pethau ohono; mae'n cadw ei siâp pan fydd yn llaith ac yn caledu wrth sychu CLAY

clais *hwn enw* (**cleisiau**) marc tywyll sy'n codi ar y croen ar ôl cael ergyd BRUISE

clapgi *hwn enw* (**clapgwn**) rhywun sy'n adrodd straeon am bobl eraill TELLTALE

clapio *berfenw* gwneud sŵn trwy guro eich dwylo TO CLAP

clawdd *hwn enw* (**cloddiau**) math o wal wedi'i gwneud o lwyni sy'n tyfu i mewn i'w gilydd HEDGE

clawr *hwn enw* (**cloriau**) peth sy'n cael ei roi dros rywbeth COVER

clebran *berfenw* siarad fel ffrindiau am bethau nad ydynt yn bwysig TO CHATTER

cledr *hon enw* (**cledrau**) un o ddarnau hir, metel, rheilffordd RAIL

cleddyf *hwn enw* (**cleddyfau**) arf tebyg i gyllell â llafn hir SWORD

clefyd *hwn enw* (**clefydau**) afiechyd DISEASE

clegar *hwn enw* sŵn gwyddau neu ieir CLUCK, CACKLE

cleiau *hyn enw* mwy nag un **clai**

cleifion *hyn enw* mwy nag un **claf**

cleisiau *hyn enw* mwy nag un **clais**

cleisio *berfenw* troi yn glais TO BRUISE

clepian *berfenw* adrodd straeon am bobl eraill TO GOSSIP

cleren *hon enw* (**clêr**) pryfyn FLY

clic *hwn enw* (**cliciau**) y sŵn caled y mae swits yn ei wneud CLICK

cliced:clicied *hon enw* (**clicedau**) rhywbeth i gau drws neu gât LATCH

clinig *hwn enw* (**clinigau**) rhan o ysbyty, neu adeilad arbennig, lle y mae meddygon yn gweithio CLINIC

clip¹ *hwn enw* (**clipiau**) teclyn i ddal pethau ynghyd *clip papur* CLIP

clip² *hwn enw* **1** cyfnod o dywyllwch pan ddaw'r Lleuad rhwng yr Haul a'r Ddaear ECLIPSE

2 cyfnod pryd na allwch weld y Lleuad oherwydd bod y Ddaear wedi dod rhyngddi a'r Haul ECLIPSE

clipio *berfenw* torri rhywbeth â siswrn neu declyn tebyg i siswrn TO CLIP

clir *ansoddair* heb unrhyw beth sy'n creu cwmwl neu nad yw'n eglur *dŵr clir; darlun clir* CLEAR

clirio *berfenw* symud popeth o'r ffordd, gwneud yn glir *Cliriodd Megan y bwyd oddi ar y bwrdd.* TO CLEAR

cliw *hwn enw* (**cliwiau**) unrhyw beth sy'n eich helpu i ddatrys pos CLUE

clo *hwn enw* (**cloeon**) teclyn i gau drws, gât neu focs yn dynn, ac sy'n cael ei agor ag allwedd neu agoriad LOCK
ar glo wedi'i gloi LOCKED

cloc *hwn enw* (**clociau**) peiriant sy'n dangos yr amser CLOCK

clocwedd *ansoddair* mewn cylch o'r chwith i'r dde, y cyfeiriad y mae bysedd cloc yn symud ynddo CLOCKWISE

cloch *hon enw* (**clychau**) cwpan mawr gwag o fetel sy'n canu pan gaiff ei daro BELL
faint o'r gloch yw hi? cwestiwn yn holi am yr amser WHAT'S THE TIME?

clochdar *berfenw* gwneud sŵn fel iâr TO CLUCK

clod *hwn enw* (**clodydd**) y pethau da sy'n cael eu dweud am rywun PRAISE

cloddiau *hyn enw* mwy nag un **clawdd**

cloff *ansoddair* methu cerdded yn iawn LAME

clogwyn *hwn enw* (**clogwyni**) darn serth o graig uwchben y môr CLIFF

a
b
c
ch
d
dd
e
f
ff
g
ng
h
i
j
k
l
ll
m
n
o
p
ph
r
rh
s
t
th
u
w
y

clogyn *hwn enw* (**clogynnau**) math o got heb lewys sy'n hongian o'r ysgwyddau; hugan CLOAK

clogyrnaidd *ansoddair* heb fod yn llyfn ac yn rhwydd; lletchwith, trwsgl AWKWARD

cloi *berfenw* cau rhywbeth â chlo *Clodd y gist arian a rhoi'r allwedd yn ddiogel yn ei boced.* TO LOCK

clorian *hon enw* (**cloriannau**) peiriant pwyso pethau; mantol SCALES

cloriannu *berfenw* pwyso mewn clorian TO WEIGH (UP)

clòs *ansoddair* **1** agos *Cadwch yn glòs wrthyf.* CLOSE
2 yn boeth ac yn drymaidd (am y tywydd) CLOSE, HUMID

clos *hwn enw* (**closydd**) buarth neu iard fferm FARMYARD

clown *hwn enw* (**clowniaid**) rhywun doniol mewn syrcas sy'n gwisgo dillad rhyfedd ac yn lliwio'i wyneb CLOWN

cludo *berfenw* codi a symud rhywun neu rywbeth o un man i fan arall TO CARRY

clun *hon enw* (**cluniau**) y rhan o'ch coes rhwng eich canol a'r pen-glin THIGH

clust *hon enw* (**clustiau**) un o'r ddau ddarn o groen, un bob ochr i'ch pen, yr ydych yn eu defnyddio i wrando ar bethau EAR

clustog *hon enw* (**clustogau**) bag o liain yn llawn o ddefnydd meddal sy'n ei wneud yn gyfforddus i eistedd arno neu bwyso yn ei erbyn CUSHION

clwb *hwn enw* (**clybiau**) grŵp o bobl sy'n cyfarfod â'i gilydd oherwydd bod ganddynt ddiddordeb yn yr un peth CLUB

clwstwr *hwn enw* (**clystyrau**) grŵp o bethau CLUSTER

clwt:clwtyn *hwn enw* (**clytiau**) darn o ddefnydd neu liain at lanhau neu i'w osod dros rywbeth CLOTH, DUSTER

clwyd *hon enw* (**clwydi**) math o ddrws mewn clawdd GATE

clwyf *hwn enw* (**clwyfau**) dolur neu niwed i'r corff WOUND

clybiau *hyn enw* mwy nag un **clwb**

clychau *hyn enw* mwy nag un gloch (**cloch**)

clyd *ansoddair* cynnes a chyfforddus COSY, SNUG

clymau *hyn enw* mwy nag un **cwlwm**

clymu *berfenw* cydio pethau at ei gilydd â chordyn a chwlwm TO TIE

clystyrau *hyn enw* mwy nag un **clwstwr**

clytiau *hyn enw* mwy nag un **clwt**

clyw *hwn enw* synnwyr clywed HEARING

clywed *berfenw* **1** derbyn synau trwy'r glust *Clywodd Iwan rywun y tu allan i'r drws.* TO HEAR
2 yr ydych chi hefyd yn gallu clywed blas â'ch tafod a chlywed aroglau â'ch trwyn

cnapan *hwn* *enw* yr enw ar hen gêm Gymreig a fyddai'n cael ei chwarae rhwng dau dîm â phêl o bren a ffyn

cnau *hyn* *enw* mwy nag un gneuen (**cneuen**)

cnawd *hwn* *enw* y cig meddal rhwng eich esgyrn a'r croen FLESH

cneua *berfenw* hel cnau

cneuen *hon* *enw* (**cnau**) math o ffrwyth sy'n tyfu ar goed; yr ydych yn ei gnoi ar ôl tynnu ei blisgyn caled NUT

cnocell y coed *hon* *enw* aderyn sy'n bwyta'r pryfed a gewch dan risgl coed. Mae ganddi big gref i wneud tyllau yn y coed a thafod hir y mae'r pryfed yn cael eu gludio wrtho. WOODPECKER

cnocio *berfenw* taro'n galed *Cnociodd yr hen wraig y drws.* TO KNOCK

cnoi *berfenw* defnyddio'ch dannedd i dorri rhywbeth TO BITE, TO CHEW

cnwd *hwn* *enw* (**cnydau**) planhigion bwyd sy'n cael eu tyfu ar fferm CROP

cnydau *hyn* *enw* mwy nag un **cnwd**

coban *hon* *enw* (**cobanau**) dilledyn i fynd i'r gwely ynddo, gŵn nos NIGHT-GOWN

cochi *berfenw* eich wyneb yn troi'n goch oherwydd eich bod yn teimlo'n euog neu yn swil TO BLUSH

cod *hwn* *enw* (**codau**) rhestr o arwyddion neu lythrennau ar gyfer anfon negeseuon dirgel CODE

codi *berfenw* **1** symud rhywbeth i fyny *Cododd Dafydd y llyfr o'r llawr.* TO LIFT
2 sefyll ar ôl ichi fod yn eistedd neu yn gorwedd *Codais am saith o'r gloch bore 'ma.* TO GET UP

coeden *hon* *enw* (**coed**) planhigyn tal â changhennau, dail a choes trwchus o bren TREE

coedwig *hon* *enw* (**coedwigoedd**) llawer o goed yn tyfu yn ymyl ei gilydd FOREST

coelcerth *hon* *enw* (**coelcerthi**) tân mawr sy'n cael ei godi yn yr awyr agored BONFIRE

coelio *berfenw* credu TO BELIEVE

coes[1] *hon* *enw* (**coesau**) y rhan o'ch corff sy'n cyrraedd o'ch canol i'ch troed LEG

coes[2] *hwn enw* (**coesau**) **1** y darn hwnnw o frws, rhaw ac ati yr ydych yn cydio ynddo HANDLE **2** mewn planhigyn, y darn hir tenau sy'n codi o'r ddaear ac yn dal y blodeuyn STEM

coets *hon enw* (**coetsys**) cerbyd pedair olwyn â lle i bobl eistedd o'i fewn ac sy'n cael ei dynnu gan geffylau COACH

cof *hwn enw* (**cofion**) **1** y gallu i gofio MEMORY **2** y rhan o gyfrifiadur sy'n storio gwybodaeth MEMORY

cofgolofn *hon enw* (**cofgolofnau**) cerflun neu adeilad sy'n cael ei godi er mwyn i bobl gofio am rywun neu rywbeth MEMORIAL

cofio *berfenw* medru galw pethau i'ch cof pan fyddwch eisiau TO REMEMBER

cofrestru *berfenw* ysgrifennu'ch enw a'ch cyfeiriad mewn rhestr TO REGISTER

coffi *hwn enw* diod boeth wedi'i gwneud o hadau sydd wedi'u crasu a'u malu yn bowdr brown COFFEE

cog *hon enw* (**cogau**) cwcw CUCKOO

coginio *berfenw* paratoi bwyd trwy ei dwymo TO COOK

cogydd *hwn enw* (**cogyddion**) un sy'n coginio COOK

congl *hon enw* (**conglau**) y man lle y mae dwy ochr neu ddwy stryd yn dod ynghyd; cornel CORNER

coleg *hwn enw* (**colegau**) man lle y mae pobl yn gallu parhau i ddysgu am bethau ar ôl iddynt adael yr ysgol COLLEGE

colfach *hwn enw* (**colfachau**) dyfais sy'n cydio drws wrth ffrâm ac yn gadael iddo agor a chau HINGE

colofn *hon enw* (**colofnau**) **1** rhestr o bethau, un uwchben y llall COLUMN **2** postyn o garreg sy'n cynnal rhywbeth neu sy'n addurn COLUMN

colomen *hon enw* (**colomennod**) aderyn sy'n gallu cael ei ddysgu i hedfan adref o bell PIGEON

colur *hwn enw* powdr, minlliw a'r gwahanol liwiau sy'n gallu cael eu defnyddio ar yr wyneb a'r corff MAKE-UP

collen *hon enw* (**cyll**) coeden gnau gyffredin HAZEL

colli *berfenw* **1** methu dod o hyd i rywbeth a fu gennych unwaith *Rwyf wedi colli fy arian i gyd.* TO LOSE **2** cael eich curo mewn gêm *Collodd Caerdydd 2–1 yn erbyn Abertawe.* TO LOSE

collnod *hwn* *enw* atalnod, marc fel '
yr ydych yn ei ddefnyddio wrth
ysgrifennu i ddangos bod llythyren
yn eisiau. *Rwy'n plygu'n isel.*
APOSTROPHE

coma *hwn* *enw* atalnod fel hwn ,
COMMA

combein *hwn* *enw* (**combeinau**)
peiriant sy'n torri ŷd ac yn tynnu'r
had (y grawn) COMBINE HARVESTER

comedi *hon* *enw* (**comedïau**) drama
ddigrif COMEDY

comin *hwn* *enw* (**comins**) darn o dir
mae gan bawb yr hawl i'w
ddefnyddio COMMON

côn *hwn* *enw* (**conau**)
1 siâp het gwrach CONE
2 casyn o'r siâp hwn sy'n dal hadau
coed bythwyrdd (moch coed) CONE

concer *hwn* *enw* (**concers**) cneuen
galed, frown, ddisglair y
gastanwydden; castan CONKER

concrit *hwn* *enw* cymysgedd o sment a
thywod sy'n cael ei defnyddio i
wneud adeiladau, pontydd a ffyrdd
CONCRETE

conffeti *hyn* *enw* (mewn priodas)
y darnau mân o bapur lliw sy'n
cael eu taflu dros y ferch a'r mab
sy'n priodi CONFETTI

consuriwr *hwn* *enw* (**consurwyr**)
diddanwr sy'n medru gwneud
triciau sy'n edrych fel hud a lledrith
CONJUROR

copi *hwn* *enw* (**copïau**) rhywbeth sydd
wedi cael ei gopïo COPY

copïo *berfenw* **1** ysgrifennu neu
ddarlunio rhywbeth sydd wedi'i
ysgrifennu neu ei ddarlunio'n barod
*Copïodd y dosbarth y penillion yn eu
llyfrau.* TO COPY
2 gwneud yr un peth yn union â
rhywun arall TO COPY

copor:copr *hwn* *enw* metel disglair
coch neu frown sy'n cael ei
ddefnyddio i wneud pibellau a
darnau arian megis ceiniogau
COPPER

côr *hwn* (**corau**) *enw* grŵp o bobl sy'n
dod at ei gilydd i ganu CHOIR

corc *hwn* *enw* rhisgl math arbennig o
dderwen sy'n cael eu defnyddio i
wneud corcyn CORK

corcyn *hwn* *enw* (**cyrc**) caead o gorc
sy'n cael ei wthio i ben potel i'w
chau CORK

cordyn:cortyn *hwn* *enw* (**cortynnau**)
rhaff denau CORD

corff *hwn* *enw* (**cyrff**) pob rhan y
gallwch ei gweld neu ei chyffwrdd o
ddyn neu anifail BODY

corfforol *ansoddair* yn defnyddio'r
corff PHYSICAL

corgi *hwn* *enw* (**corgwn**) ci bach sy'n
debyg ei olwg i lwynog CORGI

corlan *hon* *enw* (**corlannau**) lle i gadw
defaid FOLD

a
b
c
ch
d
dd
e
f
ff
g
ng
h
i
j
k
l
ll
m
n
o
p
ph
r
rh
s
t
th
u
w
y

corn *hwn enw* (**cyrn**) **1** math o asgwrn
â blaen llym sy'n tyfu allan o ben
rhai anifeiliaid HORN
2 offeryn pres yr ydych yn ei
chwythu HORN

cornel *hon enw* (**corneli**) y man lle y
mae dwy ochr (yn arbennig dwy
wal) yn dod ynghyd *Ewch i sefyll yn
y gornel!* CORNER

coron *hon enw* (**coronau**)
1 cylch o aur neu arian y mae
brenhinoedd a breninesau yn ei
wisgo am eu pennau CROWN
2 cylch tebyg sy'n wobr i fardd yn
yr Eisteddfod Genedlaethol CROWN

coroni *berfenw* rhoi coron ar ben
rhywun i ddangos ei awdurdod neu
fel gwobr TO CROWN

corrach *hwn enw* (**corachod**) rhywun
neu rywbeth sy'n anarferol o fyr
DWARF

corryn *hwn enw* (**corynnod**) creadur
bychan ag wyth troed sydd
weithiau yn gweu gwe i ddal pryfed
SPIDER

cors *hon enw* (**corsydd**) tir gwlyb,
meddal BOG

corsog *ansoddair* yn gors BOGGY

corynnod *hyn enw* mwy nag un
corryn

cosb *hon enw* (**cosbau**) yr hyn mae'n
rhaid i rywun sydd wedi gwneud
rhywbeth na ddylai ei ddioddef fel
na fydd eisiau gwneud yr un peth
eto PUNISHMENT

cosbi *berfenw* rhoi cosb *Mae pobl sy'n
torri'r gyfraith yn cael eu cosbi trwy
gael eu hanfon i'r carchar.* TO PUNISH

cosi *berfenw* **1** goglais TO TICKLE
2 teimlo eich bod eisiau crafu'ch
croen TO ITCH

costio *berfenw* bod â phris arbennig
*Costiodd tocynnau'r gêm ddeg punt yr
un.* TO COST

cosyn *hwn enw* (**cosynnau**) caws
crwn, cyfan A CHEESE

cot:côt *hon enw* (**cotiau**) dilledyn â
llewys hir sy'n cael ei wisgo dros
ddillad eraill COAT

cotwm *hwn enw* (**cotymau**)
1 edau gwnïo COTTON
2 brethyn sy'n cael ei wneud o'r
edafedd fel yn *sanau cotwm* COTTON

cowboi *hwn enw* (**cowbois**) dyn sy'n
gofalu am wartheg (oddi ar gefn
ceffyl fel arfer) ar un o ffermydd
mawr America COWBOY

cownter *hwn enw* (**cownteri**) y bwrdd
hir sydd rhyngoch chi a'r staff
mewn siop, swyddfa bost neu fanc
COUNTER

cracio *berfenw* gwneud sŵn caled
sydyn fel pren sych yn torri TO
CRACK

crachen *hon enw* (**crach**) croen caled,
tywyll sy'n tyfu dros friw wrth iddo
wella SCAB

craen *hwn enw* (**craeniau**) peiriant ar
olwynion sy'n gallu codi pethau
trwm iawn CRANE

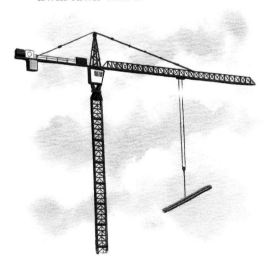

crafanc *hon enw* (**crafangau**) un o'r
ewinedd cryf, miniog sy'n tyfu ar
draed rhai mathau o adar ac
anifeiliaid CLAW

crafu _berfenw_ rhwbio â rhywbeth siarp _crafu'ch croen ag ewinedd; crafu ochr y car yn erbyn y wal_ TO SCRATCH

craff _ansoddair_ gair am rywun sy'n gallu gweld neu feddwl yn glir iawn _Roedd llygaid craff gan yr hen wraig._ KEEN

craffter _hwn enw_ y gallu i feddwl yn glir

cragen _hon enw_ (**cregyn**) y casyn caled sy'n amddiffyn rhai anifeiliaid fel y falwoden neu'r cranc SHELL

craig _hon enw_ (**creigiau**) rhywbeth caled iawn a thrwm sy'n rhan o'r mynyddoedd a'r ddaear ROCK

craith _hon enw_ (**creithiau**) ôl briw ar y croen ar ôl i'r grachen wella SCAR

cranc _hwn enw_ (**crancod**) anifail â chragen, deg o goesau a dwy grafanc, sy'n byw yn y môr neu yn ymyl y môr CRAB

cras _ansoddair_
1 (am ddillad) sych a chaled AIRED
2 (am sŵn) garw ac uchel HARSH

crasu _berfenw_ coginio mewn ffwrn, pobi _crasu bara_ TO BAKE

crawc _hon enw_ sŵn cras fel y mae brân neu froga yn ei wneud CROAK

creadur _hwn enw_ (**creaduriaid**) unrhyw anifail CREATURE

credu _berfenw_ teimlo'n siŵr fod rhywbeth yn wir _Credodd Mair bob gair o'r stori._ TO BELIEVE

crefydd _hon enw_ (**crefyddau**) yr hyn y mae pobl yn ei gredu am Dduw a'r ffordd o'i addoli RELIGION

crefft _hon enw_ (**crefftau**) dawn crefftwr CRAFT

crefftwr _hwn enw_ (**crefftwyr**) rhywun sy'n dda iawn am wneud gwaith anodd â'i ddwylo CRAFTSMAN

cregyn _hyn enw_ mwy nag un gragen (**cragen**)

crehyrod _hyn enw_ mwy nag un **crëyr**

creigiau _hyn enw_ mwy nag un graig (**craig**)

creigiog _ansoddair_ â chreigiau ym mhob man ROCKY

creision _hyn enw_ darnau tenau o datws wedi'u ffrio, neu ŷd wedi'i grasu CRISPS; FLAKES

creithiau _hyn enw_ mwy nag un graith (**craith**)

crempog _hon enw_ (**crempogau**) blawd, llaeth ac wyau wedi'u cymysgu a'u ffrio; ffroesen PANCAKE

creu _berfenw_ cynllunio a gwneud rhywbeth nad oes neb arall wedi'i wneud o'r blaen TO CREATE

creulon _ansoddair_ cas iawn CRUEL

crëwr _hwn enw_ (**crewyr**) rhywun sy'n creu rhywbeth nad oes neb arall wedi'i greu o'r blaen CREATOR

a
b
c
ch
d
dd
e
f
ff
g
ng
h
i
j
k
l
ll
m
n
o
p
ph
r
rh
s
t
th
u
w
y

crëyr *hwn enw* (**crehyrod**) aderyn â choesau hir, gwddf hir a phig hir sy'n byw yn ymyl dŵr HERON

cri *hon enw* (**criau**) gwaedd, sgrech CRY

crib *hwn enw* (**cribau**) darn o bren, plastig neu fetel â rhes o bigau neu ddannedd ar gyfer trefnu gwallt COMB

cribo *berfenw* tynnu crib trwy wallt TO COMB

criced *hwn enw* gêm i ddau dîm sy'n defnyddio dau fat, dwy wiced a phêl galed CRICKET

crio *berfenw* llefain TO CRY

crisial *hwn enw* (**crisialau**) deunydd caled tebyg i wydr disglair CRYSTAL

criw *hwn enw* (**criwiau**) **1** grŵp o bobl sy'n gweithio gyda'i gilydd ar fwrdd llong neu awyren CREW **2** cwmni o bobl wedi dod ynghyd GANG

crocodeil *hwn enw* (**crocodilod**) creadur mawr o deulu'r ymlusgiaid sy'n byw mewn afonydd yn rhai o wledydd poeth y byd. Mae ganddo goesau byr, corff hir a dannedd miniog. CROCODILE

crochenwaith *hwn enw* llestri wedi'u gwneud gan grochenydd POTTERY

crochenydd *hwn enw* (**crochenyddion**) rhywun sy'n defnyddio clai i wneud llestri (crochenwaith) POTTER

croen *hwn enw* (**crwyn**) **1** deunydd allanol y corff (dan y gwallt a'r blew) SKIN **2** deunydd naturiol allanol ffrwythau a llysiau SKIN; PEEL

croes *hon enw* (**croesau**) siâp + neu **x** CROSS

croesawu *berfenw* dangos mor falch ydych chi pan fydd rhywun neu rywbeth yn cyrraedd *Croesawodd y brifathrawes y plant newydd i'r ysgol.* TO WELCOME

croesffordd *hon enw* (**croesffyrdd**) y man lle y mae ffyrdd yn croesi'i gilydd CROSSROADS

croesi *berfenw* **1** symud dros rywbeth neu ar draws rhywbeth *Croesodd pawb yn ddiogel i ochr arall y ffordd.* TO CROSS **2** gwneud siâp croes TO CROSS

croeso *hwn enw* pa mor hapus ydych chi wrth weld rhywun neu rywbeth yn cyrraedd A WELCOME

cromfach *hon enw* (**cromfachau**) un o'r marciau hyn **( )** BRACKET

cromlech *hon* *enw* (**cromlechi**) bedd hen iawn wedi'i wneud o gerrig mawr CROMLECH

cronfa *hon* *enw* (**cronfeydd**) casgliad, nifer o bethau wedi dod ynghyd *cronfa ddŵr; cronfa arian*

crud *hwn* *enw* gwely babi CRADLE

crwban *hwn* *enw* (**crwbanod**) anifail â phedair troed a chragen fawr dros ei gorff; mae'n symud yn araf iawn TORTOISE

crwm *ansoddair* wedi crymu fel hen ddyn â'i gefn yn plygu CURVED (*Edrychwch hefyd dan* **grom**)

crwmp *hwn* *enw* math o lwmpyn mawr ar gefn rhywun, cefn crwm HUMP

crwn *ansoddair* ar ffurf cylch neu bêl ROUND (*Edrychwch hefyd dan* **gron**)

crwst:crwstyn *hwn* *enw* (**crystiau**) y rhan galed y tu allan i dorth o fara CRUST

crwydro *berfenw* symud heb fynd i unman pendant TO WANDER

crwydryn *hwn* *enw* (**crwydriaid**) rhywun sy'n crwydro o le i le WANDERER

crwyn *hyn* *enw* mwy nag un **croen**

crydd *hwn* *enw* (**cryddion**) rhywun sy'n trwsio neu gyweirio esgidiau COBBLER

cryf *ansoddair* **1** yn iach ac yn gallu gwneud pethau sy'n gofyn am lawer o nerth *dyn cryf* STRONG **2** nad yw'n torri'n rhwydd *cordyn cryf* STRONG **3** a llawer o flas iddo *coffi cryf* STRONG (*Edrychwch hefyd dan* **gref**)

cryfder *hwn* *enw* bod yn gryf STRENGTH

crymu *berfenw* troi yn raddol ac yn gyson fel cefn C TO CURVE

crynedig *ansoddair* yn crynu SHIVERING

cryno-ddisg *hwn* *enw* (**cryno-ddisgiau**) darn crwn, gwastad o ddeunydd disglair ar gyfer storio cerddoriaeth neu wybodaeth; mae'n cael ei chwarae ar beiriant arbennig neu ar gyfrifiadur COMPACT DISC

crynu *berfenw* ysgwyd neu siglo oherwydd eich bod yn oer neu yn ofnus TO SHIVER

crys *hwn* *enw* (**crysau**) dilledyn, â llewys, coler a botymau, yr ydych yn ei wisgo am hanner uchaf y corff SHIRT

cuddio *berfenw* mynd i rywle neu roi rhywbeth yn rhywle fel na fydd neb yn gallu dod o hyd iddo TO HIDE

cul *ansoddair* heb fod yn llydan *ffordd gul* NARROW

a
b
c
ch
d
dd
e
f
ff
g
ng
h
i
j
k
l
ll
m
n
o
p
ph
r
rh
s
t
th
u
w
y

curo *berfenw* taro ag ergyd ar ôl ergyd
TO BEAT

cusan *hwn neu hon enw* (**cusanau**)
cyffwrdd rhywun â'ch gwefusau
i ddangos eich bod yn hoff
ohono/ohoni A KISS

cusanu *berfenw* rhoi cusan i rywun
TO KISS

cwac *hwn enw* y sŵn y mae hwyaden
yn ei wneud QUACK

cwcw *hon enw* aderyn sy'n dodwy ei
wyau yn nythod adar eraill; sŵn
cân y ceiliog yw *cwc-w*; cog CUCKOO

cwch *hwn enw* (**cychod**) rhywbeth
sy'n gallu cael ei yrru dros ddŵr ac
sydd â lle ynddo i gario pobl neu
bethau eraill; bad BOAT

cwdyn *hwn enw* (**cydau**) darnau o
ddefnydd (papur fel arfer) wedi eu
gludio at ei gilydd fel bod lle y tu
fewn i roi pethau BAG

cweryl *hwn enw* (**cwerylon**) siarad yn
gas, neu ymladd â rhywun
oherwydd nad ydych yn cytuno
â'ch gilydd A QUARREL

cweryla *berfenw* cymryd rhan mewn
cweryl TO QUARREL

cwestiwn *hwn enw* (**cwestiynau**)
rhywbeth yr ydych yn ei ofyn os
ydych am gael ateb QUESTION

cwilt *hwn enw* (**cwiltiau**) dau ddarn o
ddeunydd â llinellau o bwythau
drostynt, sy'n cadw'r hyn sydd
rhyngddynt yn eu lle. Yr ydych yn
taenu cwilt dros wely i'ch cadw'n
gynnes. QUILT

cwis *hwn enw* (**cwisiau**) math o gêm
lle y mae pobl yn ceisio ateb llawer
o gwestiynau i ddangos faint maen
nhw'n ei wybod QUIZ

cwlwm *hwn enw* (**clymau**) y lwmpyn
yn y man lle y mae dau neu ragor o
bethau wedi cael eu clymu ynghyd
KNOT

cwm *hwn enw* (**cymoedd**) tir gwastad
rhwng dau fynydd; dyffryn, glyn
VALLEY

cwmni *hwn enw* (**cwmnïau**)
1 person neu anifail sy'n eich cadw
rhag teimlo'n unig COMPANY
2 grŵp o bobl sy'n gwneud pethau
gyda'i gilydd *cwmni o actorion*
COMPANY

cwmpas *hwn enw* (**cwmpasau**)
offeryn i dynnu llun cylch
COMPASSES
o gwmpas o amgylch, tua AROUND

cwmpawd *hwn enw* (**cwmpawdau**)
dyfais sy'n dangos i ba gyfeiriad
mae'r Gogledd. Mae'n eich helpu i
ddod o hyd i'r ffordd os ydych ar
goll. COMPASS

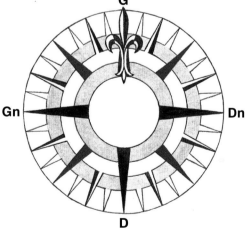

cwmwl *hwn enw* (**cymylau**)
1 rhywbeth gwyn, llwyd neu ddu yn
yr awyr. Dafnau bychain o ddŵr
sy'n gwneud cymylau, dafnau sy'n
disgyn fel glaw. CLOUD
2 mwg neu lwch sy'n edrych fel
cwmwl CLOUD

cŵn *hyn* *enw* mwy nag un **ci**

cwningen *hon* *enw* (**cwningod**) anifail â chot o ffwr a chlustiau hir. Mae'n byw mewn tyllau yn y ddaear. RABBIT

cwpan *hwn* *enw* (**cwpanau**) **1** bowlen fach â dolen ar un ochr i gydio ynddi wrth i chi yfed ohoni CUP **2** llestr tebyg wedi'i wneud o fetel sy'n cael ei roi yn wobr mewn cystadleuaeth CUP

cwpwrdd *hwn* *enw* (**cypyrddau**) dodrefnyn a silffoedd ynddo a drws neu ddrysau CUPBOARD

cwrdd[1] *hwn* *enw* (**cyrddau**) gwasanaeth mewn capel SERVICE

cwrdd[2] *berfenw* cyfarfod TO MEET

cwrens *hyn* *enw* grawnwin bach sych, du, heb hadau CURRANTS

cwrw *hwn* *enw* diod gadarn o liw brown BEER

cwrwgl *hwn* *enw* (**cyryglau**) cwch bach crwn, wedi'i wneud o ffrâm o bren â chrwyn neu liain wedi'i gosod yn dynn arni CORACLE

cwsg *hwn* *enw* y gorffwys llwyr a gewch pan fyddwch yn cau eich llygaid yn y gwely yn y nos SLEEP

cwsmer *hwn* *enw* (**cwsmeriaid**) rhywun sy'n defnyddio siop neu fanc CUSTOMER

cwstard *hwn* *enw* saws tew, melyn, melys CUSTARD

cwt[1] *hwn* *enw* (**cytiau**) math o sied neu adeilad ar gyfer cadw ci, moch neu ieir HUT

cwt[2] *hwn* *enw* (**cytau**) y croen wedi'i dorri gan rywbeth siarp CUT

cwympo *berfenw* dod i lawr yn sydyn; syrthio; gollwng *Cwympodd William yn ei hyd.* TO FALL; TO DROP

cwyn *hwn* *enw* (**cwynion**) dweud nad ydych yn hapus COMPLAINT

cwyno *berfenw* gwneud cwyn; achwyn TO COMPLAIN

cwyr *hwn* *enw* y deunydd fel sebon y mae gwenyn yn ei greu mewn cwch gwenyn WAX

cybydd *hwn* *enw* (**cybyddion**) rhywun sydd â llawer o arian, ond sydd yn gwneud ei orau i beidio â'i wario MISER

cybyddlyd *ansoddair* ymddwyn fel cybydd MISERLY

cychod *hyn* *enw* mwy nag un **cwch**

cychwyn *berfenw* dechrau TO START

cydau *hyn* *enw* mwy nag un **cwdyn**

cydbwysedd *hwn* *enw* gallu sefyll heb siglo neu grynu BALANCE

cyd-ddyn *hwn* *enw* (**cyd-ddynion**) person arall fel chi a fi FELLOW MAN

cyd-fynd *berfenw* cytuno TO AGREE

cydio *berfenw* gafael (yn) TO HOLD

cydymdeimlad *hwn* *enw* teimlo'n drist a bod eisiau helpu rhywun sy'n sâl, yn drist neu mewn trafferth SYMPATHY

cydymdeimlo *berfenw* dangos cydymdeimlad TO SYMPATHIZE

cyfaddef *berfenw* dweud eich bod wedi gwneud rhywbeth na ddylech chi fod wedi'i wneud TO CONFESS

a
b
c
ch
d
dd
e
f
ff
g
ng
h
i
j
k
l
ll
m
n
o
p
ph
r
rh
s
t
th
u
w
y

47

cyfaill *hwn enw* (**cyfeillion**) rhywun sy'n hoff ohonoch chi; ffrind FRIEND

cyfan *hwn enw* y cwbl; pob peth EVERYTHING

cyfandir *hwn enw* (**cyfandiroedd**) un o'r saith darn anferth o dir sydd yn y byd. Awstralia, Affrica, De America, Gogledd America, Yr Antarctig, Ewrop ac Asia yw enwau'r saith cyfandir. CONTINENT

cyfansoddi *berfenw* ysgrifennu rhywbeth newydd TO COMPOSE

cyfansoddwr *hwn enw* (**cyfansoddwyr**) rhywun sy'n cyfansoddi cerddoriaeth fel arfer COMPOSER

cyfarch *berfenw* dweud "Sut ydych chi?" wrth rywun neu groesawu rhywun TO GREET

cyfarchion *hyn enw* dymuniadau da *cyfarchion pen blwydd* GREETINGS

cyfarfod[1] *berfenw* dod at ei gilydd; cwrdd TO MEET

cyfarfod[2] *hwn enw* (**cyfarfodydd**) grŵp o bobl sydd yn dod ynghyd i drafod rhywbeth neu i wrando ar rywun A MEETING

cyfarpar *hwn enw* yr hyn sydd eu hangen arnoch i wneud rhywbeth EQUIPMENT

cyfartal *ansoddair* o'r un maint â rhywbeth arall (o ran gwerth, nifer ac ati) EQUAL

cyfarth *berfenw* gwneud yr un sŵn cras ac uchel â chi (ci) TO BARK

cyfathrebu *berfenw* rhannu gwybodaeth (trwy gyfrwng radio, teledu, papurau newydd ac ati) TO COMMUNICATE

cyfeilio *berfenw* rhywbeth y mae cyfeilydd yn ei wneud TO ACCOMPANY

cyfeilydd *hwn enw* (**cyfeilyddion**) rhywun sy'n chwarae offeryn tra bo rhywun arall yn canu neu yn dawnsio ACCOMPANIST

cyfeillgar *ansoddair* bod fel cyfaill FRIENDLY

cyfeillion *hyn enw* mwy nag un **cyfaill**

cyfeiriad *hwn enw* (**cyfeiriadau**) **1** rhif y tŷ, ac enw'r stryd a'r dref lle'r ydych chi'n byw ADDRESS **2** y ffordd y mae'n rhaid mynd i gyrraedd rhywle DIRECTION

cyfeirio *berfenw* rhoi cyfeiriad i rywun neu ar rywbeth TO DIRECT

cyfenw *hwn enw* (**cyfenwau**) eich enw olaf, sydd yr un fath ag enw'r teulu SURNAME

cyfieithiad *hwn* *enw* (**cyfieithiadau**) rhywbeth sydd wedi'i gyfieithu TRANSLATION

cyfieithu *berfenw* newid rhywbeth o un iaith i iaith arall TO TRANSLATE

cyflaith *hwn* *enw* menyn a siwgr wedi'u coginio i wneud da-da neu losin brown, gludiog TOFFEE

cyfle *hwn* *enw* (**cyfleoedd**) amser da i wneud rhywbeth OPPORTUNITY

cyflog *hwn* *enw* (**cyflogau**) yr arian y mae rhywun yn cael ei dalu am y gwaith y mae'n ei wneud WAGE

cyflwr *hwn* *enw* (**cyflyrau**) y ffordd y mae rhywun neu rywbeth yn edrych neu yn teimlo *Mae'r llawr mewn cyflwr gwael.* STATE

cyflwyno *berfenw*
1 dweud pwy yw rhywun TO INTRODUCE
2 rhoi gwobr neu anrheg i rywun o flaen cynulleidfa TO PRESENT

cyflym *ansoddair* wedi'i wneud mewn llai o amser nag arfer; buan QUICK

cyflyrau *hyn* *enw* mwy nag un **cyflwr**

cyfnewid *berfenw* rhoi un peth a derbyn rhywbeth arall yn ei le TO EXCHANGE

cyfnither *hon* *enw* (**cyfnitheroedd**) merch eich ewythr neu eich modryb COUSIN (FEMALE)

cyfoeth *hwn* *enw* llawer o arian neu drysor WEALTH

cyfoethog *ansoddair* â llawer o arian neu gyfoeth RICH

cyfraith *hon* *enw* (**cyfreithiau**) rheol neu gasgliad o reolau mae'n rhaid i bawb eu cadw LAW

cyfres *hon* *enw* (**cyfresi**) nifer o bethau tebyg i'w gilydd sy'n dilyn ei gilydd SERIES

cyfrif *berfenw* defnyddio rhifau i ddweud faint o bobl neu bethau sydd yn rhywle TO COUNT

cyfrifiadur *hwn* *enw* (**cyfrifiaduron**) peiriant sy'n cadw gwybodaeth, yn ei threfnu ac yn ei dangos ar y sgrin yn ôl y galw COMPUTER

cyfrifiannell *hwn* *enw* (**cyfrifiannellau**) peiriant sy'n gallu cyfrif a gwneud symiau CALCULATOR

cyfrifol *ansoddair* yn gwneud rhywbeth ac yn derbyn y clod pan fydd yn dda a'r bai pan fydd yn ddrwg RESPONSIBLE

cyfrinach *hon* *enw* (**cyfrinachau**) gwybodaeth mae'n rhaid ei chadw rhag pobl eraill (A) SECRET

cyfrinachol *ansoddair* yn gyfrinach SECRET

cyfrwy *hwn* *enw* (**cyfrwyau**) math o sedd arbennig sy'n ffitio ar gefn ceffyl, fel y gallwch ei farchogaeth SADDLE

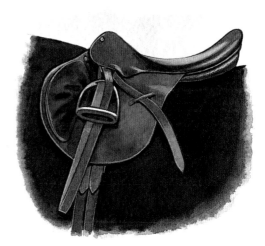

cyfryngau *hyn* *enw* mwy nag un **cyfrwng** y ffyrdd yr ydym yn cael gwybod am y newyddion, trwy'r papurau, radio a theledu THE MEDIA

cyf-weld *berfenw* holi rhywun er mwyn cael ei farn ar rywbeth neu er mwyn gweld pa fath o berson ydyw TO INTERVIEW

cyffesu *berfenw* cyfaddef TO CONFESS

cyfforddus *ansoddair* braf i eistedd arno, bod ynddo neu ei wisgo COMFORTABLE

cyffredin *ansoddair* arferol; rhywbeth y mae pawb yn gwybod amdano COMMON

cyffro *hwn enw* y teimlad o fod yn gyffrous EXCITEMENT

cyffrous *ansoddair* yn gwneud ichi gael teimladau cryf o ofn, cariad, bod yn flin ac ati *ffilm gyffrous* EXCITING

cyffuriau *hyn enw* **1** pethau y mae pobl sy'n eu cymryd yn methu bod hebddyn nhw er eu bod yn gwneud drwg DRUGS **2** pethau y mae moddion yn cael ei wneud ohonyn nhw DRUGS

cyffwrdd *berfenw* teimlo rhywbeth â'ch bysedd neu ran arall o'ch corff TO TOUCH

cyffyrddus *ansoddair* cyfforddus COMFORTABLE

cyngerdd *hwn enw* (**cyngherddau**) cyfarfod i ddiddanu pobl â cherddoriaeth CONCERT

cyngherddau *hyn enw* mwy nag un **cyngerdd**

cynghorau *hyn enw* mwy nag un **cyngor²**

cynghori *berfenw* cynnig cyngor TO ADVISE

cyngor¹ *hwn enw* (**cynghorion**) yr hyn sy'n cael ei ddweud wrth rywun er mwyn ei helpu i benderfynu beth i'w wneud *Fy nghyngor i yw ichi gadw'ch arian a pheidio prynu hwn.* ADVICE

cyngor² *hwn enw* (**cynghorau**) grŵp o bobl sydd wedi eu dewis i gynllunio a phenderfynu beth i'w wneud *cyngor sir* COUNCIL

cyhoedd *hwn enw* pobl THE PUBLIC

cyhoeddi *berfenw* argraffu llyfr neu bapur i bawb gael ei weld TO PUBLISH

cyhoeddus *ansoddair* ar agor, neu ar gael i bawb *llyfrgell gyhoeddus* PUBLIC

cyhuddiad *hwn enw* (**cyhuddiadau**) dweud bod rhywun wedi gwneud rhywbeth o'i le ACCUSATION

cyhuddo *berfenw* dwyn cyhuddiad yn erbyn rhywun TO ACCUSE

cyhyd:cyd *ansoddair* mor **hir** (yn arbennig am amser)

cyhydedd *hwn enw* y llinell ar fapiau sy'n rhannu'r byd yn ddau hanner EQUATOR

cyhyr *hwn* (**cyhyrau**) *enw* un o'r rhannau y tu mewn i'r corff sy'n mynd yn dynn ac yna'n llac er mwyn i'r corff gael symud MUSCLE

cyhyrog *ansoddair* â'i gyhyrau yn amlwg MUSCULAR

cylch *hwn enw* (**cylchoedd**) siâp olwyn neu ddarn arian fel ceiniog neu bunt CIRCLE

cylchgrawn *hwn enw* (**cylchgronau**) math o lyfr tenau sy'n dod allan bob mis neu bob wythnos MAGAZINE

cyll *hyn enw* mwy nag un gollen (**collen**)

cylla *hwn enw* stumog STOMACH

cyllell *hon enw* (**cyllyll**) teclyn â llafn hir, miniog ar gyfer torri pethau
KNIFE

cyllyll *hyn enw* mwy nag un gyllell (**cyllell**)

cymaint *ansoddair* yr un **maint** â *Wyt ti wedi casglu cymaint â'th frawd?* AS MUCH

cymanfa *hon enw* (**cymanfaoedd**) cyfarfod o ganu emynau

cymdeithas *hon enw* (**cymdeithasau**)
1 pobl a'r ffordd y maen nhw'n byw gyda'i gilydd SOCIETY
2 grŵp o bobl sy'n dod at ei gilydd i rannu'r un diddordeb SOCIETY

cymdogion *hyn enw* mwy nag un **cymydog**

cymdogol *ansoddair* bod yn gymydog da NEIGHBOURLY

cymedrol *ansoddair* heb fod yn ormod nac yn rhy ychydig MODERATE

cymeriad *hwn enw* (**cymeriadau**)
1 person mewn llyfr neu ddrama CHARACTER
2 y math o berson ydych chi CHARACTER

cymerodd *berf* edrychwch dan **cymryd**

cymharol *ansoddair* o'i gymharu â COMPARATIVE

cymharu *berfenw* edrych i weld pa mor debyg yw dau beth TO COMPARE

cymhleth *ansoddair* â llawer o wahanol ddarnau; anodd ei ddeall
COMPLICATED

cymoedd *hyn enw* mwy nag un **cwm**

cymorth *hwn enw* rhywbeth sy'n helpu
AID

Cymraeg *hon enw* iaith y Cymry
WELSH

Cymraes *hon enw* merch o Gymru
WELSH WOMAN

Cymreig *ansoddair* yn perthyn i Gymru WELSH

Cymro *hwn enw* (**Cymry**) gŵr o Gymru WELSHMAN

Cymry *hyn enw* mwy nag un **Cymro** neu Gymraes (**Cymraes**)

cymryd *berfenw* cydio yn rhywbeth a mynd ag ef *Cymerodd Ian ddau ddarn o'r deisen.* TO TAKE

cymwynas *hon enw* (**cymwynasau**) rhywbeth caredig yr ydych yn ei wneud i rywun arall FAVOUR

cymwynasgar *ansoddair* yn barod ei gymwynas OBLIGING

cymydog *hwn enw* (**cymdogion**) rhywun sy'n byw drws nesaf i chi
NEIGHBOUR

cymylau *hyn enw* mwy nag un **cwmwl**

a
b
c
ch
d
dd
e
f
ff
g
ng
h
i
j
k
l
ll
m
n
o
p
ph
r
rh
s
t
th
u
w
y

cymylog *ansoddair* a chymylau drosto
CLOUDY

cymysg *ansoddair* wedi cymysgu
MIXED

cymysgu *berfenw* rhoi gwahanol bethau gyda'i gilydd i greu un peth
TO MIX

cyn *arddodiad* o flaen amser *Yr oedd Ann yn yr ysgol cyn naw o'r gloch.*
BEFORE

cŷn *hwn enw* (**cynion**) erfyn â blaen miniog, sgwâr ar gyfer cerfio coed neu naddu carreg; gaing CHISEL

cyndyn *ansoddair* heb fod yn barod i newid eich meddwl STUBBORN

cynddeiriog *ansoddair* dig iawn
FURIOUS

cyneuodd *berf edrychwch dan* **cynnau**

cynfas *hon enw* (**cynfasau**)
1 defnydd cryf iawn ar gyfer gwneud pebyll, a hwyliau llongau yn yr hen amser CANVAS
2 darn mawr o ddefnydd sydd yn dod rhwng eich corff a'r blancedi yn y gwely SHEET

cynffon *hon enw* (**cynffonnau**) y rhan o'r corff sydd wrth ben ôl anifail *cynffon ci* TAIL

cynhaeaf *hwn enw* (**cynaeafau**) yr amser o'r flwyddyn pan fydd y ffermwr yn casglu'r ŷd a'r llysiau y mae ef wedi'u tyfu HARVEST

cynhaliodd *berf edrychwch dan* **cynnal**

cynharach:cynharaf *ansoddair* mwy **cynnar**; mwyaf **cynnar**

cynhebrwng *hwn enw* angladd
FUNERAL

cynhesach:cynhesaf *ansoddair* mwy **cynnes**; mwyaf **cynnes**

cynhesu *berfenw* twymo TO WARM

cynhwysydd *hwn enw* (**cynwysyddion**) unrhyw beth yr ydych yn gallu cadw rhywbeth ynddo *Mae bwced a phot jam yn gynwysyddion.* CONTAINER

cynhyrchu *berfenw* **1** gwneud *Mae'r ffatri yn cynhyrchu cant o geir bob dydd.* TO PRODUCE
2 paratoi drama nes iddi fod yn barod i'w pherfformio TO PRODUCE

cynhyrchydd *hwn enw* (**cynhyrchwyr**) rhywun sy'n cynhyrchu rhywbeth PRODUCER

cynhyrfau *hyn enw* mwy nag un **cynnwrf**

cynhyrfu *berfenw* methu aros yn llonydd TO EXCITE

cynilo *berfenw* cadw a chasglu arian yn hytrach na'i wario TO SAVE

cynllun *hwn enw* (**cynlluniau**)
1 syniad clir ynglŷn â sut i wneud rhywbeth PLAN
2 map o adeilad neu dref PLAN

cynllunio *berfenw* creu cynllun, trefnu rhywbeth TO PLAN

cynnal *berfenw* **1** dal rhywbeth fel nad ydyw'n disgyn *Mae waliau ystafell yn cynnal y nenfwd.*
TO SUPPORT
2 gwneud i rywbeth ddigwydd *Cynhaliodd Aled ei barti pen blwydd yn y ganolfan chwaraeon.*
TO HOLD

cynnar *ansoddair* **1** yn agos at y dechrau EARLY
2 yn gynt nag yr oeddech yn ei ddisgwyl EARLY (*Edrychwch hefyd dan* **cynharach, cynharaf**)

a
b
c
ch
d
dd
e
f
ff
g
ng
h
i
j
k
l
ll
m
n
o
p
ph
r
rh
s
t
th
u
w
y

cynnau *berfenw* **1** rhoi rhywbeth ar dân *cynnau tân* TO LIGHT
2 gwneud i olau weithio *Cyneuodd Mair y golau.* TO LIGHT

cynnes *ansoddair* eithaf poeth WARM (*Edrychwch hefyd dan* **cynhesach, cynhesaf**)

cynnig *berfenw* **1** rhoi rhywbeth fel bod dewis gan rywun a ydyw'n ei gymryd neu beidio *Cynigiodd Dafydd losin i Kevin.* TO OFFER
2 dweud eich bod yn barod i wneud rhywbeth *Pwy sy'n cynnig mynd â'r llyfrau at Mrs Davies?* TO OFFER

cynnwrf *hwn enw* (**cynhyrfau**) llawer o sŵn COMMOTION

cynnwys *berfenw* dal neu gadw rhywbeth y tu mewn i rywbeth arall *Mae'r bocs yn cynnwys dillad; mae llyfrgell yn cynnwys llyfrau.* TO CONTAIN

cynnyrch *hwn enw* (**cynhyrchion**) rhywbeth sydd wedi cael ei gynhyrchu PRODUCE

cynorthwyo *berfenw* helpu rhywun arall TO HELP

cynorthwyydd *hwn enw* (**cynorthwywyr**) rhywun sy'n cynorthwyo ASSISTANT

cynradd *ansoddair* fel yn **ysgol gynradd** sef yr ysgol yr ydych chi'n mynd iddi rhwng pum mlwydd oed ac un ar ddeg PRIMARY (SCHOOL)

cynrychioli *berfenw* gwneud rhywbeth yn lle rhywun neu siarad ar ran rhywun arall TO REPRESENT

cynt[1] *ansoddair* mwy **cynnar** (o ran amser); mwy **cyflym**

cynt[2] *adferf* o'r blaen *yr hen ddyddiau gynt* FORMERLY

cyntaf *ansoddair* o flaen unrhyw beth arall FIRST

cynulleidfa *hon enw* (**cynulleidfaoedd**) y bobl sydd wedi dod at ei gilydd i rywle i weld neu i wrando ar rywbeth AUDIENCE

cynyddu *berfenw* mynd yn fwy TO INCREASE

cyplysnod *hwn enw* (**cyplysnodau**) arwydd fel hwn - sy'n cael ei ddefnyddio i gysylltu rhannau gair fel yn *pêl-droed, Ynys-y-bŵl* ac ati DASH; HYPHEN

cypyrddau *hyn enw* mwy nag un **cwpwrdd**

cyrans *hyn enw* cwrens CURRANTS

cyrc *hyn enw* mwy nag un **corcyn**

cyrd:cyrt *hyn enw* mwy nag un **cordyn**

cyrddau *hyn enw* mwy nag un **cwrdd**

cyrff *hyn enw* mwy nag un **corff**

cyrn *hyn enw* mwy nag un **corn**

cyrraedd *berfenw* dod i ddiwedd taith *Cyrhaeddodd Mair y parti hanner awr yn hwyr.* TO ARRIVE

cyryglau *hyn enw* mwy nag un **cwrwgl**

cysegredig *ansoddair* arbennig oherwydd ei fod yn perthyn i Dduw HOLY; SACRED

cysglyd *ansoddair* eisiau cysgu SLEEPY

cysgod *hwn enw* (**cysgodion**) y siâp tywyll a welwch yn ymyl rhywun neu rywbeth sy'n sefyll yn y golau SHADOW

cysgodi *berfenw* bod mewn cysgod TO SHELTER

cysgu *berfenw* cau eich llygaid a gorffwys yn llwyr, fel yr ydych yn ei wneud bob nos TO SLEEP

cyson *ansoddair* yn digwydd yr un pryd bob tro REGULAR

cystadleuaeth *hon enw* (**cystadlaethau**) math o brawf neu gêm, â gwobr i'r un sy'n ennill COMPETITION

cystadleuol *ansoddair* yn cystadlu COMPETITIVE

cystadlu *berfenw* cymryd rhan mewn ras neu gystadleuaeth TO COMPETE

cystal *ansoddair* mor dda (**da**) *Nid yw'r llyfr hwn cystal â'r lleill.* AS GOOD AS

cysur *hwn enw* (**cysuron**) y teimlad o fod yn gysurus COMFORT

cysurus *ansoddair* cyfforddus COMFORTABLE

cysylltnod *hwn enw* (**cysylltnodau**) cyplysnod HYPHEN

cysylltu *berfenw* rhoi pethau at ei gilydd TO CONNECT

cytbwys *ansoddair* o'r un pwysau ar bob ochr BALANCED

cytbwysedd *hwn enw* yr hyn sydd gennych pan fydd pethau'n gytbwys BALANCE

cytgan *hwn enw* (**cytganau**) geiriau sy'n cael eu canu ar ôl pob pennill mewn cân CHORUS

cytsain *hon enw* (**cytseiniaid**) unrhyw lythyren o'r wyddor ac eithrio a, e, i, o, u, ac weithiau w ac y CONSONANT

cytser *hwn enw* (**cytserau**) grŵp o sêr sy'n creu patrwm yn yr awyr CONSTELLATION

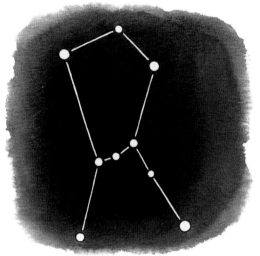

cytundeb *hwn enw* (**cytundebau**) yr hyn a gewch pan fydd dau neu ragor yn cytuno AGREEMENT

cytuno *berfenw* meddwl yr un fath â rhywun arall TO AGREE

cyw *hwn enw* (**cywion**) aderyn ifanc CHICK

cywilydd *hwn enw* y teimlad euog yr ydych yn ei gael ar ôl gwneud rhywbeth drwg SHAME

cywilyddio *berfenw* teimlo cywilydd TO BE ASHAMED

cywir *ansoddair* heb unrhyw gamgymeriad CORRECT

cywiro *berfenw* cael gwared â chamgymeriadau TO CORRECT

Ch ch

chi *rhagenw personol* y person neu'r bobl yr wyf i'n siarad â nhw YOU

chwaer *hon enw* (**chwiorydd**) merch sydd â'r un rhieni â chi SISTER

chwain *hyn enw* mwy nag un **chwannen**

chwalu *berfenw* taflu pethau mân i bob cyfeiriad TO SCATTER

chwannen *hon enw* (**chwain**) trychfilyn bach heb adenydd, sy'n neidio o le i le ac yn sugno gwaed FLEA

chwarae *berfenw* cymryd rhan mewn gêm *Chwaraeodd Esther gyda'i brawd bach.* TO PLAY

chwaraeon *hyn enw* gêmau GAMES

chwarel *hon enw* (**chwareli**) man lle y mae pobl yn tynnu cerrig o'r ddaear ar gyfer waliau neu doeon adeiladau QUARRY

chwarelwr *hwn enw* (**chwarelwyr**) dyn sy'n gweithio mewn chwarel QUARRYMAN

chwarter *hwn enw* (**chwarteri**) un darn o rywbeth sydd wedi ei rannu'n bedair rhan gyfartal, ¼ QUARTER

chwe:chwech *rhifol* 6 *chwe cheffyl; chwech o blant* SIX

chwedl *hon enw* (**chwedlau**) stori TALE

chwerfan *hon enw* (**chwerfain**) olwyn â rhaff o'i chwmpas sy'n cael ei defnyddio i godi pwysau trwm PULLEY

chwerthin *berfenw* gwneud sŵn sy'n dangos eich bod yn hapus, neu yn meddwl bod rhywbeth yn ddoniol TO LAUGH

chwerw *ansoddair* heb fod yn felys, yn debyg i flas finegr BITTER

chwîb *hon enw* teclyn sy'n creu sŵn chwibanu uchel (A) WHISTLE

chwibanu *berfenw* chwythu trwy eich gwefusau neu drwy chwiban i wneud sŵn fel ffliwt neu aderyn *Chwibanodd y bugail ar ei gi.* TO WHISTLE

chwifio *berfenw* **1** symud eich dwylo i fyny ac i lawr neu o un ochr i'r llall i gyfarch rhywun TO WAVE **2** symud i fyny ac i lawr neu o un ochr i'r llall *Chwifiai'r canghennau yn y gwynt.* TO WAVE

chwilen *hon enw* (**chwilod**) trychfilyn â chasyn caled dros ei adenydd BEETLE

chwiler *hon enw* (**chwilerod**) y casyn o groen caled mae lindysyn yn ei wneud iddo'i hun cyn troi'n löyn byw CHRYSALIS

chwilfrydedd *hwn enw* yr awydd i wybod CURIOSITY

chwilfrydig *ansoddair* eisiau gwybod am bethau CURIOUS

chwilio *berfenw* edrych yn ofalus am rywbeth *Chwiliodd Sam ym mhobman am y llyfr.* TO SEARCH

a
b
c
ch
d
dd
e
f
ff
g
ng
h
i
j
k
l
ll
m
n
o
p
ph
r
rh
s
t
th
u
w
y

a b c **ch** d dd e f ff g ng h i j k l ll m n o p ph r rh s t th u w y

chwilod *hyn enw* mwy nag un **chwilen**

chwilota *berfenw* edrych yma ac acw am rywbeth TO SEARCH

chwim *ansoddair* cyflym SWIFT

chwiorydd *hyn enw* mwy nag un **chwaer**

chwip *hon enw* (**chwipiau**) darn hir o raff neu ledr sy'n cael ei ddefnyddio i daro pethau WHIP

chwipio *berfenw* taro â chwip TO WHIP

chwistrell *hon enw* (**chwistrellau**) nodwydd arbennig ar gyfer chwistrellu HYPODERMIC

chwistrellu *berfenw* pigo'r croen â nodwydd wedi'i llenwi â moddion er mwyn cael y moddion i mewn i'r corff TO INJECT

chwith *ansoddair* yr ochr gyferbyn â'r dde; mae'r rhan fwyaf o bobl yn dal y fforc yn eu llaw chwith a'r gyllell yn eu llaw dde LEFT

chwyddo *berfenw* mynd yn fwy TO SWELL

chwyldro *hwn enw* (**chwyldroadau**) ymdrech fawr i gael gwared â'r llywodraeth (trwy rym yn aml) a gosod math arall o lywodraeth yn ei lle REVOLUTION

chwyldroadol *ansoddair* yn achosi chwyldro REVOLUTIONARY

chwyn *hyn enw* unrhyw blanhigion gwyllt sy'n tyfu lle nad oes eu heisiau WEEDS

chwynnu *berfenw* codi chwyn *Gyda'n gilydd fe chwynnodd Mam, Dad a'r tri ohonom yr ardd i gyd mewn prynhawn.* TO WEED

chwyrn *ansoddair* cyflym a gwyllt VIGOROUS

chwyrnu *berfenw* anadlu'n swnllyd pan fyddwch yn cysgu TO SNORE

chwysigen *hon enw* (**chwysigod**) darn bach o groen wedi chwyddo, yn llawn hylif, sy'n gwneud dolur os ydych yn cyffwrdd ag ef BLISTER

chwysu *berfenw* colli math o ddŵr trwy eich croen oherwydd eich bod yn boeth iawn neu yn sâl *Chwysodd Dafydd wrth iddo orfod rhedeg ar brynhawn mor boeth.* TO SWEAT

chwythu *berfenw* gwneud i wynt symud TO BLOW

D d

da[1] *ansoddair* **1** rhywbeth mae pobl yn ei hoffi ac yn ei ganmol *llyfr da* GOOD **2** caredig a chywir *cyfaill da* GOOD **3** heb fod yn ddrwg *plentyn da* GOOD (*Edrychwch hefyd dan* **cystal** *a* **gwell**)

da[2] *hyn* *enw* gwartheg CATTLE

dacw *adferf* wele acw *dacw'r tŷ a dacw'r tân* THERE IT IS

da-da *hyn* *enw* melysion, losin SWEETS

dadl *hon* *enw* (**dadleuon**) siarad a dweud eich barn wrth rywun nad yw'n cytuno â chi ARGUMENT

dadlaith *berfenw* y ffordd y mae iâ neu eira yn toddi; meirioli, dadmer TO THAW

dadlau *berfenw* cynnal dadl *Roedd Mairwen ac Emyr yn dadlau p'un ai Caernarfon neu Fangor oedd y tîm gorau.* TO ARGUE

dadleuon *hyn* *enw* mwy nag un ddadl (**dadl**)

dadlwytho *berfenw* tynnu i ffwrdd yr hyn y mae lorri, llong neu anifail yn ei gario TO UNLOAD

dadmer *berfenw* dadlaith TO THAW

dadwisgo *berfenw* tynnu eich dillad; diosg TO UNDRESS

daear *hon* *enw* **1** y blaned yr ydym ni i gyd yn byw arni EARTH **2** pridd EARTH

daeargryn *hon* *enw* (**daeargrynfeydd**) rhywbeth sy'n achosi i'r Ddaear ysgwyd am amser byr. Fe all daeargryn fawr ddistrywio adeiladau. EARTHQUAKE

daearyddiaeth *hon* *enw* ffordd o ddod i wybod am wahanol rannau o'r byd GEOGRAPHY

daeth *edrychwch dan* **dod**

dafad *hon* *enw* (**defaid**) anifail sy'n cael ei gadw gan ffermwyr er mwyn ei wlân a'i gig SHEEP

dafaden *hon* *enw* lwmpyn caled yn tyfu ar y croen WART

dafn *hwn* *enw* (**dafnau**) diferyn, defnyn DROP

daffodil *hwn* *enw* cenhinen Bedr

dagrau *hyn* *enw* mwy nag un **deigryn**

dangos *edrychwch dan* **dan(-)gos**

dail *hyn* *enw* mwy nag un ddeilen (**deilen**)

daioni *hwn* *enw* y pethau da y mae pobl yn eu gwneud GOODNESS

dal:dala *berfenw* **1** gafael yn rhywbeth sy'n symud TO CATCH **2** cael afiechyd *dal annwyd* TO CATCH

dalen *hon* *enw* (**dalennau**) darn cyfan o bapur SHEET

dall *ansoddair* yn methu gweld BLIND

dameg *hon* *enw* (**damhegion**) stori sy'n dysgu gwers PARABLE

damwain *hon* *enw* (**damweiniau**) rhywbeth drwg sy'n digwydd nad yw'n fwriadol ACCIDENT

a
b
c
ch
d
dd
e
f
ff
g
ng
h
i
j
k
l
ll
m
n
o
p
ph
r
rh
s
t
th
u
w
y

damweiniol *ansoddair* yn digwydd heb fod yn fwriadol ACCIDENTAL

dan *arddodiad* yn is na UNDER (*Edrychwch hefyd dan* **tan**)

danadl *hyn enw* planhigion â blew bach pigog dros eu dail a'u coesau NETTLES

danfon *berfenw* gwneud i rywun neu rywbeth fynd i rywle *Danfonodd hi garden o Ffrainc atom ni.* TO SEND

dangos *berfenw* **1** gadael i rywun weld rhywbeth *Dangosodd ei feic newydd imi.* TO SHOW
2 egluro *Dangosodd yr athro iddyn nhw sut oedd gwneud y gwaith.* TO SHOW

dannedd *hyn enw* mwy nag un **dant**

dannoedd:dannodd *hon enw* poen mewn dant TOOTHACHE

dant *hwn enw* (**dannedd**) un o'r darnau gwyn caled sydd yn eich ceg TOOTH

darganfod *berfenw* dod o hyd i rywbeth TO DISCOVER

darganfyddwr *hwn enw* (**darganfyddwyr**) rhywun sy'n darganfod rhywbeth (yn arbennig rhywbeth gwyddonol) am y tro cyntaf DISCOVERER, INVENTOR

darlun *hwn enw* (**darluniau**) llun PICTURE

darlunio *berfenw* gwneud llun o rywbeth TO PORTRAY

darlledu *berfenw* anfon rhaglen allan ar y radio neu'r teledu TO BROADCAST

darllen *berfenw* medru adrodd a deall geiriau sydd wedi cael eu hysgrifennu TO READ

darn *hwn enw* (**darnau**) rhan PIECE

darparu *berfenw* paratoi TO PREPARE

data *hyn enw* gwybodaeth y mae cyfrifiadur yn ei thrin DATA

datblygu *berfenw* tyfu'n fwy neu ddod yn well TO DEVELOP

datgelu *berfenw* gadael i rywbeth gael ei weld neu ei wybod *Nid yw'r awdur yn datgelu pwy yw'r llofrudd tan ddiwedd y stori.* TO REVEAL

datod *berfenw* agor rhywbeth sydd wedi cael ei gau â chwlwm neu fotwm TO UNDO

datrys *berfenw* darganfod ateb i bos neu broblem TO SOLVE

dathlu *berfenw* gwneud rhywbeth arbennig (cael parti er enghraifft) i ddangos eich bod yn falch iawn o rywbeth *Mae Mari yn dathlu ei phen blwydd yfory.* TO CELEBRATE

dau *rhifol* 2 TWO

daw *berf* edrychwch dan **dod**

dawn *hon enw* (**doniau**) y gallu i wneud rhywbeth yn dda iawn TALENT

dawns *hon enw* (**dawnsiau**) symud i gerddoriaeth (A) DANCE

dawnsio *berfenw* cymryd rhan mewn dawns TO DANCE

58

dawnus *ansoddair* â llawer o ddawn
SKILFUL

de[1] *hwn* *enw* cyfeiriad eich llaw chwith pan fyddwch yn wynebu'r gorllewin
SOUTH

de[2] *hon* *enw* yr ochr gyferbyn â'r 'chwith'; mae'r rhan fwyaf o bobl yn dal y fforc yn eu llaw chwith a'r gyllell yn eu llaw dde RIGHT

deall *berfenw* gwybod ystyr rhywbeth neu sut mae'n gweithio *Nid oeddwn yn deall yr Almaenwr.*
TO UNDERSTAND

dechrau *berfenw* cymryd y camau cyntaf i wneud rhywbeth TO START

deddf *hon* *enw* (**deddfau**) rheol y mae'n rhaid i bawb ufuddhau iddi
LAW

defaid *hyn* *enw* mwy nag un ddafad (**dafad**)

defnydd *hwn* *enw* (**defnyddiau**)
1 unrhyw beth sy'n cael ei ddefnyddio i wneud rhywbeth
MATERIAL
2 y gwaith o ddefnyddio USE

defnyddio *berfenw* gwneud gwaith gyda rhywbeth *Defnyddiodd Aled forthwyl i fwrw'r hoelen.* TO USE

defnyddiol *ansoddair* yn gallu cael ei ddefnyddio yn aml USEFUL

defnyn *hwn* *enw* (**dafnau**) diferyn, dafn DROP

deffro *berfenw* gorffen cysgu, dihuno
TO WAKE

deg *rhifol* 10 TEN

degol *ansoddair* yn defnyddio degau
DECIMAL

degolyn *hwn* *enw* (**degolion**) rhif degol, e.e. 0.5; 2.75 A DECIMAL

deial *hwn* *enw* (**deialau**) wyneb a rhifau neu lythrennau arno fel cloc neu ffôn DIAL

deigryn *hwn* *enw* (**dagrau**) diferyn o ddŵr sy'n dod i'r llygad pan fyddwch yn llefain neu yn crio TEAR

dellen *hon* *enw* (**dail**) un o'r darnau gwyrdd gwastad sy'n tyfu ar goed a phlanhigion eraill LEAF

deinosor *hwn* *enw* (**deinosoriaid**) un o nifer o fathau o fadfall anferth a oedd yn byw filiynau o flynyddoedd yn ôl DINOSAUR

deintydd *hwn* *enw* (**deintyddion**) doctor dannedd DENTIST

del *ansoddair* pert, twt, tlws PRETTY

delio (â) *berfenw* gwneud rhywbeth sydd angen ei wneud *Rwy'n credu mai Mr Evans sy'n delio ag arian cinio.* TO DEAL WITH

delfrydol *ansoddair* yr union beth sydd ei eisiau *tywydd delfrydol i fynd i lan y môr* IDEAL

deniadol *ansoddair* yn hyfryd i edrych arno ATTRACTIVE

denu *berfenw* perswadio i ddod yn nes
TO ATTRACT

deor *berfenw* torri allan o wy *Mae cywion yn deor.* TO HATCH

a
b
c
ch
d
dd
e
f
ff
g
ng
h
i
j
k
l
ll
m
n
o
p
ph
r
rh
s
t
th
u
w
y

derbyn *berfenw* cymryd rhywbeth sy'n cael ei gynnig i chi *Derbyniodd Angharad wobr am ei thraethawd.* TO RECEIVE, TO ACCEPT

dere *berf edrychwch dan* **dod**

deri *hyn enw* mwy nag un dderwen (**derwen**)

derwen *hon enw* (**derw:deri**) coeden fawr y mae mes yn hadau iddi OAK

desg *hon enw* (**desgiau**) math o fwrdd ar gyfer ysgrifennu, darllen a chadw llyfrau DESK

destlus *ansoddair* taclus TIDY

dethol *berfenw* dewis TO SELECT

deuddeg *rhifol* 12, un deg dau TWELVE

deugain *rhifol* 40, pedwar deg FORTY

deunaw *rhifol* 18, un deg wyth EIGHTEEN

deunydd *hwn enw* (**deunyddiau**) defnydd MATERIAL, STUFF

dewch *berf edrychwch dan* **dod**

dewin *hwn enw* (**dewiniaid**) dyn sy'n creu swynion mewn straeon WIZARD

dewis *berfenw* cymryd yr hyn yr ydych chi ei eisiau allan o nifer TO CHOOSE

dewr *ansoddair* yn barod i ddioddef poen neu berygl BRAVE

diadell *hon enw* (**diadelloedd**) praidd; grŵp o ddefaid gyda'i gilydd FLOCK

diagram *hwn enw* (**diagramau**) math o lun sy'n egluro pethau DIAGRAM

diamedr *hwn enw* (**diamedrau**) y pellter ar draws cylch trwy ei ganol DIAMETER

dianc *berfenw* mynd yn rhydd *Dihangodd y ci o afael y dyn.* TO ESCAPE

diarhebion *hyn enw* mwy nag un ddihareb (**dihareb**)

dibynnu *berfenw* ymddiried yn rhywun neu rywbeth am gymorth neu gymwynas TO DEPEND

dicach *ansoddair* mwy **dig**

didoli *berfenw* rhannu yn wahanol grwpiau TO SORT

diddan *ansoddair* yn diddanu ENTERTAINING

diddanu *berfenw* gwneud i bobl fwynhau eu hunain; difyrru TO ENTERTAIN

diddordeb *hwn enw* (**diddordebau**) y teimlad o fod eisiau gwybod mwy am rywbeth INTEREST

diddori *berfenw* creu diddordeb TO INTEREST

diddorol *ansoddair* gair am rywbeth yr hoffech weld, clywed neu ddysgu mwy amdano; difyr INTERESTING

diddos *ansoddair* heb ollwng dŵr WEATHERPROOF

dieithr *ansoddair* anarferol, heb ei weld o'r blaen STRANGE

dieithryn *hwn enw* (**dieithriaid**) rhywun nad ydych yn ei adnabod STRANGER

diemwnt *hwn enw* (**diemwntau**)
1 math o garreg werthfawr, galed
sy'n debyg i wydr clir DIAMOND
2 siâp â phedair ochr syth o'r un
hyd sy'n goleddfu DIAMOND

dienyddio *berfenw* cosbi rhywun trwy
ei ladd TO EXECUTE

diet *hwn enw* y bwydydd arbennig
sydd eu hangen ar rai pobl *diet colli
pwysau* DIET

diferion *hyn enw* mwy nag un **diferyn**

diferu *berfenw* disgyn yn ddiferion
TO DRIP

diferyn *hwn enw* (**diferion**) darn bach
iawn o ddŵr neu hylif arall *diferyn o
law* DROP

difetha *berfenw* gwneud cymaint
o ddifrod i rywbeth fel na allwch
ei ddefnyddio eto
TO SPOIL, TO DESTROY

diflannu *berfenw* mynd o'r golwg yn
llwyr *Diflannodd y dewin mewn
cwmwl o fwg.* TO DISAPPEAR

diflas *ansoddair* heb fod yn ddiddorol
BORING

diflastod *hwn enw* bod yn ddiflas
BOREDOM

difrifol *ansoddair* **1** heb fod yn ddoniol
siarad yn ddifrifol SERIOUS
2 drwg iawn *damwain ddifrifol*
SERIOUS

difrod *hwn enw* niwed drwg DAMAGE

difrodi *berfenw* gwneud difrod i
rywbeth TO DAMAGE

difwyno:dwyno *berfenw* cael baw dros
rywbeth; trochi TO SOIL, TO DIRTY

difyr *ansoddair* yn eich gwneud yn
awyddus i wybod mwy neu i weld
neu glywed rhagor; diddorol
INTERESTING

difyrru *berfenw* diddanu
TO ENTERTAIN

diffeithwch *hwn enw* tir sych iawn lle
nad oes llawer o bethau'n gallu
tyfu; anialwch DESERT

diffodd *berfenw* gwneud i bethau fel
dŵr, trydan, gwres ac ati beidio;
troi i ffwrdd TO EXTINGUISH

diffuant *ansoddair* o ddifrif SINCERE

diffuantrwydd *hwn enw* y teimlad o
fod yn ddiffuant SINCERITY

dig *ansoddair* bod â theimlad cas
oherwydd nad ydych yn hapus
ANGRY
(*Edrychwch hefyd dan* **dicach**)

digio *berfenw* bod yn ddig
TO BECOME ANGRY

digon *ansoddair* cymaint ag sydd ei
eisiau ENOUGH

digrif *ansoddair* doniol FUNNY

digrifwr *hwn enw* (**digrifwyr**) un sy'n
dweud pethau digrif wrth
gynulleidfa COMEDIAN

digwydd *berfenw* cael ei wneud
TO HAPPEN

digwyddiad *hwn enw* (**digwyddiadau**)
rhywbeth sydd wedi digwydd neu
sydd yn mynd i ddigwydd EVENT

dihangodd *berf edrychwch dan* **dianc**

dihareb *hon enw* (**diarhebion**)
rhywbeth sy'n cael ei ddweud yn
aml er mwyn dysgu pobl, e.e. *Nid
aur popeth melyn. Gwyn y gwêl y frân
ei chyw.* PROVERB

a
b
c
ch
d
dd
e
f
ff
g
ng
h
i
j
k
l
ll
m
n
o
p
ph
r
rh
s
t
th
u
w
y

dihiryn *hwn enw* (**dihirod**) dyn drwg iawn VILLAIN

dihuno *berfenw* gorffen cysgu; deffro TO WAKE

dilyn *berfenw* mynd ar ôl (rhywun neu rywbeth) *Dilynodd Mot y ci Siân bob cam i'r ysgol.* TO FOLLOW

dillad *hyn enw* mwy nag un **dilledyn**

dilledyn *hwn enw* (**dillad**) rhywbeth yr ydych chi'n ei wisgo (fel crys neu got) CLOTHES

dim *hwn enw* heb unrhyw beth NOTHING

dinas *hon enw* (**dinasoedd**) tref fawr iawn CITY

dinistrio *berfenw* gwneud cymaint o ddifrod i rywbeth fel nad oes modd ei ddefnyddio eto; distrywio *Cafodd yr ysgol ei dinistrio gan y tân.* TO DESTROY

diniwed *ansoddair* heb fod yn ddrwg nac yn gas INNOCENT

diod *hon enw* (**diodydd**) rhywbeth i'w yfed A DRINK

dioddef *berfenw* gorfod derbyn poen neu rywbeth cas arall *Rwy'n dioddef o glefyd y gwair yn yr haf.* TO SUFFER

diog *ansoddair* heb fod yn barod i weithio LAZY

diogel *ansoddair* heb fod yn beryglus SAFE

diogi *hwn enw* bod yn ddiog LAZINESS

diolch *berfenw* dweud wrth rywun eich bod wrth eich bodd gyda rhywbeth y maen nhw wedi'i roi ichi neu wedi'i wneud drosoch TO THANK

diosg *berfenw* tynnu eich dillad; dadwisgo TO UNDRESS

direidi *hwn enw* yr hyn sy'n gwneud rhywun yn ddireidus; pethau direidus MISCHIEVOUSNESS

direidus *ansoddair* yn hoffi gwneud pethau dwl, llawn drygioni MISCHIEVOUS

dirgel *ansoddair* yn gyfrinach SECRET

dirgelwch *hwn enw* rhywbeth anodd ei egluro MYSTERY

dirmyg *hwn enw* chwerthin am ben rhywun oherwydd eich bod yn meddwl eich bod yn well nag ef/hi CONTEMPT

dirmygu *berfenw* bod yn llawn dirmyg o rywun neu rywbeth TO DESPISE

dirwy *hon enw* (**dirwyon**) arian y mae rhywun yn gorfod ei dalu fel cosb FINE

dis *hwn enw* (**disiau**) ciwb bychan a rhif rhwng 1 a 6 ar bob ochr DICE

disg *hwn enw* (**disgiau**) cylch gwastad DISC

disglair *ansoddair* **1** yn taflu goleuni
BRIGHT
2 galluog *myfyriwr disglair* BRIGHT

disgleirio *berfenw* bod yn ddisglair
TO SHINE

disgrifio *berfenw* dweud i beth y mae
rhywbeth yn debyg TO DESCRIBE

disgwyl *berfenw* meddwl bod rhywbeth
yn siwr o ddigwydd TO EXPECT

disgybl *hwn* *enw* (**disgyblion**)
1 rhywun sy'n cael ei ddysgu PUPIL
2 un o'r deuddeg a oedd yn dilyn
Iesu Grist yn y Beibl DISCIPLE

disgyn *berfenw* syrthio, cwympo
*Disgynnodd y cwpan o'm llaw a thorri
ar y llawr.* TO FALL

disgyrchiant *hwn* *enw* y grym sy'n
tynnu popeth at y Ddaear. Heb
ddisgyrchiant byddai popeth yn
hedfan o wyneb y Ddaear i'r gofod.
GRAVITY

distaw *ansoddair* **1** heb sŵn *Mae'n
ddistaw yn y nos.* QUIET
2 isel *llais distaw* QUIET

distawrwydd *hwn* *enw* tawelwch
SILENCE

distrywio *berfenw* gwneud cymaint o
ddifrod i rywbeth fel nad oes modd
ei ddefnyddio eto; dinistrio
TO DESTROY

ditectif *hwn* *enw* rhywun sy'n ceisio
darganfod pwy sydd wedi dwyn
rhywbeth neu wedi llofruddio
rhywun DETECTIVE

diwedd *hwn* *enw* y man lle y mae
rhywbeth yn gorffen END

diweddar *ansoddair* **1** ar ôl yr amser yr
ydych chi'n ei ddisgwyl LATE
2 nad yw bellach yn fyw *y diweddar
Thomas Evans* LATE

diweddu *berfenw* gorffen, dod i ben
TO END

diwethaf *ansoddair* ar ôl popeth arall
LAST

diwrnod *hwn* *enw* (**diwrnodau**) y
pedair awr ar hugain rhwng un
canol nos a'r nesaf; dydd DAY

diwydiant *hwn* *enw* (**diwydiannau**)
gwaith sy'n cael ei wneud mewn
ffatri neu le tebyg INDUSTRY

dlos *ansoddair* ffurf ar **tlws** *merch fach
dlos* PRETTY

doctor *hwn* *enw* (**doctoriaid**) rhywun
sy'n ceisio gwella pobl sâl fel rhan
o'i waith; meddyg DOCTOR

dod *berfenw* **1** symud yma *Dere 'ma
Gareth; dewch yma fechgyn.* TO COME
2 cyrraedd *Daeth llythyr iti y bore
'ma. Pan ddaw'r haf awn ni i lawr i'r
traeth.* TO COME

dodi *berfenw* gosod, rhoi TO PUT

dodrefnyn *hwn* *enw* (**dodrefn**)
un darn o ddodrefn fel cadair neu
gwpwrdd neu wely
PIECE OF FURNITURE

dodwy *berfenw* creu wy fel y mae
aderyn yn ei wneud TO LAY

doe:ddoe *adferf* y diwrnod o flaen
heddiw YESTERDAY

doeth *ansoddair* yn gallu deall llawer o
bethau a gwneud penderfyniadau
da WISE

doethion *hyn* *enw* pobl ddoeth

dof *ansoddair* heb fod yn wyllt nac yn
beryglus TAME

a
b
c
ch
d
dd
e
f
ff
g
ng
h
i
j
k
l
ll
m
n
o
p
ph
r
rh
s
t
th
u
w
y

63

dôl *hon enw* (**dolau:dolydd**) cae o borfa (yn ymyl afon fel arfer) MEADOW

dolen *hon enw* (**dolennau**) **1** un o'r cylchoedd mewn cadwyn LINK **2** y rhan honno ar ffurf hanner cylch (o fwced, tecell, tun mawr ac ati) yr ydych yn gallu cydio ynddi HANDLE

dolffin *hwn enw* (**dolffiniaid**) anifail gwaed cynnes sy'n byw yn y môr; môr-hwch DOLPHIN

doli *hon enw* (**doliau**) tegan ar ffurf person DOLL

dolur *hwn enw* (**doluriau**) niwed i ran o'r corff INJURY

domino *hwn enw* (**dominos**) darn bach gwastad o bren neu blastig a smotiau arno. Yr ydych yn defnyddio 28 domino i chwarae gêm o ddominos. DOMINO

doniau *hyn enw* mwy nag un ddawn (**dawn**)

doniol *ansoddair* yn gwneud i bobl wenu neu chwerthin FUNNY

dosbarth *hwn enw* (**dosbarthiadau**) grŵp o ddisgyblion sy'n dysgu pethau gyda'i gilydd CLASS

draenen:draen *hon enw* (**drain**) y darn bach caled, miniog ar goesau rhai mathau o blanhigion megis coed rhosod THORN

draenog *hwn enw* (**draenogod**) anifail bychan y mae'r blew dros ei gorff mor galed a miniog â nodwyddau HEDGEHOG

draig *hon enw* (**dreigiau**) creadur mewn chwedlau sydd ag adenydd ac sy'n medru chwythu tân DRAGON

drain *hyn enw* mwy nag un ddraenen (**draenen**)

drama *hon enw* (**dramâu**) stori i'w hactio DRAMA, PLAY

drâr:drôr *hwn enw* (**dreiriau:droriau**) bocs agored sy'n llithro i mewn i ddodrefnyn DRAWER

dreigiau *hyn enw* mwy nag un ddraig (**draig**)

dreiriau *hyn enw* mwy nag un **drâr**

dresel:dreser *hon enw* dodrefnyn i ddal llestri; seld DRESSER

drewdod *hwn enw* arogl sy'n drewi STENCH

drewi *berfenw* bod ag arogl cryf cas TO STINK

driblo:driblan *berfenw* gadael i boeri redeg o'ch ceg heb feddwl TO DRIBBLE

dringo *berfenw* mynd i fyny rhywbeth uchel *Dringodd Elfed y goeden.* TO CLIMB

drom *ansoddair* ffurf ar **trwm** *gwraig drom* HEAVY

drôr *edrychwch dan* **drâr:drôr**

dros *edrychwch dan* **tros**

drud *ansoddair* yn costio llawer EXPENSIVE

drudwy *hwn enw* (**drudwyod**) aderyn cyffredin o liw tywyll sy'n hedfan yn un o haid STARLING

drwg *ansoddair* heb fod yn dda BAD

drwm *hwn enw* (**drymiau**) offeryn cerdd yr ydych yn ei daro DRUM

drws *hwn enw* (**drysau**) rhywbeth yr ydych chi'n ei agor a'i gau er mwyn gallu mynd i mewn ac allan o rywbeth (ystafell, cwpwrdd ac ati) DOOR

drych *hwn enw* (**drychau**) darn o wydr yr ydych chi'n gallu gweld eich hun ynddo MIRROR

drygioni *hwn enw* pethau drwg neu ddwl yr ydych yn eu gwneud sy'n creu helynt ichi MISCHIEF

dryll *hwn* (**drylliau**) arf sy'n saethu bwledi GUN

drymiau *hyn enw* mwy nag un **drwm**

drymiwr *hwn enw* (**drymwyr**) rhywun sy'n chwarae'r drymiau (mewn band fel arfer) DRUMMER

drysau *hyn enw* mwy nag un **drws**

drysfa *hon enw* (**drysfeydd**) casgliad o linellau neu lwybrau sy'n troi yn ôl ac ymlaen cymaint fel y gallwch golli eich ffordd yn rhwydd MAZE

drysu *berfenw* cawlio, neu fethu deall rhywbeth TO CONFUSE

dryw *hwn enw* (**drywod**) aderyn bach iawn o liw brown WREN

dull *hwn enw* (**dulliau**) y ffordd yr ydych chi'n dewis gwneud rhywbeth METHOD

dur *hwn enw* metel llachar, cryf iawn wedi'i wneud o haearn STEEL

dweud *berfenw* defnyddio'r llais i adrodd geiriau *Dywedodd Euros hanes ei wyliau wrth y dosbarth.* TO SAY

dwfn *ansoddair* yn mynd i lawr yn bell *pwll dwfn* DEEP (*Edrychwch hefyd dan* **dyfnach**)

dwl *ansoddair* heb fod yn gall nac yn ofalus *syniad dwl; paid â bod yn ddwl* SILLY

dŵr *hwn enw* (**dyfroedd**) yr hylif clir a gewch mewn afonydd, yn y môr ac mewn glaw WATER

dwrn *hwn enw* (**dyrnau**) llaw wedi'i chau'n dynn FIST

dwsin *hwn enw* (**dwsinau**) deuddeg DOZEN

dwy *rhifol* 2 *dwy ferch* TWO

dwylo *hyn enw* mwy nag un **llaw**

dwyn *berfenw* mynd â rhywbeth sy'n perthyn i rywun arall, a'i gadw *Mae'r gath wedi dwyn y pysgodyn. Dygodd y ci y selsig.* TO STEAL

dwyno *edrychwch dan* **difwyno:dwyno**

dwyrain *hwn enw* y cyfeiriad lle y mae'r haul yn codi EAST

dy *rhagenw* yn eiddo i ti *dy gap di* YOUR

dyblu *berfenw* gwneud ddwywaith yn fwy TO DOUBLE

dychmygu *berfenw* gwneud llun yn eich meddwl o rywbeth na allwch ei weld TO IMAGINE

dychryn *berfenw* codi ofn ar TO FRIGHTEN

dychrynllyd *ansoddair* yn peri dychryn FRIGHTFUL

dychymyg *hwn enw* (**dychmygion**) y gallu i greu lluniau yn y meddwl IMAGINATION

dydd *hwn enw* (**dyddiau**) **1** y pedair awr ar hugain rhwng un canol nos a'r nesaf; diwrnod DAY **2** rhan olau'r diwrnod DAY

dyddiad *hwn enw* (**dyddiadau**) y diwrnod, y mis a'r flwyddyn pryd y digwyddodd rhywbeth DATE

dyfais *hon enw* (**dyfeisiau**) rhywbeth sydd wedi'i greu i wneud gwaith arbennig *dyfais i gloi olwyn y car* DEVICE

dyfarnu *berfenw* rheoli gêm TO REFEREE

dyfarnwr *hwn enw* (**dyfarnwyr**) y person sy'n gwneud yn siŵr fod chwaraewyr mewn gêm yn cadw at y rheolau REFEREE

dyfeisio *berfenw* creu dyfais newydd neu ffordd newydd o wneud rhywbeth TO INVENT

dyfeisiwr *hwn enw* (**dyfeiswyr**) y person cyntaf i greu dyfais newydd neu ddarganfod ffordd newydd o wneud rhywbeth INVENTOR

dyfnach *ansoddair* mwy **dwfn** *Mae'r afon hon yn ddyfnach nag yr oeddwn yn ei feddwl.*

dyfodol *hwn enw* yr amser sydd i ddod FUTURE

dyfrfarch *hwn enw* (**dyfrfeirch**) anifail mawr trwm o Affrica sy'n byw mewn dŵr neu yn ymyl dŵr HIPPOPOTAMUS

dyfrgi *hwn enw* (**dyfrgwn**) anifail â chot o ffwr a chynffon hir sy'n byw mewn dŵr neu yn ymyl dŵr OTTER

dyfroedd *hyn* *enw* mwy nag un **dŵr**

dyffryn *hwn* *enw* (**dyffrynnoedd**) tir isel rhwng mynyddoedd; cwm; glyn VALLEY

dygodd *berf* edrychwch dan **dwyn**

dylai *berf* mae disgwyl iddo ef neu iddi hi ei wneud (HE, SHE) SHOULD

dylech *berf* mae disgwyl i chi ei wneud (YOU) SHOULD

dyled *hon* *enw* (**dyledion**) rhywbeth sydd arnoch chi i rywun arall DEBT

dyledus *ansoddair* â dyled i rywun neu rywbeth INDEBTED

dyletswydd *hon* *enw* (**dyletswyddau**) rhywbeth y dylech chi ei wneud DUTY

dylunio *berfenw* gwneud cynllun neu batrwm ar gyfer rhywbeth *dylunio tudalen o lyfr* TO DESIGN

dyma *adferf* yn y man yma *dyma'r llyfrau* HERE

dymuniad *hwn* *enw* (**dymuniadau**) rhywbeth yr ydych yn ei ddymuno WISH

dymuno *berfenw* bod eisiau TO WISH

dymunol *ansoddair* yn rhoi pleser PLEASANT

dyn *hwn* *enw* (**dynion**) bachgen ar ôl iddo dyfu'n oedolyn MAN

dyna *adferf* yn y man acw THERE

dynes *hon* *enw* menyw WOMAN

dynn *ansoddair* **tyn** *wedi'i dreiglo*

dynwared *berfenw* copïo rhywun neu rywbeth TO IMITATE

dynwaredwr *hwn* *enw* (**dynwaredwyr**) un sy'n dynwared IMPERSONATOR

dyrnau *hyn* *enw* mwy nag un **dwrn**

dyrys *ansoddair* anodd ei ddeall neu ei ddatrys COMPLICATED

dysgl *hon* *enw* (**dysglau**) math o blât mawr i ddal bwyd DISH

dysgu *berfenw* **1** cael gwybod am rywun neu rywbeth *Yr ydym wedi bod yn dysgu am hanes Cymru yn yr ysgol heddiw.* TO LEARN
2 gwneud i rywun arall ddeall neu fedru gwneud rhywbeth *Dysgodd Elin y ci i eistedd ar ei goesau ôl.* TO TEACH

dysgwr *hwn* *enw* (**dysgwyr**) rhywun sy'n dysgu, yn arbennig rhywun sy'n dysgu Cymraeg LEARNER

dywedodd *berf* edrychwch dan **dweud**

E e

eang *ansoddair* yn bell o un ochr i'r llall BROAD

ebol *hwn* *enw* (**ebolion**) ceffyl ifanc iawn FOAL

ebychnod *hwn* *enw* (**ebychnodau**) marc fel hwn (!) sy'n dangos bod geiriau wedi'u gweiddi neu yn achosi syndod EXCLAMATION MARK

ebychu *berfenw* gwneud sŵn uchel, sydyn mewn syndod TO EXCLAIM

ebyrth *hyn* *enw* mwy nag un **aberth**

a
b
c
ch
d
dd
e
f
ff
g
ng
h
i
j
k
l
ll
m
n
o
p
ph
r
rh
s
t
th
u
w
y

eclips *hwn enw* (**eclipsau**) **1** cyfnod o dywyllwch pan ddaw'r Lleuad rhwng yr Haul a'r Ddaear ECLIPSE **2** cyfnod pryd na allwch weld y Lleuad oherwydd bod y Ddaear wedi dod rhyngddi hi a goleuni'r Haul ECLIPSE

echdoe *adferf* y diwrnod cyn ddoe

echel *hon enw* (**echelau**) y rhoden sy'n mynd trwy ganol olwyn AXLE

echnos *adferf* y noson cyn neithiwr

edafedd *hyn enw* **1** mwy nag un **edau** **2** gwlân gwau KNITTING WOOL

edau *hon enw* (**edafedd**) darn o ddefnydd gwnïo tebyg i gordyn tenau iawn THREAD

edifaru *berfenw* bod yn ddrwg gennych am rywbeth TO REGRET

edmygedd *hwn enw* y teimlad o edmygu ADMIRATION

edmygu *berfenw* meddwl bod rhywun neu rywbeth yn dda iawn *Edmygodd y plant gar newydd y prifathro.* TO ADMIRE

edrych *berfenw* **1** defnyddio'ch llygaid i weld rhywbeth *Edrychodd ym mhobman am yr arian.* TO LOOK **2** ymddangos *Nid yw hi'n edrych yn dda.* TO LOOK

ef *rhagenw* y dyn neu'r bachgen yr ydych yn sôn amdano HE

efallai *adferf* fe all fod (neu beidio) PERHAPS

efeilliad *edrychwch dan* **gefeilliaid**

efelychiad *hwn enw* (**efelychiadau**) rhywbeth sy'n efelychu rhywbeth neu rywun arall IMITATION

efelychu *berfenw* gwneud rhywbeth yn yr un ffordd yn union â rhywun neu rywbeth arall TO IMITATE

efydd *hwn enw* metel brown yn cynnwys copor a thun wedi'u cymysgu BRONZE

effaith *hon enw* (**effeithiau**) unrhyw beth sy'n digwydd yn ganlyniad i rywbeth arall EFFECT

effeithio *berfenw* cael effaith ar TO EFFECT

effro *ansoddair* ar ddihun AWAKE

egino *berfenw* troi'n egin TO BUD

eginyn *hwn enw* (**egin**) blodyn cyn iddo agor neu ddeilen cyn iddi agor BUD

eglur *ansoddair* amlwg CLEAR

egluro *berfenw* gwneud yn glir TO EXPLAIN

eglwys *hon enw* (**eglwysi**) adeilad lle y mae pobl yn addoli Duw CHURCH

egni *hwn enw* (**egnïon**) y nerth i wneud rhywbeth ENERGY

egwyddor *hon enw* (**egwyddorion**) rheol bwysig PRINCIPLE

egwyl *hon enw* cyfnod o orffwyso yng nghanol rhywbeth INTERVAL

enghraifft *hon* *enw* (**enghreifftiau**) unrhyw beth sy'n dangos ym mha ffordd y mae rhywbeth yn gweithio, neu i beth y mae'n debyg *Mae gwaith Alun yn enghraifft o sut i beidio gwneud pethau.* EXAMPLE

ehangach *ansoddair* yn fwy **eang**

ehangu *berfenw* tyfu neu wneud yn fwy *Maen nhw'n ehangu'r ysgol i wneud mwy o le.* TO EXPAND

ehedydd *hwn* *enw* (**ehedyddion**) aderyn bach brown sy'n hedfan yn uchel ac yn canu'n bert SKYLARK

ei *rhagenw* yn perthyn iddo ef neu iddi hi *ei gap ef; ei chap hi* HIS; HER

eich *rhagenw* yn perthyn i chi *eich cap chi* YOUR

eidion *hwn* *enw* (**eidionnau**) tarw ifanc BULLOCK

eiddew *hwn* *enw* planhigyn dringo â dail disglair o liw gwyrdd tywyll; iorwg IVY

eiddigedd *hwn* *enw* y teimlad o fod yn eiddigeddus JEALOUSY

eiddigeddus *ansoddair* bod yn anhapus oherwydd bod rhywun arall yn well na chi, neu fod ganddo fwy o rywbeth na chi JEALOUS

eiddo *arddodiad* yn perthyn i
eiddof fi	eiddom ni
eiddot ti	eiddoch chi
eiddo ef	eiddynt hwy *neu*
eiddi hi	eiddyn nhw

eiliad *hon* *enw* (**eiliadau**) cyfnod byr iawn o amser *Mae 60 eiliad mewn munud.* SECOND

eilrif *hwn* *enw* (**eilrifau**) rhif sy'n gallu cael ei rannu â dau. Mae *4, 10* a *76* yn eilrifau. EVEN NUMBER

eilydd *hwn* *enw* (**eilyddion**) rhywun sydd wedi ei ddewis i gymryd lle rhywun arall pe bai angen hynny *Mae Scot wedi'i ddewis yn eilydd i dîm Cymru.* SUBSTITUTE

eillio *berfenw* crafu blew oddi ar y croen *Mae dynion yn eillio'u hwynebau.* TO SHAVE

ein *rhagenw* yn perthyn i ni *ein llyfrau; ein hysgol* OUR

eira *hwn* *enw* plu bach gwyn, ysgafn o ddŵr wedi'i rewi, sy'n disgyn pan fydd y tywydd yn oer iawn SNOW

eirinen *hon* *enw* (**eirin**) ffrwyth llawn sudd a charreg yn ei ganol PLUM

eirlaw *hwn* *enw* glaw ac eira yn gymysg SLEET

eirlithriad *hwn* *enw* (**eirlithriadau**) eira, rhew a chreigiau yn disgyn yn gyflym i lawr mynydd AVALANCHE

eirlys *hwn* *enw* (**eirlysiau**) blodyn bach gwyn sy'n tyfu ym misoedd Ionawr a Chwefror SNOWDROP

eirth *hyn* *enw* mwy nag un **arth**

eisiau *hwn* *enw* y teimlad yr hoffech chi gael rhywbeth WANT

eisoes *adferf* yn barod, cyn hyn *Roedd pawb eisoes wedi talu am eu bwyd.* ALREADY

a
b
c
ch
d
dd
e
f
ff
g
ng
h
i
j
k
l
ll
m
n
o
p
ph
r
rh
s
t
th
u
w
y

eistedd *berfenw* gorffwys â'ch pen ôl ar rywbeth (fel cadair) *Eisteddodd pawb i fwyta.* TO SIT

eisteddfod *hon enw* (**eisteddfodau**) cyfarfod lle y mae pobl yn cystadlu â'i gilydd ar bethau fel canu, adrodd ac ysgrifennu barddoniaeth

eitem *hon enw* (**eitemau**) un o nifer o bethau ar restr *Yr eitem nesaf ar y rhaglen yw unawd gan Mrs Hughes.* ITEM

eithaf *ansoddair* fel yn **eithaf da** gweddol, bron â bod QUITE

eithin *hyn enw* llwyn a phigau drosto â blodau melyn llachar GORSE

eithrio *berfenw* fel yn **ac eithrio** ar wahân i EXCEPT

electron *hwn enw* (**electronau**) darn bach iawn iawn o fewn atom a thrydan ynddo ELECTRON

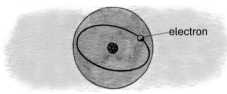

electron

electronig *ansoddair* yn cael ei weithio gan electronau ELECTRONIC

eleni *adferf* y flwyddyn hon THIS YEAR

eli *hwn enw* (**elïau**) math o hufen i wella clwyfau OINTMENT

eliffant *hwn enw* (**eliffantod**) anifail mawr llwyd a chanddo drwyn hir mae'n ei ddefnyddio fel braich a chorn ifori bob ochr i'w drwyn ELEPHANT

elusen *hon enw* (**elusennau**) unrhyw grŵp o bobl sy'n casglu arian at achosion da CHARITY

elw *hwn enw* yr arian sydd ar ôl wedi i chi dynnu i ffwrdd faint gostiodd rhywbeth ichi, ar ôl ichi ei werthu am fwy o arian nag y costiodd ichi *Prynais y llyfr am £1.00 a'i werthu am £1.50 a gwneud £0.50 o elw.* PROFIT

elyrch *hyn enw* mwy nag un **alarch**

elltydd *hyn enw* mwy nag un **allt**

emrallt *hwn enw* gem o liw gwyrdd EMERALD

emyn *hwn enw* (**emynau**) cân yn canmol Duw HYMN

enaid *hwn enw* (**eneidiau**) rhan ohonoch chi na allwch ei gweld, ond y mae pobl yn credu y bydd y rhan hon yn parhau ar ôl i chi farw SOUL

enamel *hwn enw* **1** math o baent disglair, caled, fel gwydr ENAMEL **2** wyneb llyfn, caled eich dannedd ENAMEL

eneidiau *hyn enw* mwy nag un **enaid**

enfys *hon enw* (**enfysau**) y bwa o liwiau gwahanol sydd i'w weld yn yr awyr pan fydd yr haul yn taro dafnau glaw RAINBOW

enillydd *hwn enw* (**enillwyr**) un sydd wedi ennill WINNER

ennill *berfenw* **1** derbyn gwobr TO WIN **2** curo rhywun mewn gêm neu gystadleuaeth *Enillodd Cymru o ddwy gôl i ddim.* TO WIN

enw *hwn enw* (**enwau**) **1** yr hyn yr ydych chi'n galw rhywun, rhywle neu rywbeth NAME **2** math o air sy'n dweud wrthych chi beth i alw rhywbeth. Mae *Dafydd, Caerdydd, cath* ac *awyr* i gyd yn enwau. NOUN

enwedig *ansoddair* fel yn **yn enwedig** mwy nag unrhyw un neu unrhyw beth arall ESPECIALLY

enwi *berfenw* rhoi enw ar rywun neu rywbeth *Enwodd Mr Williams y bachgen a dorrodd y ffenestr o flaen y dosbarth.* TO NAME

enwocaf *ansoddair* y mwyaf **enwog**

enwog *ansoddair* adnabyddus iawn FAMOUS (*Edrychwch hefyd dan* **enwocaf**)

eog *hwn enw* (**eogiaid**) pysgodyn mawr â chnawd pinc yr ydych chi'n gallu'i fwyta SALMON

eos *hon enw* (**eosiaid**) aderyn bach brown sy'n canu'n hyfryd gyda'r nos NIGHTINGALE

epa *hwn enw* (**epaod**) anifail tebyg i fwnci mawr heb gynffon. *Mae'r gorila a'r tsimpansî yn epaod.* APE

eraill *hyn enw* mwy nag un **arall**

erbyn *arddodiad* **1** dros yr ochr arall *Chwaraeodd Mathew yn erbyn tîm yr ysgol ddydd Sadwrn.* AGAINST **2** mewn amser i *Dewch erbyn amser te.* BY

erchyll *ansoddair* digon gwael i godi ofn ar rywun DREADFUL

erfinen *hon enw* (**erfin**) llysieuyn crwn, gwyn sy'n cael ei fwyta yn y gaeaf TURNIP

erfyn *hwn enw* (**arfau**) rhywbeth yr ydych yn ei ddefnyddio i'ch helpu i wneud rhywbeth *Mae morthwyl yn erfyn sy'n cael ei ddefnyddio gan saer.* TOOL

ergyd *hon enw* (**ergydion**) yr hyn sy'n digwydd pan fyddwch yn taro rhywbeth A BLOW

erial *hon enw* gwifrau neu ddysgl sy'n derbyn neu yn darlledu rhaglenni radio neu deledu AERIAL

erioed *adferf* unrhyw amser EVER

ers *arddodiad* oddi ar SINCE

erydr *hyn enw* mwy nag un **aradr**

eryr *hwn enw* (**eryrod**) aderyn mawr sy'n bwyta anifeiliaid eraill EAGLE

esbonio *berfenw* egluro rhywbeth nes bod rhywun yn ei ddeall TO EXPLAIN

esgeulus *ansoddair* heb fod yn ofalus CARELESS

esgeulustod *hwn enw* bod yn esgeulus CARELESSNESS

esgid *hon enw* (**esgidiau**) rhywbeth yr ydych yn ei wisgo am eich troed dros hosan i'ch helpu i gerdded SHOE

esgob *hwn enw* (**esgobion**) offeiriad sy'n gyfrifol am offeiriaid eraill BISHOP

esgor *berfenw* dod ag un bach i'r byd; geni TO GIVE BIRTH

a
b
c
ch
d
dd
e
f
ff
g
ng
h
i
j
k
l
ll
m
n
o
p
ph
r
rh
s
t
th
u
w
y

esgus *hwn* *enw* (**esgusodion**) rheswm sy'n cael ei gynnig am wneud rhywbeth o'i le er mwyn osgoi cosb EXCUSE

esgusodi *berfenw* gwneud esgus am beidio gwneud rhywbeth TO EXCUSE

esgyrn *hyn* *enw* mwy nag un **asgwrn**

esgyrnog *ansoddair* ag esgyrn amlwg BONY

esiampl *hon* *enw* (**esiamplau**)
1 enghraifft EXAMPLE
2 rhywun neu rywbeth i'w efelychu EXAMPLE

esmwyth *ansoddair* cyfforddus *cadair esmwyth* EASY

estron *ansoddair* yn perthyn i wlad arall FOREIGN

estrys *hwn* *enw* (**estrysiaid**) aderyn mawr iawn sy'n methu hedfan. Mae ganddo goesau hir a gwddf hir. OSTRICH

estyn *berfenw* gwneud yn hirach; dal allan *Estynnodd ei llaw i groesawu'r ymwelwyr.* TO EXTEND

estyniad *hwn* *enw* (**estyniadau**) darn sydd wedi cael ei ychwanegu i wneud rhywbeth yn fwy EXTENSION

eto *adferf* unwaith yn rhagor *Dywedwch hynny eto.* AGAIN

ethol *berfenw* dewis trwy etholiad TO ELECT

etholiad *hwn* *enw* (**etholiadau**) adeg pryd y mae pobl yn cael dewis eu cyngor tref, y cyngor sir neu lywodraeth y wlad ELECTION

eu *rhagenw* yn perthyn iddyn nhw THEIR

euog *ansoddair* y ffordd yr ydych yn teimlo ar ôl gwneud rhywbeth na ddylech chi GUILTY

euogrwydd *hwn* *enw* y teimlad o fod yn euog GUILT

euthum *berf* *ffurf ar* **mynd**

ewch *berf* *edrychwch dan* **mynd**

ewin *hwn* *enw* (**ewinedd**) y darn caled ar flaen eich bysedd NAIL

ewyllys *hon* *enw* (**ewyllysiau**)
1 math o lythyr sy'n dweud beth y mae person yn ei ddymuno fydd yn digwydd i'w arian a'i eiddo ar ôl iddo farw WILL
2 y gallu i ddewis yr hyn yr ydych chi eisiau'i wneud WILL

ewyn *hwn* *enw* **1** casgliad gwyn o glychau dŵr bychain ar ben hylif FOAM
2 rwber meddal trwchus sy'n cael ei ddefnyddio i wneud sbwng FOAM

ewynnog *ansoddair* yn llawn ewyn FOAMING

ewythr *hwn* *enw* (**ewythredd**) gŵr eich modryb, brawd eich tad neu eich mam UNCLE

F f

Fahrenheit (dywedwch *Ffaren-heit*) ffordd o fesur tymheredd lle y mae dŵr yn rhewi ar 32 gradd ac yn berwi ar 212 gradd Fahrenheit
FAHRENHEIT

falf *hon enw* (**falfiau**) dyfais mewn peiriant sydd yn gadael i hylif, aer neu drydan fynd un ffordd yn unig
VALVE

fan *hon enw* (**faniau**) cerbyd a tho drosto sy'n gallu cario pobl neu bethau VAN

farnais *hwn enw* math o hylif clir sy'n cael ei beintio ar bethau i'w gwneud yn ddisglair VARNISH

farneisio *berfenw* peintio â farnais
TO VARNISH

fechan *ansoddair* ffurf ar **bychan** *nant fechan*

feiolin *hon enw* (**feiolinau**) offeryn cerdd ac iddo bedwar llinyn neu dant. Mae'n cael ei ganu trwy dynnu bwa ar draws y tannau hyn; ffidl VIOLIN

fel *arddodiad* yn debyg i LIKE

felen *ansoddair* ffurf ar **melyn** *cath fach felen* YELLOW

felly *adferf* **1** am hynny *Mae hi'n bwrw glaw, felly rwy'n mynd i mewn.*
THEREFORE
2 yn debyg i hynny *Mae'n gas gennyf bobl felly.* LIKE THAT

fer *ansoddair* ffurf ar **byr** *cot fer* SHORT

fersiwn *hwn enw* (**fersiynau**) hanes rhywbeth sydd wedi digwydd gan un person; efallai nad yw yr un fath â'r un hanes wedi'i adrodd gan rywun arall *Roedd fersiwn Siân o beth oedd wedi digwydd yn hollol wahanol i fersiwn Siôn.* VERSION

fertigol *ansoddair* syth i fyny VERTICAL

fi *rhagenw* mi, i ME, I

ficer *hwn enw* (**ficeriaid**) rhywun sy'n gofalu am eglwys a'i phobl
VICAR

fideo *hwn enw* (**fideos**) **1** peiriant sy'n gwneud record ar dâp arbennig o raglenni teledu fel y gallan nhw gael eu chwarae rywbryd eto
VIDEO
2 y tâp arbennig yr ydych yn recordio arno VIDEO

finegr *hwn enw* math o hylif sy'n cael ei daenu dros fwyd er mwyn gwella'i flas. Mae pobl fel arfer yn rhoi halen a finegr ar sglodion.
VINEGAR

folcano *hwn enw* llosgfynydd
VOLCANO

fy *rhagenw* yn eiddo i mi MY

fyny *adferf* fel yn **i fyny** i le uwch UP

Ff ff

ffa *hyn enw* mwy nag un **ffeuen** mathau o lysiau, mae rhai yn hadau crwn ac eraill yn tyfu mewn plisgyn hir, gwyrdd y gallwch ei fwyta BEANS

ffair *hon enw* (**ffeiriau**) casgliad o sioeau, pebyll a gwahanol fathau o ddifyrrwch sy'n dod ynghyd mewn un lle am ychydig ddyddiau
FAIR

a b c ch d dd e **f** **ff** g ng h i j k l ll m n o p ph r rh s t th u w y

ffaith *hon enw* (**ffeithiau**) unrhyw beth y mae pobl yn gwybod ei fod yn wir FACT

ffarm *hon enw* (**ffermydd**) tir lle y mae rhywun yn tyfu cnydau neu yn cadw anifeiliaid; fferm FARM

ffarmio *berfenw* cadw ffarm TO FARM

ffarmwr *hwn enw* (**ffarmwyr**) rhywun sy'n cadw ffarm FARMER

ffasiwn *hon enw* (**ffasiynau**) ffordd newydd o wisgo y mae pobl yn ceisio'i dilyn FASHION

ffasiynol *ansoddair* yn y ffasiwn ar y pryd FASHIONABLE

ffatri *hon enw* (**ffatrïoedd**) adeilad lle y mae peiriannau yn cael eu defnyddio i wneud pethau FACTORY

ffau *hon enw* (**ffeuau**) cartref anifail gwyllt LAIR

ffawydden *hon enw* (**ffawydd**) math o goeden BEECH

ffedog *hon enw* (**ffedogau**) rhywbeth yr ydych yn ei wisgo ar ran flaen y corff er mwyn cadw'r dillad oddi tani'n lân APRON

ffefryn *hwn enw* (**ffefrynnau**) yr un yr ydych yn ei hoffi fwyaf FAVOURITE

ffeiriau *hyn enw* mwy nag un **ffair**

ffeithiau *hyn enw* mwy nag un **ffaith**

ffeithiol *ansoddair* yn cynnwys llawer o ffeithiau FACTUAL

ffenestr *hon enw* (**ffenestri**) math o dwll yn wal adeilad sydd wedi'i lenwi â ffrâm a gwydr ynddo er mwyn gadael golau i mewn i'r ystafell; hefyd y ffrâm a'r gwydr sydd ynddo WINDOW (*Yr ydych chi'n dweud 'ffenest'.*)

ffens *hon enw* (**ffensiau**) math o wal o bren neu o byst a weiren rhyngddynt. Mae ffens yn cael ei chodi o amgylch gardd neu gae fel arfer. FENCE

ffêr *hon enw* (**fferau**) darn culaf y goes lle mae'n cysylltu â'r droed; migwrn ANKLE

fferi *hon enw* (**fferïau**) cwch neu long sy'n mynd â phobl ar draws y dŵr FERRY

fferins *hyn enw* (mwy nag un **fferen** *hon*) darnau bach o fwyd melys wedi'u gwneud o siwgr neu siocled SWEETS

fferm *hon enw* (**ffermydd**) tir lle y mae rhywun yn tyfu cnydau neu yn cadw anifeiliaid FARM

ffermio *berfenw* cadw fferm TO FARM

ffermwr *hwn enw* (**ffermwyr**) rhywun sy'n cadw fferm FARMER

fferyllydd *hwn enw* (**fferyllwyr**) rhywun sy'n cadw cyffuriau ac yn gwerthu moddion CHEMIST

ffeuau *hyn* *enw* mwy nag un **ffau**

ffeuen *edrychwch dan* **ffa**

ffidl:ffidil *hon* *enw* (**ffidlau**) feiolin
VIOLIN

ffigur *hwn* *enw* (**ffigurau**)
1 siâp y corff FIGURE
2 arwydd am rif arbennig fel 2, 4, 5
FIGURE

ffilm *hon* *enw* (**ffilmiau**) **1** rholyn o
blastig tenau sy'n cael ei osod
mewn camera i dynnu llun FILM
2 lluniau symudol â sain, sy'n
adrodd stori FILM

ffilmio *berfenw* gwneud ffilm TO FILM

ffin *hon* *enw* (**ffiniau**) **1** y llinell lle y
mae dwy wlad yn cyfarfod â'i
gilydd BORDER
2 ymyl darn o dir BOUNDARY

ffinio *berfenw* creu ffin â rhywbeth
arall sydd nesaf ato TO BORDER

ffit *ansoddair* **1** digon da *Dyw'r bwyd
yma ddim yn ffit i gi!* FIT
2 yn iach FIT

ffitio *berfenw* yn gorwedd yn dwt ac yn
gyfforddus *Nid yw'r esgidiau hyn yn
ffitio.* TO FIT

ffiws *hwn* *enw* (**ffiwsys**) darn bach o
weiren sy'n toddi cyn iddo allu
gadael gormod o drydan trwyddo
FUSE

fflach *hon* *enw* (**fflachiau**) golau
disglair iawn sy'n digwydd ac yn
darfod yn gyflym FLASH

fflachio *berfenw* goleuo mewn
fflachiau TO FLASH

fflam *hon* *enw* (**fflamau**) tafod o dân
FLAME

fflamio *berfenw* llosgi'n fflamau
TO FLARE

fflasg *hon* *enw* (**fflasgiau**) math o
botel sy'n cadw pethau poeth yn
boeth a phethau oer yn oer FLASK

fflasgaid *hwn* *enw* llond fflasg

fflat *ansoddair* heb fod yn gam a heb
lympiau; gwastad FLAT

fflatio *berfenw* gwneud yn fflat; neu
am y tywydd, mynd yn fflat
(cymylu ac ati) TO FLATTEN

ffliw *hwn* *enw* salwch tebyg i annwyd
trwm ond sydd yn fwy difrifol
FLU

ffoadur *hwn* *enw* (**ffoaduriaid**) rhywun
sy'n gorfod dianc o'i wlad ei hun
REFUGEE

ffodus *ansoddair* lwcus FORTUNATE

ffoi *berfenw* rhedeg i ffwrdd
TO RUN AWAY

ffôl *ansoddair* twp FOOLISH

ffolineb *hwn* *enw* rhywbeth ffôl iawn
FOLLY

ffon *hon* *enw* (**ffyn**) darn hir tenau o
bren, yn arbennig un sy'n eich
helpu i gerdded STICK

ffôn *hwn* *enw* (**ffonau**) dyfais sy'n
cario eich llais trwy ddull electronig
fel y gallwch siarad â rhywun sy'n
bell i ffwrdd TELEPHONE

ffonio:ffônio *berfenw* defnyddio ffôn i
siarad â rhywun *Ffoniodd Mair adref
o Awstralia i ddweud ei bod wedi
cyrraedd yn ddiogel.*
TO TELEPHONE

fforc *hon* *enw* (**ffyrc**) teclyn, ag o leiaf
dri darn miniog ar ei flaen, sy'n
cael ei ddefnyddio i godi bwyd i'ch
ceg FORK

a
b
c
ch
d
dd
e
f
ff
g
ng
h
i
j
k
l
ll
m
n
o
p
ph
r
rh
s
t
th
u
w
y

fforch *hon enw* (**fforchau:ffyrch**) fforc fawr ar gyfer garddio FORK

ffordd *hon enw* (**ffyrdd**) **1** llwybr i gerdded arno neu rywbeth llawer mwy ar gyfer ceir a cherbydau eraill; heol *ffordd fawr* ROAD **2** dull, modd *Ai dyma'r ffordd i glymu'r cwlwm?* WAY

fforddio *berfenw* bod â digon o arian i dalu am rywbeth *Dydw i ddim yn gallu fforddio mynd i'r pictiwrs heno.* TO AFFORD

fforiwr *hwn enw* (**fforwyr**) un sy'n darganfod lleoedd dieithr EXPLORER

ffortiwn *hon enw* (**ffortiynau**) llawer iawn o arian FORTUNE

ffos *hon enw* (**ffosydd**) twll hir, cul wedi'i balu yn y ddaear TRENCH

ffosil *hwn enw* (**ffosilau**) unrhyw ran o anifail neu blanhigyn sydd wedi bod yn y ddaear am filiynau o flynyddoedd ac wedi caledu yn rhan o graig FOSSIL

ffosileiddio *berfenw* troi yn ffosil TO FOSSILIZE

ffotograffiaeth *hon enw* y gwaith o dynnu llun â chamera a'i argraffu ar bapur PHOTOGRAPHY

ffowls *hyn enw* adar sy'n cael eu cadw er mwyn eu hwyau a'u cig POULTRY

ffowlyn *hwn enw* (**ffowls**) cyw iâr CHICKEN

ffracsiwn *hwn enw* (**ffracsiynau**) rhif nad yw'n rhif cyfan. Mae ½, ¾ yn ffracsiynau. FRACTION

ffraeo *berfenw* siarad yn gas â rhywun sy'n anghytuno â chi TO QUARREL

ffraeth *ansoddair* doniol a chraff WITTY

ffrâm *hon enw* (**fframiau**) math o ymyl arbennig y mae rhywbeth yn ffitio i mewn iddo FRAME

fframio *berfenw* gosod ffrâm o gwmpas rhywbeth TO FRAME

ffres *ansoddair* **1** heb fod yn hen, wedi blino neu wedi'i ddefnyddio o'r blaen *cwpanaid bach ffres o de; blodau yn ffres o'r ardd* FRESH **2** heb fod allan o dun *ffrwythau ffres* FRESH *(Yr ydych chi'n dweud 'ffresh'.)*

ffresni *hwn enw* bod yn ffres FRESHNESS

ffrind *hwn neu hon enw* (**ffrindiau**) gair arall am gyfaill (**cyfaill**)

ffrio *berfenw* coginio mewn saim neu olew poeth mewn padell ar ben stof TO FRY

ffris *hon enw* (**ffrisiau**) stribed llydan, hir o luniau o gwmpas ystafell FRIEZE

ffroen *hon enw* (**ffroenau**) un o'r ddau dwll ym mlaen eich trwyn yr ydych yn anadlu trwyddynt NOSTRIL

ffroeni *berfenw* gwneud sŵn wrth ddefnyddio'r ffroenau i arogli TO SNIFF

ffroesen:ffroisen *hon enw* (**ffroes: ffrois**) blawd, llaeth ac wyau wedi'u cymysgu a'u ffrio; crempog PANCAKE

ffrog *hon enw* (**ffrogiau**) dilledyn sy'n debyg i flowsen a sgert yn un FROCK, DRESS

ffrwd *hon enw* (**ffrydiau**) nant fach sy'n llifo'n gyflym STREAM

ffrwydro *berfenw* chwythu'n ddarnau â sŵn mawr TO EXPLODE

ffrwydron *hyn enw* dyfeisiadau sy'n ffrwydro EXPLOSIVES

ffrwyn *hon enw* (**ffrwynau**) y strapiau lledr ar ben ceffyl sy'n ei reoli wrth i rywun ei farchogaeth BRIDLE

ffrwyth *hwn enw* (**ffrwythau**) hedyn neu hadau planhigyn a'r darn meddal o'u cwmpas FRUIT

ffrydiau *hyn enw* mwy nag un **ffrwd**

ffug *ansoddair* heb fod yn wir, heb fod yn iawn *arian ffug* FAKE

ffugio *berfenw* twyllo, esgus, gwneud mewn ffordd ffug *Ffugiodd y canolwr ei fod yn mynd i un cyfeiriad ond aeth heibio ei ddyn ar yr ochr arall.* TO FAKE, TO FEINT

ffurf *hon enw* (**ffurfiau**) golwg allanol rhywbeth; siâp FORM

ffurfio *berfenw* llunio ffurf rhywbeth; creu TO FORM

ffurflen *hon enw* (**ffurflenni**) papur â chwestiynau, a blychau arno i dderbyn yr atebion *llenwch y ffurflen* FORM

ffwdan *hwn enw* trafferth BOTHER

ffwdanu *berfenw* mynd i drafferth i wneud rhywbeth yn iawn TO BOTHER

ffwng *hwn enw* (**ffyngau**) math o blanhigyn, heb rannau gwyrdd, sy'n tyfu mewn mannau llaith. Mae madarch a chaws llyffant yn ffyngau. FUNGUS

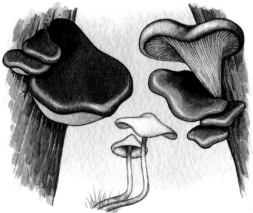

ffŵl *hwn enw* (**ffyliaid**) **1** rhywun twp iawn FOOL
2 rhywun oedd yn cael ei dalu i ddifyrru llys brenin neu arglwydd FOOL

ffwr *hwn enw* (**ffyrrau**) y blew meddal sy'n tyfu'n got ar rai anifeiliaid FUR

ffwrdd *adferf* fel yn **i ffwrdd** bant, heb fod yma AWAY

ffwrn *hon enw* (**ffyrnau**) math o focs y mae modd coginio bwyd o'i fewn; popty OVEN

ffydd *hon enw* credu yn rhywun neu rywbeth FAITH

ffyddiog *ansoddair* yn llawn ffydd (am rywbeth neu rywun) *Rwy'n hollol ffyddiog y byddwn yn cyrraedd mewn pryd.* CONFIDENT

ffyddlon *ansoddair* bob amser yn barod i wneud yr hyn yr ydych chi wedi ei addo, ac i helpu eich ffrindiau FAITHFUL

ffyngau *hyn enw* mwy nag un **ffwng**

ffyliaid *hyn enw* mwy nag un **ffŵl**

ffyn *hyn enw* mwy nag un **ffon**

ffynhonnau *hyn enw* mwy nag un **ffynnon**

ffynidwydden *hon enw* (**ffynidwydd**) coeden dal fythwyrdd y mae ei dail yn debyg i nodwyddau gwyrdd; moch coed yw enw ei hadau FIR-TREE

ffynnon *hon enw* (**ffynhonnau**) twll sy'n cael ei agor er mwyn cael dŵr neu olew o'r ddaear WELL

ffyrc *hyn enw* mwy nag un **fforc**

ffyrch *hyn enw* mwy nag un **fforch**

ffyrdd *hyn enw* mwy nag un **ffordd**

ffyrnig *ansoddair* cas a chreulon FIERCE

ffyrrau *hyn enw* mwy nag un **ffwr**

G g

gadael *berfenw* **1** mynd o rywle neu oddi wrth rywun TO LEAVE
2 peidio symud rhywbeth o rywle *Gadawodd Ifan ei lyfrau i gyd yn yr ysgol.* TO LEAVE

gadawodd *berf* edrychwch dan **gadael**

gaeaf *hwn enw* (**gaeafau**) adeg oeraf y flwyddyn WINTER

gaeafgysgu *berfenw* cysgu am gyfnod hir yn ystod y gaeaf (fel draenogod ac eirth) TO HIBERNATE

gaeafol *ansoddair* yn debyg i'r gaeaf WINTRY

gafael *berfenw* dal yn dynn â'ch llaw *Gafaelodd Megan yn llaw ei mam.* TO GRIP

gafr *hon enw* (**geifr**) anifail sy'n cael ei gadw er mwyn ei laeth a'i gig GOAT

gafrewig *hon enw* (**gafrewigod**) anifail gwyllt sy'n debyg i garw. Mae'n byw yn Affrica a rhannau o Asia. ANTELOPE

gaing *hon enw* (**geingiau**) erfyn â blaen miniog, sgwâr ar gyfer cerfio coed neu naddu carreg; cŷn CHISEL

gair *hwn enw* (**geiriau**) sain neu gasgliad o seiniau sydd ag ystyr pan fyddwch yn ei ddweud, yn ei ddarllen neu yn ei ysgrifennu WORD

galaeth *hon enw* (**galaethau**) casgliad mawr iawn o sêr sy'n perthyn i'w gilydd. Galaeth yw'r Llwybr Llaethog. GALAXY

galar *hwn enw* teimlad o dristwch mawr GRIEF

galaru *berfenw* teimlo galar TO GRIEVE

galw *berfenw* **1** siarad yn uchel TO CALL
2 ymweld â rhywun *Galwodd Dafydd heibio ar y ffordd adref o'r gêm.* TO CALL

gallt:allt *hon enw* (**gelltydd:elltydd**)
1 (yn y Gogledd) rhiw, bryn HILL
2 (yn y De) ochr mynydd a choed arni WOOD

gallu *berfenw* **1** gwybod sut i (wneud rhywbeth) *Rydw i'n gallu gwneud y symiau hyn.* TO BE ABLE
2 medru *Rwy'n gallu nofio.* TO BE ABLE

galluog *ansoddair* yn medru deall a dysgu pethau yn rhwydd CLEVER

gamblo *berfenw* ceisio ennill arian trwy chwarae gêm y mae eisiau tipyn o lwc i'w hennill TO GAMBLE

gan *arddodiad*

gennyf i	gennym ni
gennyt ti	gennych chi
ganddo ef	ganddynt hwy *neu*
ganddi hi	ganddyn nhw
gan bwyll yn ofalus	

gardd *hon* *enw* (**gerddi**) darn o dir ar gyfer tyfu blodau, ffrwythau neu lysiau GARDEN

garddio *berfenw* gweithio i wneud gardd TO GARDEN

garddwest *hon* *enw* parti mawr, awyr agored, gyda chystadlaethau a stondinau yn gwerthu pethau FÊTE

garddwr *hwn* *enw* (**garddwyr**) rhywun sy'n tyfu pethau mewn gardd GARDENER

garddwrn *hwn* *enw* (**garddyrnau**) rhan gul y fraich nesaf at y llaw; arddwrn WRIST

garej *hon* *enw* (**garejys**) **1** adeilad lle y mae car neu fws yn cael ei gadw GARAGE
2 rhywle sy'n gwerthu petrol ac yn trwsio ceir GARAGE

gartref *adferf* yn y tŷ; yn y cartref *Cofiwch fod gartref erbyn wyth.* (*Edrychwch dan* **adref** *i weld y gwahaniaeth*) AT HOME

garw *ansoddair* **1** heb fod yn llyfn nac yn feddal ROUGH
2 (am y tywydd) stormus a gwyntog ROUGH (*Edrychwch hefyd dan* **geirwon**)

gast *hon* *enw* (**geist**) ci benyw BITCH

gât:giât *hon* *enw* (**gatiau:giatiau**) math o ddrws mewn clawdd neu mewn wal o gwmpas darn o dir GATE

gefail *hon* *enw* (**gefeiliau**) gweithdy gof SMITHY; FORGE

gefeiliau *hyn* *enw* **1** mwy nag un efail (**gefail**) **2** mwy nag un etel (**gefel**)

gefeilliaid *hyn* *enw* mwy nag un **gefell** *Sylwch:* **yr efeilliaid** *sy'n gywir.*

gefel *hon* *enw* (**gefeiliau**) erfyn ar gyfer dal rhywbeth yn dynn PINCERS

gefell *hwn* neu *hon* *enw* (*yn ôl ai bachgen neu ferch yw'r (g)efell*) (**gefeilliaid**) un o ddau blentyn sydd wedi'u geni i'r un fam yr un pryd TWIN

geifr *hyn* *enw* mwy nag un afr (**gafr**)

geingiau *hyn* *enw* mwy nag un aing (**gaing**)

geirfa *hon* *enw* (**geirfaoedd**) rhestr o'r geiriau y mae un person yn eu defnyddio neu sy'n cael eu defnyddio mewn llyfr VOCABULARY

geiriadur *hwn* *enw* (**geiriaduron**) llyfr sy'n dweud beth yw ystyr gair a sut i'w sillafu DICTIONARY

geiriau *hyn* *enw* mwy nag un **gair**

geirwon *ansoddair* mwy nag un peth **garw** *y creigiau geirwon*

geist *hyn* *enw* mwy nag un ast (**gast**)

gelyn *hwn* *enw* (**gelynion**) **1** rhywun sydd am wneud drwg i chi ENEMY
2 y bobl sy'n ymladd ar yr ochr arall ENEMY

gelyniaeth *hon* *enw* casineb rhwng gelynion ENMITY

gelltydd *hyn* *enw* mwy nag un allt (**gallt**)

gellygen *hon* (**gellyg**) ffrwyth llawn sudd â phen cul a gwaelod llydan PEAR

gem *hwn* neu *hon* *enw* (**gemau**) math o garreg hardd a gwerthfawr; tlws JEWEL

gêm *hon* *enw* (**gêmau**) chwarae sy'n dilyn rheolau arbennig GAME

gên *hon enw* (**genau**) rhan isaf yr wyneb, bob ochr i'ch ceg JAW

genau-goeg *hwn* (**genau-goegion**) creadur tebyg i neidr ond sydd â phedair coes; madfall LIZARD

geneth *hon enw* (**genethod**) gair yn y Gogledd am ferch GIRL

genfa *hon enw* (**genfâu**) y rhan honno o'r ffrwyn sy'n mynd mewn i geg y ceffyl BIT

geni *berfenw* esgor ar; dod â babi i'r byd TO GIVE BIRTH TO

gennod *hyn enw* (*ffurf lafar ar* hogennod) mwy nag un **hogen**

gennyf *arddodiad edrychwch dan* **gan**

genwair *hon enw* (**genweiriau**) gwialen bysgota FISHING ROD

genweirio *berfenw* defnyddio genwair i bysgota TO ANGLE

ger *arddodiad* yn ymyl; yn agos i NEAR

gêr *hwn neu hon enw* (**gerau:gêrs**) rhan o feic neu gar sy'n rheoli pa mor gyflym y mae'r olwynion yn troi a pha mor gryf y maen nhw'n tynnu, a thrwy hynny yn ei gwneud yn haws i fynd i fyny ac i lawr rhiwiau GEAR

gerbil *hwn enw* math o lygoden fach frown â chot feddal o ffwr a choesau ôl hir GERBIL (*Dywedwch 'jerbil'*)

gerddi *hyn enw* mwy nag un ardd (**gardd**)

gerllaw *arddodiad* yn ymyl; yn agos i (yn nes na 'ger') NEAR

giât *hon enw* (**giatiau**) math o ddrws mewn clawdd neu mewn wal o gwmpas darn o dir; gât GATE

gilydd *rhagenw* fel yn **ei gilydd** (**gyda**) rhywun arall neu rywbeth arall sydd yr un fath TOGETHER

gitâr *hon enw* (**gitarau**) offeryn cerdd â chwech o dannau sy'n cael eu chwarae â'r bysedd GUITAR

glain *hwn enw* (**gleiniau**) pêl fach galed a thwll trwy ei chanol. Mae modd eu gosod yn rhes ar ddarn cryf o edau a'u gwisgo fel breichled neu am eich gwddf. BEAD

glan *hon enw* (**glannau:glennydd**) y tir yn ymyl afon, llyn neu'r môr BANK

glân *ansoddair* heb fod yn frwnt, heb fod yn fudr CLEAN

glanhau *berfenw* cael gwared â baw *Glanhaodd Idris ffenestri'r car i'w dad.* TO CLEAN

glanio *berfenw* cyrraedd mewn llong neu awyren *Glaniodd yr awyren am ddeg o'r gloch.* TO LAND

glannau *hyn enw* mwy nag un lan (**glan**)

glas y dorlan *hwn enw* aderyn bach â phlu glas lliwgar sy'n dal pysgod KINGFISHER

glaswellt *hwn enw* porfa GRASS

glaw *hwn enw* (**glawogydd**) dafnau o ddŵr sy'n disgyn o'r awyr RAIN

glawio *berfenw* bwrw glaw TO RAIN

gleider *hwn* *enw* (**gleiderau**) math o awyren heb beiriant GLIDER

gleiniau *hyn* *enw* mwy nag un **glain**

glennydd *hyn* *enw* mwy nag un lan (**glan**)

glew *ansoddair* dewr BRAVE

glin *hwn* *enw* (**gliniau**) pen blaen canol y goes lle mae'n plygu KNEE

glo *hwn* *enw* math o garreg ddu sy'n cael ei llosgi COAL

glob *hon* *enw* (**globau**) pêl a llun y byd arni GLOBE

gloes:loes *hon* *enw* dolur PAIN; HURT

glöwr *hwn* *enw* (**glowyr**) rhywun sy'n gweithio mewn pwll glo neu sy'n cloddio glo o'r ddaear COLLIER

glöyn byw *hwn* *enw* (**gloÿnnod byw**) trychfilyn ag adenydd mawr sydd naill ai'n wyn neu'n lliwgar BUTTERFLY

gloyw *ansoddair* disglair; yn tywynnu BRIGHT

glud *hwn* *enw* (**gludion**) rhywbeth sy'n gludio, sy'n glynu pethau ynghyd GLUE

gludiog *ansoddair* a glud drosto STICKY

gludo:gludio *berfenw* glynu pethau ynghyd â glud *Wrth eistedd i lawr heb edrych yn gyntaf, gludiodd William ei hun i'r gadair.* TO GLUE

glyn *hwn* *enw* (**glynnoedd**) cwm cul ag ochrau serth GLEN, VALLEY

glynu *berfenw* cydio'n dynn; dal ynghyd fel gan lud TO STICK

go *adferf* fel yn **go lew** da iawn

gobaith *hwn* *enw* (**gobeithion**) dymuno bod rhywbeth yr ydych chi'n credu sydd yn mynd i ddigwydd, yn digwydd HOPE

gobeithio *berfenw* byw mewn gobaith *Rwy'n gobeithio y byddwn ni'n mynd adref o'r ysgol yn gynnar.* TO HOPE

gobeithiol *ansoddair* llawn gobaith HOPEFUL

gobennydd *hwn* *enw* (**gobenyddion**) y clustog yr ydych chi'n pwyso'ch pen yn ei erbyn yn y gwely PILLOW

godidog *ansoddair* da iawn iawn OUTSTANDING

godro *berfenw* tynnu llaeth o fuwch neu afr TO MILK

goddiweddyd *berfenw* cyrraedd rhywun neu rywbeth ar ôl bod y tu ôl iddo ac yna mynd heibio iddo TO OVERTAKE

gof *hwn* *enw* (**gofaint**) rhywun sy'n gweithio haearn i wneud pethau fel pedolau BLACKSMITH

gofal *hwn* *enw* gwneud yn siŵr eich bod yn gwneud pethau'n dda ac mewn ffordd ddiogel CARE

gofalu *berfenw* **1** edrych ar ôl *Pwy sy'n gofalu am gerbil yr ysgol yn ystod y gwyliau?* TO LOOK AFTER **2** gwneud yn siŵr *Gofalodd Megan fod y plant bach wedi'u gwisgo'n iawn.* TO TAKE CARE

gofalus *ansoddair* llawn gofal CAREFUL

gofid *hwn* *enw* (**gofidiau**) teimlad anhapus iawn oherwydd eich bod yn meddwl am rywbeth drwg a allai fod yn digwydd WORRY

gofidio *berfenw* teimlo'n llawn gofid, poeni TO WORRY

a
b
c
ch
d
dd
e
f
ff
g
ng
h
i
j
k
l
ll
m
n
o
p
ph
r
rh
s
t
th
u
w
y

gofod *hwn enw* pob man y tu hwnt i'r Ddaear lle mae'r sêr a'r planedau SPACE

gofodwr *hwn enw* (**gofodwyr**) rhywun sy'n teithio yn y gofod; astronot ASTRONAUT

gofyn *berfenw* siarad er mwyn cael gwybod rhywbeth neu gael rhywbeth TO ASK

gofynnod *hwn enw* (**gofynodau**) marc cwestiwn, **?** QUESTION MARK

goglais:gogleisio *berfenw* cyffwrdd rhywun yn ysgafn a gwneud iddo chwerthin TO TICKLE

gogledd *hwn enw* y cyfeiriad sydd ar eich chwith wrth ichi wynebu'r dwyrain (y dwyrain yw'r cyfeiriad lle mae'r haul yn codi) NORTH

gohebydd *hwn enw* (**gohebwyr**) rhywun sy'n adrodd straeon am yr hyn sy'n digwydd yn y byd, mewn papur newydd, ar y radio neu ar y teledu REPORTER

gohirio *berfenw* symud i ryw amser yn y dyfodol TO POSTPONE

gôl *hon enw* (**goliau**) **1** y pyst y mae'n rhaid taro'r bêl rhyngddyn nhw mewn gêmau fel pêl-droed neu hoci ac ati GOAL
2 pwynt sy'n cael ei sgorio mewn gêmau fel pêl-droed neu hoci GOAL

golau[1] *hwn enw* (**goleuadau**) yr hyn sy'n gwneud gweld pethau yn bosibl *golau'r haul* LIGHT

golau[2] *ansoddair* o liw ysgafn *glas golau* LIGHT

golchi *berfenw* glanhau rhywbeth â dŵr TO WASH

goleddfu *berfenw* bod ag un pen i linell yn uwch na'r pen arall, fel ochr triongl neu fynydd TO SLANT

goleuadau *hyn enw* mwy nag un **golau**

goleudy *hwn enw* (**goleudai**) tŵr a golau mawr ar ei ben sy'n rhybuddio llongau am greigiau peryglus LIGHTHOUSE

goleuni *hwn enw* golau LIGHT

goleuo *berfenw* taflu goleuni TO LIGHT

golff *hwn enw* gêm lle y mae pobl yn cystadlu i daro pêl fach wen i dyllau arbennig sydd wedi'u gwasgaru dros faes eang GOLF

golwg[1] *hwn enw* (**golygon**) y gallu i weld SIGHT

golwg[2] *hon enw* (**golygon**) y ffordd y mae rhywun neu rywbeth yn edrych APPEARANCE

golygfa *hon enw* (**golygfeydd**) popeth yr ydych chi'n gallu ei weld o un lle VIEW

golygon *hyn enw* **1** mwy nag un **golwg**
2 y llygaid EYES

golygu *berfenw* **1** gwneud yn fwriadol, meddwl *Nid oeddwn yn golygu gwneud unrhyw ddrwg.* TO INTEND
2 cael llyfr neu gylchgrawn yn barod i'w gyhoeddi TO EDIT

golygydd *hwn enw* (**golygyddion**) yr un sy'n gyfrifol am olygu cylchgrawn neu lyfr EDITOR

gollwng *berfenw* gadael yn rhydd *Gollyngodd yr aderyn yn rhydd o'r cawell.* TO RELEASE

gonest:onest *ansoddair* gair i ddisgrifio rhywun nad yw'n dweud celwyddau, nad yw'n dwyn pethau, nad yw'n twyllo pobl HONEST

gonestrwydd *hwn enw* bod yn onest HONESTY

gorau *ansoddair* gwell nag unrhyw un neu unrhyw beth arall BEST

gorchfygu *berfenw* curo mewn brwydr TO DEFEAT

gorchmynion *enw hyn* mwy nag un **gorchymyn**[1]

gorchmynnodd *berf edrychwch dan* **gorchymyn**[2]

gorchuddio *berfenw* gosod rhywbeth dros rywbeth arall i'w guddio TO COVER

gorchymyn[1] *hwn enw* (**gorchmynion**) ymadroddion fel *dewch yma; eistedda!* sy'n dweud wrthych chi am wneud rhywbeth (A) COMMAND

gorchymyn[2] *berfenw* dweud wrth rywun am wneud rywbeth *'Eisteddwch yn llonydd!' gorchmynnodd yr athro.* TO COMMAND

gor-ddweud *berfenw* gwneud i rywbeth swnio'n fwy neu yn well nag ydyw mewn gwirionedd TO EXAGGERATE

goresgyn *berfenw* curo (gwlad arall) mewn brwydr, a chymryd meddiant o'i thir TO CONQUER

goresgynnwr *hwn enw* (**goresgynwyr**) un sy'n goresgyn rhywun neu rywle arall CONQUEROR

gorfod *berfenw* bod yn rhaid TO HAVE TO

gorfodi *berfenw* gwneud i rywun arall orfod TO COMPEL

gorffen *berfenw* dod i ddiwedd *Gorffennodd ei waith cartref mewn pryd i weld y gêm.* TO FINISH

gorffwys *berfenw* gorwedd, pwyso yn erbyn rhywbeth, neu eistedd heb wneud dim byd *Gorffwysodd ei phen yn erbyn y clustog.* TO REST

gorila *hwn enw* math o fwnci mawr cryf â breichiau hir ond dim cynffon. Mae'n dod o Affrica. GORILLA

gorlifo *berfenw* arllwys dros ymyl TO OVERFLOW

gorllewin *hwn enw* y cyfeiriad lle mae'r haul yn machlud, ar y chwith i rywun sy'n wynebu'r gogledd WEST

gormod *ansoddair* mwy na digon TOO MUCH

gornest:ornest *hon enw* (**gornestau: ornestau**) cystadleuaeth CONTEST

gorsaf *hon enw* (**gorsafoedd**)
1 yr adeilad arbennig lle y mae pobl yn dal trên neu fws neu yn disgyn ohonynt STATION
2 adeilad arbennig sy'n gartref i blismyn neu ddynion tân STATION

gorwedd *berfenw* gorffwys yn wastad, fel ar y gwely TO LIE

gorwel *hwn enw* (**gorwelion**) y llinell bell lle y mae'r awyr a'r tir (neu'r môr) fel petaen nhw'n cyffwrdd â'i gilydd HORIZON

gorymdaith *hon enw* (**gorymdeithiau**) grŵp o bobl sy'n symud mewn un llinell hir PROCESSION

gorymdeithio *berfenw* cerdded mewn gorymdaith TO MARCH

gosgeiddig *ansoddair* ffordd o symud sy'n llyfn ac yn hyfryd GRACEFUL

gosod *berfenw* rhoi rhywbeth mewn man arbennig *Gosododd Nerys y llyfrau ar y bwrdd.* TO PUT

gostwng *berfenw* gollwng i lawr *Gostyngodd y siopau eu prisiau ar ôl y Nadolig.* TO LOWER

gradd *hon enw* (**graddau**) uned i fesur gwres neu oerfel; mae deg gradd yn cael eu hysgrifennu fel 10° DEGREE

graddio *berfenw* gosod yn ôl graddau TO GRADUATE

graddol *ansoddair* fesul cam GRADUAL

graff *hwn enw* (**graffiau**) darlun sy'n dangos pa mor wahanol i'w gilydd yw gwahanol rifau neu feintiau GRAPH

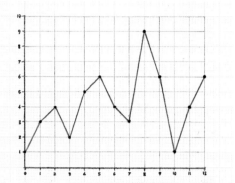

gram *hwn enw* (**gramau**) uned ar gyfer pwyso pethau bach iawn GRAM

grât *hwn neu hon enw* (**gratiau**) y ffrâm a'r barrau haearn sy'n dal coed a glo i'w llosgi mewn lle tân GRATE

grawn *hyn enw* mwy nag un gronyn; hadau ŷd neu lafur GRAIN

grawn unnos *enw* madarch MUSHROOMS

grawnffrwyth *hwn enw* (**grawnffrwythau**) ffrwyth tebyg i oren mawr ond sydd â chroen melyn GRAPEFRUIT

grawnwin *hyn enw* ffrwythau bach meddal, coch neu wyrdd, sy'n tyfu'n glystyrau GRAPES

greddf *hon enw* (**greddfau**) y gallu sydd gan anifeiliaid a phobl i wneud pethau nad ydyn nhw wedi'u dysgu *Trwy reddf y mae'r pryf copyn yn gweu ei we.* INSTINCT

greddfol *ansoddair* yn defnyddio'r greddfau INSTINCTIVE

gref *ansoddair* ffurf ar **cryf** *caseg gref*

grefi *hwn enw* hylif brown sy'n cael ei arllwys yn boeth dros gig a llysiau GRAVY

grisial *hwn enw* (**grisialau**) **1** math o garreg galed tebyg i ddarn o wydr CRYSTAL

2 ffurf fel pluen eira CRYSTAL

grisiau *hyn enw* darn o dŷ neu adeilad yr ydych chi'n ei ddringo er mwyn symud o un llawr i lawr arall; staer STAIRS

grom *ansoddair* ffurf ar **crwm** *acen grom*

gron *ansoddair* ffurf ar **crwn** *y ford gron* ROUND

groser *hwn enw* (**groseriaid**) rhywun sy'n cadw siop sy'n gwerthu bwydydd a phethau ar gyfer y tŷ GROCER

grug *hyn enw* llwyn isel â blodau bach o liw porffor, pinc neu wyn HEATHER

grwgnach *berfenw* achwyn TO COMPLAIN

grwndi *enw* fel yn **canu grwndi** sef y sŵn y mae cath yn ei wneud pan fydd hi wrth ei bodd PURRING

grŵp *hwn enw* (**grwpiau**) nifer o bobl, anifeiliaid neu bethau sy'n perthyn i'w gilydd yn yr un ffordd GROUP

grym *hwn enw* (**grymoedd**) cryfder ar waith *grym y dŵr* FORCE

grymus *ansoddair* â llawer o rym POWERFUL

gwacáu *berfenw* tynnu pethau allan nes bod rhywbeth yn wag TO EMPTY

gwadn *hon enw* (**gwadnau**) y rhan wastad ar waelod esgid neu droed SOLE

gwadu *berfenw* dweud nad yw rhywbeth yn wir TO DENY

gwadd:gwadden:gwahadden *hon enw* (**gwaddod:gwahaddod**) anifail bach â chot o ffwr tywyll sy'n gwneud twnelau tan ddaear; twrch daear MOLE

gwaed *hwn enw* hylif coch sy'n symud o fewn y corff BLOOD

gwaedu *berfenw* colli gwaed TO BLEED

gwaeddodd *berf edrychwch dan* **gweiddi**

gwael *ansoddair* drwg o ran ansawdd neu iechyd POOR, ILL

gwaelod *hwn enw* (**gwaelodion**) y man isaf BOTTOM

gwaeth *ansoddair* mwy **drwg**; mwy **gwael**

gwaethygu *berfenw* mynd yn waeth TO DETERIORATE

gwag *ansoddair* heb ddim byd ynddo neu arno EMPTY

gwahadden *edrychwch dan* **gwadd:gwadden:gwahadden**

gwahaniaeth *hwn enw* (**gwahaniaethau**) pa mor wahanol yw pethau i'w gilydd DIFFERENCE

gwahaniaethu *berfenw* gwneud gwahaniaeth rhwng TO DISTINGUISH

gwahanol *ansoddair* heb fod yn debyg DIFFERENT

gwahodd *berfenw* estyn gwahoddiad TO INVITE

gwahoddiad *hwn enw* (**gwahoddiadau**) gofyn yn fonheddig i rywun ddod i rywbeth neu wneud rhywbeth INVITATION

gwair *hwn enw* (**gweiriau**) porfa wedi'i sychu i wneud bwyd i anifeiliaid HAY

gwaith[1] *hwn enw* (**gweithiau**) swydd neu weithgarwch mae'n rhaid ichi ei wneud WORK

gwaith[2] *hon enw* (**gweithiau**) amser; tro *unwaith* TIME

gwalch *hwn enw* (**gweilch**) **1** aderyn sy'n hela ac yn bwyta anifeiliaid bychain HAWK
2 bachgen llawn drygioni RASCAL

gwall *hwn enw* (**gwallau**) camgymeriad MISTAKE

gwallt *hwn enw* (**gwalltiau**) y blew meddal sy'n tyfu ar bennau pobl (ond nid yn unman arall) HAIR

gwallus *ansoddair* yn llawn gwallau

gwan *ansoddair* heb fod yn gryf WEAK

gwanhau *berfenw* gwneud yn wannach neu fynd yn wannach TO WEAKEN

gwanwyn *hwn enw* y rhan honno o'r flwyddyn pan fydd planhigion yn dechrau tyfu ac y mae'r dyddiau yn fwy golau ac yn gynhesach SPRING

gwario *berfenw* defnyddio arian i dalu am bethau TO SPEND

gwartheg *hyn enw* da byw; y buchod a'r teirw y mae ffermwr yn eu cadw CATTLE

gwarthus *ansoddair* mor wael nes ei fod yn codi cywilydd DISGRACEFUL

gwas *hwn enw* (**gweision**) bachgen neu ddyn sy'n cael ei dalu i weithio i rywun arall (yn y tŷ neu ar y fferm fel arfer) SERVANT

gwasanaeth *hwn enw* (**gwasanaethau**) seremoni grefyddol SERVICE

gwasanaethu *berfenw* gwneud gwaith i rywun arall TO SERVE

gwasg[1] *hwn neu hon enw* (**gweisg**) y rhan gul yng nghanol y corff WAIST

gwasg[2] *hon enw* (**gweisg**) papurau newydd a'u gohebwyr THE PRESS

gwasgaredig *ansoddair* wedi'u gwasgaru SCATTERED

gwasgaru *berfenw* taflu yma a thraw TO SCATTER

gwasgod *hon enw* (**gwasgodau**) siaced fer heb lewys na choler WAISTCOAT

gwasgu *berfenw* pwyso'n drwm ar rywbeth naill ai â'ch dwylo neu trwy ddefnyddio dau beth arall TO SQUEEZE

gwastad *ansoddair* llyfn, lefel a fflat LEVEL

gwastraffu *berfenw* defnyddio mwy o rywbeth nag sydd ei angen arnoch TO WASTE

gwau:gweu *berfenw* defnyddio gwlân a gweill i wneud dillad TO KNIT

gwawn *hwn enw* gweoedd ysgafn y corryn GOSSAMER

gwawr *hon enw* y cyfnod pan fydd yr haul yn codi DAWN

gwaywffon *hon* *enw* (**gwaywffyn**) polyn hir â blaen miniog sy'n cael ei ddefnyddio fel arf SPEAR

gwdihŵ *hon* *enw* tylluan OWL

gwddf:gwddwg *hwn* *enw* (**gyddfau: gyddygau**) y rhan honno o'r corff sy'n cysylltu'r pen â'r ysgwyddau NECK, THROAT

gwe *hon* *enw* (**gweoedd**) **1** darn o ddefnydd wedi'i weu A WEAVING **2** rhwyd ysgafn a glud drosti y mae'r pryf copyn/corryn yn ei gweu WEB

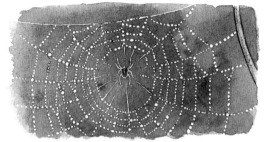

gweddïo *berfenw* siarad â Duw TO PRAY

gweddol *ansoddair* cymedrol; ddim yn ddrwg FAIR; MIDDLING

gweddw *hon* *enw* (**gweddwon**) gwraig y mae ei gŵr wedi marw WIDOW

gwefus *hon* *enw* (**gwefusau**) un o ddau ymyl eich ceg LIP

gweiddi *berfenw* siarad yn uchel iawn '*Dewch yma,*' *gwaeddodd yr athro ar y plant.* TO SHOUT

gweilch *hyn* *enw* mwy nag un **gwalch**

gweinidog *hwn* *enw* (**gweinidogion**) rhywun sy'n gwasanaethu Duw trwy edrych ar ôl capel a'r bobl sy'n mynd iddo MINISTER

gweiriau *hyn* *enw* mwy nag un **gwair**

gweisg *hyn* *enw* mwy nag un wasg (**gwasg**)

gweision *hyn* *enw* mwy nag un **gwas**

gweithgar *ansoddair* llawn gwaith INDUSTRIOUS

gweithgarwch *hwn* *enw* gwaith prysur ACTIVITY

gweithiau *hyn* *enw* mwy nag un **gwaith**

gweithio *berfenw* **1** gwneud gwaith *Gweithiodd Ann yn y siop ddydd Sadwrn diwethaf.* TO WORK **2** gweithredu fel y mae i fod i wneud *A yw'r teledu'n gweithio?* TO WORK

gweithiwr *hwn* *enw* (**gweithwyr**) rhywun sy'n gwneud gwaith WORKER

gwelâu *hyn* *enw* mwy nag un **gwely**

gweld *berfenw* defnyddio'ch llygaid i adnabod rhywbeth *Gwelodd long yn hwylio ar y llyn.* TO SEE

gwely *hwn* *enw* (**gwelyau:gwelâu**) dodrefnyn i gysgu arno BED

gwell *ansoddair* **1** yn curo rhywun arall BETTER **2** yn iach unwaith eto BETTER

gwella *berfenw* gwneud yn well neu ddod yn well TO IMPROVE

gwellt *hyn* *enw* coesau sych ŷd STRAW

gwên *hon* *enw* (**gwenau**) ffurf eich gwefusau yn dangos eich bod yn hapus SMILE

gwenith *hyn* *enw* planhigion y mae ffermwyr yn eu tyfu. Mae eu hadau yn cael eu malu i wneud blawd. WHEAT

gwennol *hon* *enw* (**gwenoliaid**) aderyn â chorff glas, cynffon hir ac adenydd cul SWALLOW

a
b
c
ch
d
dd
e
f
ff
g
ng
h
i
j
k
l
ll
m
n
o
p
ph
r
rh
s
t
th
u
w
y

gwenu *berfenw* gwneud i'ch wyneb ddangos eich bod yn hapus *Gwenodd y Frenhines ar y dorf.* TO SMILE

gwenwyn *hwn enw* unrhyw hylif, powdwr neu blanhigyn fydd yn gwneud niwed ichi neu yn eich lladd os ydych chi'n ei lyncu POISON

gwenwyno *berfenw* rhoi gwenwyn yn rhywbeth neu ar rywbeth TO POISON

gwenynen *hon enw* (**gwenyn**) trychfilyn sy'n hedfan, yn gallu pigo ac sy'n cynhyrchu mêl BEE

gwerin *hon enw* pobl FOLK

gwers *hon enw* (**gwersi**) **1** yr adeg y mae rhywun yn eich dysgu LESSON **2** rhywbeth mae'n rhaid ichi ei ddysgu LESSON

gwersyll *hwn enw* (**gwersylloedd**) casgliad o bebyll neu adeiladau lle y mae pobl yn byw dros dro CAMP

gwerth *hwn enw* (**gwerthoedd**) **1** yr arian y mae rhywun yn barod i'w dalu am rywbeth VALUE **2** pa mor bwysig neu ddefnyddiol y mae unrhyw beth VALUE

gwerthfawr *ansoddair* yn werth llawer VALUABLE

gwerthfawrogi *berfenw* gweld gwerth rhywbeth TO APPRECIATE

gwerthu *berfenw* newid am arian *Gwerthodd ei feic am £20.* TO SELL

gwestai *hwn enw* (**gwesteion**) rhywun sydd wedi derbyn gwahoddiad GUEST

gwesty *hwn enw* (**gwestyau**) adeilad lle mae pobl yn talu am bryd o fwyd ac am gael aros dros nos HOTEL

gwg *hwn enw* yr hyn sy'n digwydd i'ch wyneb pan fyddwch yn gwgu (A) FROWN

gwgu *berfenw* creu llinellau ar eich talcen i ddangos nad ydych yn hapus TO FROWN

gwialen *hon enw* (**gwiail**) darn hir, cul o bren CANE

gwich *hon enw* (**gwichiau**) y sŵn uchel, main y mae llygoden yn ei wneud SQUEAK

gwin *hwn enw* (**gwinoedd**) diod wedi'i gwneud o rawnwin WINE

gwir *hwn enw* cywir ac yn iawn TRUTH

gwirfoddol *ansoddair* heb fod yn gorfod VOLUNTARY

gwirfoddoli *berfenw* cynnig eich hun heb fod wedi gorfod gwneud hynny TO VOLUNTEER

gwirion *ansoddair* heb fod yn ddoeth nac yn ofalus, twp SILLY

gwirioni *berfenw* dwlu, teimlo mor ddwfn nes mynd yn wirion TO DOTE

gwisg *hon enw* (**gwisgoedd**) dillad y mae pobl yn eu gwisgo CLOTHES, COSTUME

gwisgo *berfenw* rhoi dillad am y corff
TO DRESS

gwiwer *hon enw* (**gwiwerod**) anifail bach â chynffon dew, hir sy'n byw mewn coed SQUIRREL

gwlad *hon enw* (**gwledydd**)
1 darn o dir â ffiniau arbennig, enw, a chenedl neu genhedloedd yn byw o fewn ei ffiniau COUNTRY
2 tir agored y tu allan i drefi a dinasoedd COUNTRY

gwlân *hwn enw* (**gwlanoedd**) cot feddal, drwchus dafad. Mae'n cael ei nyddu yn edafedd ar gyfer gwneud dillad. WOOL

gwlanog *ansoddair* yn debyg i wlân; a gwlân drosto WOOLY

gwledydd *hyn enw* mwy nag un wlad (**gwlad**)

gwledd *hon enw* (**gwleddoedd**) pryd arbennig o fwyd i lawer o bobl FEAST

gwledda *berfenw* mwynhau gwledd TO FEAST

gwlith *hwn enw* dafnau bach o ddŵr sy'n ffurfio dros nos ar bethau sydd allan yn yr awyr agored DEW

gwlithen *hon enw* (**gwlithod: gwlithenni**) creadur sy'n debyg i falwoden heb ei chragen SLUG

gwlitho *berfenw* gorchuddio â gwlith

gwlyb *ansoddair* a dŵr neu hylif arall drosto WET (*Edrychwch hefyd dan* **gwlypach**)

gwlychu *berfenw* gwneud yn wlyb neu fynd yn wlyb TO WET

gwlypach *ansoddair* mwy **gwlyb**
Mae'n wlypach heddiw na ddoe hyd yn oed.

gwn *hwn enw* (**gynnau**) dryll GUN

gwnaeth *berf* edrychwch dan **gwneud**

gwneud *berfenw* creu; bod wrthi; gweithio wrth rywbeth *Gwnaeth y dosbarth gardiau Nadolig i bob un o'r athrawon.* TO DO; TO MAKE

gwniadur *hwn enw* (**gwniaduron**) cwpan bach o fetel neu blastig i'w wisgo ar ben eich bys. Mae'n arbed eich bys rhag cael niwed pan fyddwch yn gwthio nodwydd wrth wnïo. THIMBLE

gwnïo *berfenw* defnyddio nodwydd ac edau i gysylltu darnau o ddefnydd TO SEW

gwobr *hon enw* (**gwobrau**) rhywbeth sydd wedi'i ennill PRIZE

gwobrwyo *berfenw* rhoi gwobr i

gŵr *hwn enw* (**gwŷr**)
1 dyn sydd wedi priodi HUSBAND
2 dyn MAN

gwrach *hon enw* (**gwrachod**) gwraig sy'n defnyddio hud a lledrith. Mewn straeon, mae hi'n gwisgo het bigfain ddu ac yn teithio ar gefn ysgub. WITCH

gwragedd *hyn enw* mwy nag un wraig (**gwraig**)

gwraidd *hwn enw* (**gwreiddiau**) y rhan honno o blanhigyn sy'n tyfu tan y ddaear; gwreiddyn ROOT

gwraig *hon enw* (**gwragedd**)
1 menyw WOMAN
2 menyw briod WIFE

gwrandawodd *berf* edrychwch dan **gwrando**

gwrando *berfenw* talu sylw er mwyn clywed rhywbeth *Gwrandawodd y plant yn astud ar y storïwr.* TO LISTEN

gwregys *hwn enw* (**gwregysau**) rhwymyn cadarn sy'n cael ei wisgo am eich canol BELT

gwreichion *hyn enw* fflachiadau bychain SPARKS

gwreiddiau *hyn enw* mwy nag un **gwraidd/gwreiddyn**

gwreiddiol *ansoddair*
1 wedi'i wneud gyntaf; cyn unrhyw un arall ORIGINAL
2 newydd sbon; heb ei gopïo o unman ORIGINAL

gwreiddyn *hwn enw* (**gwreiddiau**) y rhan honno o blanhigyn sy'n tyfu tan y ddaear; gwraidd ROOT

gwres *hwn enw* y teimlad poeth sy'n dod o'r haul neu o dân HEAT

gwresog *ansoddair* cynnes WARM

gwrido *berfenw* cochi oherwydd eich bod yn teimlo'n swil neu yn euog TO BLUSH

gwrthdaro *berfenw* taro rhywun neu rywbeth yn ddamweiniol wrth symud TO COLLIDE

gwrthod *berfenw* dweud nad ydych chi'n mynd i wneud neu dderbyn rhywbeth *Gwrthododd ateb yr athro. Gwrthododd y melysion a gynigiwyd iddo gan y dyn dieithr.* TO REFUSE

gwrthwyneb *hwn enw* yn gwbl groes; yn hollol wahanol OPPOSITE

gwrthwynebiad *hwn enw* y rheswm dros wrthwynebu OBJECTION

gwrthwynebu *berfenw* dweud nad ydych chi'n cytuno, neu nad ydych yn hoffi rhywbeth TO OBJECT

gwryw *ansoddair* unrhyw berson neu anifail sydd yn gallu bod yn dad MALE

gwthio *berfenw* defnyddio'ch dwylo i symud rhywbeth oddi wrthych TO PUSH

gwybedyn *hwn enw* (**gwybed**) pryfyn bach sy'n pigo GNAT

gwybod *berfenw* bod â rhywbeth yn eich meddwl yr ydych chi wedi'i ddarganfod neu wedi'i ddysgu TO KNOW

gwybodaeth *hon enw* yr hyn yr ydych chi'n ei wybod ac yn ei ddeall KNOWLEDGE
Sylwch: 'yr wybodaeth' sy'n gywir

gwych *ansoddair* anghyffredin o dda SUPERB

gwydn *ansoddair* anodd ei dorri neu ei gnoi (am fwyd) TOUGH

gwydr *hwn enw* (**gwydrau**) deunydd caled yr ydych chi'n gallu gweld trwyddo. Mae gwydr yn cael ei ddefnyddio mewn ffenestri. GLASS

gŵydd *hon* *enw* (**gwyddau**) aderyn mawr sy'n cael ei fagu er mwyn ei gig a'i wyau GOOSE

gwyddoniadur *hwn* *enw* (**gwyddoniaduron**) llyfr neu set o lyfrau sy'n rhoi gwybodaeth i chi am bob math o bethau ENCYCLOPEDIA

gwyddoniaeth *hon* *enw* gwybodaeth am y byd, a gewch o astudio pethau a thrwy wneud arbrofion er mwyn gweld sut maen nhw'n gweithio SCIENCE
Sylwch: '*y wyddoniaeth*' sy'n gywir

gwyddonydd *hwn* *enw* (**gwyddonwyr**) rhywun sy'n astudio gwyddoniaeth SCIENTIST

gwyddor *hon* *enw* **yr wyddor** yr A,B,C THE ALPHABET

gŵyl *hon* *enw* (**gwyliau**) diwrnod arbennig sy'n cael ei gadw i gofio am sant, e.e. Dydd Gŵyl Dewi ar Fawrth 1af

gwylan *hon* *enw* (**gwylanod**) un o adar y môr SEAGULL

gwyliau *hyn* *enw* mwy nag un ŵyl (**gŵyl**) *hefyd* amser yn rhydd o'r gwaith neu'r ysgol HOLIDAYS

gwyllt *ansoddair* **1** heb fod pobl yn gofalu amdano *blodau gwyllt* WILD **2** heb reolau *tymer wyllt* WILD

gwylltio *berfenw* mynd yn wyllt

gwymon *hwn* *enw* planhigyn sy'n tyfu yn y môr SEAWEED

gwynt *hwn* *enw* (**gwyntoedd**) ffrwd o aer WIND

gwynto *berfenw* **1** defnyddio'ch trwyn i arogli TO SMELL **2** drewi TO SMELL

gwŷr *hyn* *enw* mwy nag un **gŵr**

gwyrth *hon* *enw* (**gwyrthiau**) rhywbeth rhyfedd sydd wedi digwydd nad oedd neb yn meddwl ei fod yn bosibl MIRACLE
Sylwch: '*y wyrth*' sy'n gywir

gwyrthiol *ansoddair* fel gwyrth MIRACULOUS

gwythïen *hon* *enw* (**gwythiennau**) un o'r pibellau bach cul o fewn y corff sy'n mynd â gwaed i'r galon VEIN
Sylwch: '*yr wythïen*' sy'n gywir

gwywo *berfenw* sychu, colli'i liw a mynd yn llai TO WITHER

gyda *arddodiad* yng nghwmni, efo WITH

gyddfau:gyddygau *hyn* *enw* mwy nag un **gwddf:gwddwg**

gynnau *hyn* *enw* mwy nag un **gwn**

gyr *hwn* *enw* (**gyrroedd**) grŵp o anifeiliaid sy'n chwilio am fwyd gyda'i gilydd (gwartheg yn arbennig) HERD

gyrru *berfenw* gwneud i beiriant neu anifail symud TO DRIVE

H h

had *hyn* *enw* darnau bach iawn o blanhigion, sy'n cael eu rhoi mewn pridd fel y gall planhigion newydd dyfu ohonynt SEED

haden *hon* *enw* (**hadau**) un o nifer o **had** (A) SEED

hadyn *hwn* *enw* (**hadau**) un o nifer o **had** (A) SEED

haearn *hwn* *enw* (**heyrn**)
1 metel trwm cryf IRON
2 teclyn â gwaelod gwastad sy'n cael ei dwymo a'i ddefnyddio i smwddio dillad (AN) IRON

haeddiannol *ansoddair* yn llawn haeddu DESERVED

haeddu *berfenw* gwneud rhywbeth sy'n achosi i bobl gredu y dylech chi gael gwobr neu gosb *Roedd hi'n haeddu'r wobr ar ôl ei holl waith caled.* TO DESERVE

hael *ansoddair* bob amser yn barod i rannu'r hyn sydd gennych gyda phobl eraill GENEROUS

haen:haenen *hon* *enw* (**haenau**) math o got denau o rywbeth naill ai uwchben rhywbeth arall neu oddi tano *haen o baent; haenen o fetel* LAYER

haf *hwn* *enw* (**hafau**) rhan gynhesaf y flwyddyn SUMMER

haid *hon* *enw* (**heidiau**) casgliad mawr o un math o anifail *haid o wenyn* SWARM

haig *hon* *enw* (**heigiau**) casgliad mawr o bysgod yn nofio gyda'i gilydd SHOAL

haint *hwn neu hon* *enw* (**heintiau**) afiechyd, salwch DISEASE

halen *hwn* *enw* powdr gwyn sy'n cael ei roi ar fwyd i ychwanegu at y blas SALT

hallt *ansoddair* a blas halen arno SALTY

hambwrdd *hwn* *enw* (**hambyrddau**) darn gwastad o bren, tun neu blastig sy'n cael ei ddefnyddio i gario bwyd, llestri neu bethau ysgafn eraill o un man i'r llall TRAY

hamdden *hon* *enw* amser i wneud yr hyn yr ydych chi eisiau ei wneud oherwydd nad ydych yn gweithio LEISURE

hamddenol *ansoddair* heb unrhyw frys

hances *hon* *enw* (**hancesi**) darn o ddefnydd sy'n cael ei ddefnyddio i chwythu trwyn HANDKERCHIEF

haneri *hyn* *enw* mwy nag un **hanner**

haneru *berfenw* rhannu'n ddwy ran gyfartal TO HALVE

hanes *hwn* *enw* (**hanesion**)
1 gwybodaeth am bethau a ddigwyddodd yn y gorffennol HISTORY
2 newyddion, stori *Beth yw'r hanes diweddaraf am Ifan?* ACCOUNT; TALE

hanner *hwn* *enw* (**haneri**) un o ddwy ran gyfartal HALF

hapus *ansoddair* llawen HAPPY

hardd *ansoddair* prydferth; yn bleser i'w weld HANDSOME, BEAUTIFUL

harddwch *hwn enw* golwg hardd ar rywbeth BEAUTY

harnais *hwn enw* (**harneisiau**) y strapiau lledr sy'n cael eu rhoi am ben ceffyl er mwyn ei reoli HARNESS

hast *hwn neu hon enw* brys HASTE

hau *berfenw* rhoi had yn y ddaear neu eu gwasgaru ar wyneb y ddaear, er mwyn iddynt dyfu yn blanhigion *Heuodd y ffermwr lond cae o datws.* TO SOW

haul *hwn enw* (**heuliau**) y seren sy'n goleuo a chynhesu'r Ddaear SUN

hawdd *ansoddair* yn gallu cael ei wneud neu'i ddysgu heb lawer o waith neu drafferth; rhwydd EASY

haws *ansoddair* mwy **hawdd** *Rwy'n gobeithio y bydd y cwestiwn nesaf yn haws.*

heb *arddodiad*

hebof fi	hebom ni
hebot ti	heboch chi
hebddo ef	hebddynt hwy *neu*
hebddi hi	hebddyn nhw

hebog *hwn enw* (**hebogiaid**) aderyn sy'n hela ac yn bwyta anifeiliaid bychain HAWK

hedfan *berfenw* symud trwy'r awyr ar adenydd neu mewn awyren TO FLY

hedyn *hwn enw* (**hadau**) un o nifer o **had** (A) SEED

heddiw *adferf* ar y diwrnod hwn TODAY

heddlu *hwn enw* (**heddluoedd**) plismyn; pobl â'r gwaith o ddal y rhai hynny sy'n torri'r gyfraith POLICE

heddwch *hwn enw* **1** amser heb ryfel PEACE
2 adeg o fod yn dawel ac yn llonydd *Rwy'n hoffi mynd i'r ystafell wely i gael heddwch i ddarllen.* PEACE

heddychol *ansoddair* â llawer o heddwch PEACEFUL

hefyd *adferf* yn ychwanegol yr un pryd ALSO

heibio *adferf* hyd at rywbeth ac yna y tu hwnt iddo PAST

heidiau *hyn enw* mwy nag un **haid**

heigiau *hyn enw* mwy nag un **haig**

heini *ansoddair* llawn bywyd VIGOROUS

heintiau *hyn enw* mwy nag un **haint**

heintus *ansoddair* yn mynd o un i'r llall fel haint INFECTIOUS

hela *berfenw* mynd ar ôl anifail gwyllt er mwyn ei ladd TO HUNT

helgi *hwn enw* (**helgwn**) ci hela HOUND

helmed *hon enw* (**helmedau**) het gref sy'n amddiffyn eich pen HELMET

helpu *berfenw* gwneud rhywbeth defnyddiol dros rywun arall TO HELP

helygen *hon enw* (**helyg**) coeden sy'n tyfu yn ymyl dŵr. Mae ganddi ganghennau tenau sy'n plygu'n rhwydd. WILLOW

helynt *hon enw* (**helyntion**) rhywbeth sy'n eich poeni neu yn creu trafferth i chi TROUBLE

a
b
c
ch
d
dd
e
f
ff
g
ng
h
i
j
k
l
ll
m
n
o
p
ph
r
rh
s
t
th
u
w
y

hen *ansoddair* **1** wedi'i eni neu wedi'i wneud ers amser maith OLD **2** heb fod yn newydd OLD (*Edrychwch hefyd dan* **hynaf**)

heno *adferf* y noson hon TONIGHT

heol *hon enw* (**heolydd**) ffordd fawr ar gyfer ceir, bysiau ac ati ROAD

her *hon enw* **1** gofyn i rywun ddangos pa mor ddewr ydyw (A) DARE **2** gofyn i rywun brofi ei fod yn well na chi (A) CHALLENGE

hercian *berfenw* ei chael hi'n anodd cerdded oherwydd bod rhywbeth yn bod ar eich coes neu eich troed TO LIMP

herio *berfenw* cynnig her i rywun TO CHALLENGE

het *hon enw* (**hetiau**) rhywbeth yr ydych chi'n ei wisgo ar eich pen HAT

heuliau *hyn enw* mwy nag un **haul**

heulog *ansoddair* â'r haul yn tywynnu SUNNY

heulwen *hon enw* golau'r haul SUNSHINE

heuodd *berf* edrychwch dan **hau**

heyrn *hyn enw* mwy nag un **haearn**

hi *rhagenw* y ferch neu'r fenyw yr ydych chi'n sôn amdani HER

hinsawdd *hon enw* y math o dywydd sydd i'w gael yn rhywle ar adegau gwahanol o'r flwyddyn CLIMATE

hipopotamws *hwn enw* anifail mawr â chroen trwchus sy'n byw yn ymyl dŵr yn Affrica; dyfrfarch HIPPOPOTAMUS

hir *ansoddair* **1** yn bell o un pen i'r llall LONG **2** yn cymryd llawer o amser LONG (*Edrychwch hefyd dan* **hwy**[1])

hiraeth *hwn enw* teimlad o dristwch wrth weld eisiau rhywun neu rywbeth

hiraethu *berfenw* teimlo hiraeth

hirgrwn *ansoddair* yr un siâp ag wy OVAL

hiwmor *hwn enw* yr hyn sy'n gwneud ichi chwerthin HUMOUR

hoel:hoelen *hon enw* (**hoelion**) darn tenau o fetel â blaen miniog, sy'n cael ei ddefnyddio i ddal darnau o bren yn dynn wrth ei gilydd NAIL

hofranfad *hwn enw* (**hofranfadau**) peiriant sydd yn awyren ac yn gwch. Mae'n teithio ar 'glustog' o aer ychydig uwchben dŵr neu dir. HOVERCRAFT

hofrenydd *hwn enw* (**hofrenyddion**) math o awyren sy'n gallu codi'n syth a hedfan yn ei hunfan HELICOPTER

hoff *ansoddair* yr hyn sydd orau gennych *fy hoff lyfr* FAVOURITE

hoffi *berfenw* mwynhau rhywbeth neu gwmni rhywun TO LIKE

hogen:hogan *hon enw* (**hogennod:gennod**) (gair y Gogledd) merch GIRL

hongian *berfenw* gosod pen uchaf rhywbeth ar fachyn *Mae eich cotiau yn hongian wrth y drws.* TO HANG

holi *berfenw* gofyn cwestiwn TO ASK

holl *ansoddair* i gyd *yr holl bobl* ALL

hud *hwn enw* y gallu i wneud pethau rhyfeddol nad yw pobl fel arfer yn gallu eu gwneud MAGIC

huddygl *hwn enw* y llwch du y mae mwg yn ei adael ar ei ôl; parddu SOOT

hufen *hwn enw* **1** y rhan dew ar wyneb llaeth CREAM
2 lliw hufen CREAM

hugan *hon enw* (**huganau**) math o got heb lewys sy'n hongian o'r ysgwyddau; clogyn CLOAK

hunanol *ansoddair* ddim yn poeni am neb, dim ond amdanoch chi eich hunan a'r hyn yr ydych chi ei eisiau SELFISH

hunllef *hon enw* (**hunllefau**) breuddwyd gas iawn NIGHTMARE

hunllefus *ansoddair* yn debyg i hunllef NIGHTMARISH

hurt *ansoddair* dwl iawn; gwirion STUPID

hwch *hon enw* (**hychod**) mochyn benyw SOW

hwiangerdd *hon enw* (**hwiangerddi**) cerdd ar gyfer plant bach NURSERY RHYME

hwrdd *hwn enw* (**hyrddod**) dafad wryw; maharen RAM

hwy[1] *ansoddair* mwy **hir** *Nid wyf yn mynd i aros yn llawer hwy amdanyn nhw.*

hwy[2]:**nhw** *rhagenw* y bobl neu'r pethau yr ydych chi'n sôn amdanyn nhw THEM

hwyad:hwyaden *hon enw* (**hwyaid**) aderyn sy'n byw yn ymyl dŵr. Mae'n gallu nofio ac y mae ganddi big lydan. DUCK

hwyl *hon enw* (**hwyliau**) **1** darn mawr o ddefnydd cryf wedi'i glymu wrth fast cwch. Mae'r gwynt yn chwythu i mewn i'r hwyl ac mae'r cwch yn symud ymlaen. SAIL
2 sbort, sbri FUN

hwylio *berfenw* mynd mewn cwch sy'n cael ei yrru gan hwyliau TO SAIL

hwyr *ansoddair* **1** ar ôl yr amser *Mae Elwyn yn hwyr eto.* LATE
2 diwedd y dydd *Mae'n hwyr ac yn bryd mynd i'r gwely.* LATE

hychod *hyn enw* mwy nag un **hwch**

hyd *hwn enw* (**hydoedd**) pa mor hir yw rhywbeth LENGTH

hydref *hwn enw* y rhan honno o'r flwyddyn pan fydd dail yn disgyn oddi ar y coed a'r tywydd yn dechrau oeri AUTUMN

hydd *hwn enw* (**hyddod**) carw gwryw HART

hyfryd *ansoddair* dymunol ac yn rhoi pleser LOVELY

hyfforddi *berfenw* dysgu rhywun sut i wneud rhywbeth TO TRAIN

hylif *hwn enw* (**hylifau**) unrhyw beth gwlyb sy'n llifo fel dŵr, llaeth, olew LIQUID

hyll *ansoddair* heb fod yn hardd; salw UGLY

hynaf *ansoddair* y mwyaf **hen** *Dafydd yw'r hynaf o'r tri brawd.*

hynod *ansoddair* arbennig ac anarferol REMARKABLE

hysbysebu *berfenw* defnyddio lluniau a geiriau i berswadio pobl i brynu rhywbeth TO ADVERTISE

I i

i *arddodiad*

imi	inni
iti	ichi
iddo ef	iddynt hwy *neu*
iddi hi	iddyn nhw

iâ *hwn enw* dŵr sydd wedi rhewi'n galed ICE

iach *ansoddair* yn dda iawn o ran iechyd HEALTHY

iaith *hon enw* (**ieithoedd**) y geiriau y mae pobl yn eu siarad ac yn eu hysgrifennu LANGUAGE

iâr *hon enw* (**ieir**) aderyn fferm sy'n cael ei gadw am ei wyau a'i gig HEN

iard *hon enw* (**iardiau:ierdydd**) darn o dir yn ymyl adeilad, â mur o'i amgylch; buarth YARD

ias *hon enw* (**iasau**) teimlad o grynu oherwydd eich bod yn oer neu yn ofnus SHIVER

iawn *ansoddair* cywir RIGHT

iechyd *hwn enw* pa mor dda y mae eich corff yn teimlo neu yn gweithio HEALTH

ieir *hyn enw* mwy nag un **iâr**

ieithoedd *hyn enw* mwy nag un **iaith**

ierdydd *hyn enw* mwy nag un **iard**

ieuangaf *ansoddair* mwyaf **ifanc** *Tomos yw'r ieuangaf o'r tri brawd.*

ifanc *ansoddair* wedi'i eni yn gymharol ddiweddar YOUNG (*Edrychwch hefyd dan* **ieuangaf**)

ig *hwn enw* (**igion**) sŵn byr sydyn yn y gwddf HICCUP

igam-ogam *ansoddair* â nifer o droeon sydyn fel **ZZZZ** ZIGZAG

igian *berfenw* dioddef o'r ig, neu wneud sŵn fel ig wrth lefain neu grio

iglw *hwn enw* (**iglws**) tŷ crwn wedi'i wneud o flociau o eira sydd wedi'u rhewi'n galed IGLOO

inc *hwn enw* hylif o liw tywyll sy'n cael ei ddefnyddio i ysgrifennu ar bapur INK

injan *hon enw* peiriant sy'n creu ei ynni ei hun ac sy'n cael ei ddefnyddio i wneud i bethau symud ENGINE

iogwrt *hwn enw* bwyd tebyg i hufen tew, wedi'i wneud o laeth sur YOGHURT

iorwg *hwn enw* planhigyn dringo â dail disglair o liw gwyrdd tywyll; eiddew IVY

iris *hwn enw* enfys y llygad, sef darn lliw y llygad IRIS

isaf *ansoddair* yn fwy **isel** *Mae'r bwyd ar lawr isaf y siop.*

isel *ansoddair* yn agos at y gwaelod
LOW

J j

jac-y-do *hwn enw* aderyn du sydd weithiau yn dwyn pethau disglair a'u cuddio JACKDAW

jam *hwn enw* (**jamiau**) ffrwythau a siwgr wedi'u berwi nes mynd yn dew JAM

jar *hon enw* (**jariau**) potel â cheg lydan JAR

jeli *hwn enw* (**jelis**) bwyd llithrig sy'n sgleinio ac yn crynu wrth gael ei symud JELLY

jet *hon enw* (**jetiau**) **1** llif o hylif neu nwy sy'n cael ei wthio allan trwy dwll bach JET
2 awyren ag injan sy'n cael ei gyrru gan jetiau o nwy JET

jib *hwn enw* (**jibs**) tynnu wyneb fel yn *tynnu jibs* GRIMACE

ji-binc *hwn enw* (**jibincod**) aderyn bach cyffredin sydd wedi'i enwi ar ôl ei gân; asgell arian CHAFFINCH

jig-so *hwn enw* darnau bach o bren neu gardfwrdd yr ydych yn eu gosod at ei gilydd i wneud llun JIGSAW

jîns *hwn enw* trywsus cryf o gotwm
JEANS

jiráff *hwn enw* (**jiraffod**) anifail tal â gwddf hir sy'n byw yn Affrica
GIRAFFE

jôc *hon enw* (**jôcs**) rhywbeth sy'n cael ei ddweud neu ei wneud i achosi i bobl chwerthin JOKE

joci *hwn enw* (**jocis**) rhywun sy'n reidio ceffylau rasys JOCKEY

jocôs *ansoddair* hapus â'r hyn sydd gennych CONTENTED

jwg *hwn neu hon enw* (**jygiau**) math o gwpan â phig i arllwys pethau ohono JUG

jyngl *hwn enw* coedwig mewn gwlad boeth, wlyb JUNGLE

K k

kilogram *hwn enw* (**kilogramau**) uned i fesur pwysau (hefyd **cilogram**)
KILOGRAM

kilometr *hwn enw* (**kilometrau**) uned i fesur hyd (hefyd **cilometr**)
KILOMETRE

L l

label *hwn neu hon enw* (**labelau:labeli**) darn o bapur wedi'i lynu ar rywbeth i ddweud beth ydyw neu i ble mae'n mynd LABEL

labordy *hwn enw* (**labordai**) ystafell neu adeilad lle mae gwyddonwyr yn gweithio LABORATORY

lafant *hwn enw* planhigyn â blodau bach persawrus o liw glas arbennig LAVENDER

lamp *hon enw* (**lampau**) teclyn sy'n rhoi goleuni LAMP

lan *adferf* (gair y De) i fyny UP

lansio *berfenw* gwthio cwch i'r dŵr TO LAUNCH

lapio *berfenw* rhoi papur neu ddefnydd am rywbeth TO WRAP

lard *hwn enw* braster gwyn o gig y mochyn sy'n cael ei ddefnyddio ar gyfer coginio LARD

larwm *hwn enw* fel yn **cloc larwm** sŵn sy'n rhybuddio ALARM

lastig *hwn enw* darn o ddefnydd sy'n gallu cael ei dynnu i'w wneud yn hirach ac yna'n mynd yn ôl i'w faint arferol ELASTIC

lasŵ *hwn enw* darn hir o raff a chylch ar un pen sydd yn gallu mynd yn fwy neu yn llai o faint LASSO

lawnt *hon enw* (**lawntiau**) darn o borfa mewn gardd neu barc sy'n cael ei dorri i'w gadw'n daclus LAWN

lawr *adferf* i gyfeiriad is DOWN

leim *hwn neu hon enw* ffrwyth tebyg i lemwn bach gwyrdd LIME

lein *hon enw* (**leiniau**) **1** darn o edafedd tebyg i gordyn *lein bysgota* LINE
2 cledrau rheilffordd LINE

lelog *hwn neu hon enw* coeden â llawer o flodau persawrus o liw gwyn neu las LILAC

lemonêd *hwn enw* diod wedi'i gwneud o sudd lemwn, siwgr a dŵr LEMONADE

lemwn:lemon *hwn enw* (**lemonau**) ffrwyth melyn golau â blas sur LEMON

lens *hwn enw* (**lensau**) darn o wydr neu blastig wedi crymu sy'n tynnu golau i fan arbennig. Lens yw'r gwydr a gewch mewn sbectol, camera a thelesgop. LENS

les *hon enw* defnydd tenau ysgafn a phatrwm o dyllau drosto LACE

letysen *hon enw* (**letys**) un o lysiau'r ardd â dail gwyrdd mawr sy'n cael eu bwyta heb eu coginio LETTUCE

lifrai *hon neu hwn* *enw* dillad arbennig y mae pawb mewn ysgol, swydd, neu grŵp arbennig yn eu gwisgo UNIFORM

lifft *hwn* *enw* (**lifftiau**) peiriant i godi a gostwng pobl ar wahanol loriau o fewn adeilad LIFT

lili *hon* *enw* (**lilïau**) blodyn mawr gwyn sy'n cael ei dyfu mewn gerddi LILY

lindys *hwn a hyn* *enw* trychfilyn hir nad yw'n hedfan ei hun ond a fydd yn troi'n bilipala CATERPILLAR

litr *hwn* *enw* (**litrau**) uned i fesur hylif LITRE

locust *hwn* *enw* (**locustiaid**) trychfilyn sy'n hedfan mewn haid o rai tebyg iddo ac sy'n gallu disgyn ar gnydau a'u bwyta i gyd LOCUST

loes *hon* *enw* dolur PAIN

lol *hon* *enw* rhywbeth dwl, heb ystyr NONSENSE

lolfa *hon* *enw* (**lolfeydd**) ystafell â chadeiriau cyfforddus LOUNGE

lolipop *hwn* *enw* (**lolipops**) darn o beth melys ar ben coes bach pren LOLLIPOP

lôn *hon* *enw* (**lonydd**) ffordd fach gul LANE

lorri *hon* *enw* (**lorïau**) cerbyd mawr sy'n cludo pethau trwm LORRY

losin *hwn a hyn* *enw* melysion, da-da, fferins SWEETS

lotri *hon* *enw* (**lotrïau**) math o gamblo lle y mae llawer o bobl yn prynu tocynnau, a bydd ychydig o'r tocynnau hynny yn cael eu dewis, ar hap, i gael gwobrau LOTTERY

lwc *hon* *enw* y ffordd y mae rhai pethau da, nad ydynt wedi eu trefnu ymlaen llaw, yn digwydd LUCK

lwmpyn *hwn* *enw* (**lympiau**) **1** darn o rywbeth caled heb ffurf arbennig iddo LUMP
2 darn o'r corff sydd wedi chwyddo LUMP

Ll ll

llac *ansoddair* heb fod yn dynn SLACK

llachar *ansoddair* mor ddisglair nes ei fod yn gwneud dolur i'ch llygaid DAZZLING

lladrata *berfenw* mynd â rhywbeth sy'n perthyn i rywun arall a'i gadw TO STEAL

lladron *hyn* *enw* mwy nag un **lleidr**

lladd *berfenw* **1** achosi marwolaeth *Cafodd dau blentyn eu lladd yn y ddamwain.* TO KILL
2 torri *lladd gwair* TO CUT

llaeth *hwn* *enw* llefrith; hylif gwyn y mae mamau yn bwydo'u babanod arno. Yr ydym yn gallu yfed llaeth buwch. MILK

llafariad *hon* *enw* (**llafariaid**) un o'r llythrennau *a, e, i, o, u, w, y* VOWEL

llafn *hwn* *enw* (**llafnau**) rhan wastad finiog cyllell neu gleddyf BLADE

llafur *hwn* *enw* gwaith caled LABOUR

llai *ansoddair*
1 heb fod mor fawr SMALLER
2 heb fod cymaint LESS; FEWER

llaid *hwn enw* pridd gwlyb, tew, fel glud; mwd MUD

llain *hon enw* (**lleiniau**) y ddaear rhwng y wicedi ar gae criced WICKET

llais *hwn enw* (**lleisiau**) y seiniau sy'n dod o'ch ceg pan fyddwch yn siarad neu yn canu VOICE

llaith *ansoddair* ychydig yn wlyb DAMP

llall *rhagenw* (**lleill**) yr un arall *Nid hwn ond y llall.* OTHER

llam *hwn enw* (**llamau**) naid LEAP

llamhidydd *hwn enw* (**llamidyddion**) anifail tebyg i forfil bach, sy'n byw yn y môr PORPOISE

llan *hon enw* (**llannau**) eglwys y plwyf, yn arbennig os yw'n cynnwys enw sant *Llanfair, Llanwynno*

llanc *hwn enw* (**llanciau**) gŵr ifanc YOUNG MAN

llanw[1] *hwn enw* (**llanwau**) y môr yn symud i mewn tuag at y tir TIDE

llanw[2]:**llenwi** *berfenw* gwneud rhywbeth yn llawn *Llanwodd y bwced â thywod.* TO FILL

llath:llathen *hon enw* (**llathenni**) uned i fesur hyd YARD

llaw *hon enw* (**dwylo**) y rhan o'ch braich sy'n cynnwys eich bysedd HAND

llawen *ansoddair* wrth eich bodd ac yn mwynhau HAPPY

llawenhau *berfenw* bod yn llawen TO REJOICE

llawer *ansoddair* nifer mawr MANY

llawes *hon enw* (**llewys**) y rhan honno o got, crys neu ddilledyn sy'n mynd am y fraich SLEEVE

llawfeddyg *hwn enw* (**llawfeddygon**) meddyg sydd wedi derbyn hyfforddiant ar sut i dorri drwy'r cnawd i drin afiechyd SURGEON

llawfeddygaeth *hon enw* y gwaith y mae llawfeddyg yn ei wneud SURGERY

llawn *ansoddair* heb ddim rhagor o le FULL

llawr *hwn enw* (**lloriau**) y rhan honno o adeilad neu ystafell y mae pobl yn cerdded arni FLOOR

lle *hwn enw* (**lleoedd:llefydd**) man penodol PLACE

llech:llechen *hon enw* (**llechi**) un o'r darnau tenau, gwastad o garreg lwyd neu las sy'n cael eu defnyddio i wneud to tŷ SLATE

lled *hwn enw* pa mor llydan yw rhywbeth WIDTH

lledaenu *berfenw* gwasgaru yn eang SPREAD

lledr *hwn* *enw* deunydd cryf wedi'i wneud o groen anifail LEATHER

lledrith *hwn* *enw* y gallu i wneud pethau rhyfedd nad yw pobl fel arfer yn gallu eu gwneud MAGIC

lledrithiol *ansoddair* llawn lledrith MAGICAL

llef *hon* *enw* rhywbeth sy'n cael ei weiddi (A) CRY

llefain *berfenw* colli dagrau; crio TO CRY

llefaru *berfenw* siarad TO SPEAK

llefelyn:llyfelyn *hwn* *enw* chwydd poenus ar amrant y llygad neu yng nghornel y llygad; llyfrithen STY

llefrith *hwn* *enw* llaeth MILK

lleiaf *ansoddair* yn llai nag unrhyw un neu unrhyw beth arall LEAST; SMALLEST

lleian *hon* *enw* (**lleianod**) un o grŵp o ferched sy'n byw bywyd yn addoli Duw yng nghwmni ei gilydd NUN

lleidr *hwn* *enw* (**lladron**) rhywun sy'n dwyn pethau THIEF

lleihau *berfenw* gwneud yn llai TO LESSEN

lleill *rhagenw* **llall** pan fydd yn sôn am fwy nag un peth OTHERS

lleiniau *hyn* *enw* mwy nag un **llain**

lleisiau *hyn* *enw* mwy nag un **llais**

llen *hon* *enw* (**llenni**) darn o ddefnydd sy'n cael ei dynnu ar draws ffenestr neu lwyfan CURTAIN

lleol *ansoddair* yn perthyn i un lle *hanes lleol* LOCAL

llestri *hyn* *enw* yr holl blatiau, cwpanau, cyllyll, ffyrc ac ati sydd eu hangen ar gyfer pryd o fwyd DISHES

lletach *ansoddair* yn fwy **llydan**

lletchwith *ansoddair* **1** heb fod yn rhwydd nac yn llyfn AWKWARD **2** heb fod yn addas *amser lletchwith* AWKWARD

lletraws *ansoddair* llinell sy'n cael ei thynnu'n syth o un gornel i'r gornel bellaf oddi wrthi DIAGONAL

llety *hwn* *enw* (**lletyau**) rhywle y gallwch dalu i gael aros yno dros nos LODGING

lletya *berfenw* cael llety i aros dros nos TO LODGE, TO HOUSE

lleuad *hon* *enw* (**lleuadau**) math o blaned fach sy'n teithio o gwmpas y Ddaear ac sy'n disgleirio yn y nos; lloer MOON

llew *hwn* *enw* (**llewod**) cath fawr, wyllt o liw melyn tywyll sy'n byw yn Affrica ac India LION

llewyg *hwn* *enw* teimlo eich pen yn mynd yn ysgafn, a disgyn FAINT

llewygu *berfenw* disgyn mewn llewyg TO FAINT

101

llewys *hyn enw* mwy nag un **llawes**

lliain *hwn enw* (**llieiniau**) **1** darn o ddefnydd i'w daenu ar fwrdd bwyd CLOTH
2 darn o ddefnydd sy'n cael ei ddefnyddio i sychu gwlybaniaeth TOWEL

llidiart *hwn neu hon enw* (**llidiardau**) math o ddrws mewn clawdd neu wal o gwmpas darn o dir GATE

llieiniau *hyn enw* mwy nag un **lliain**

llif[1]:**lli** *hwn enw* (**llifogydd**) dŵr, aer neu drydan yn symud i un cyfeiriad CURRENT

llif[2] *hon enw* (**llifiau**) erfyn â llafn llydan tenau â dannedd miniog sy'n cael ei symud yn ôl ac ymlaen ar draws darn o bren i'w dorri SAW

llifio *berfenw* torri â llif TO SAW

llifo *berfenw* symud fel afon TO FLOW

llifogydd *hyn enw* llawer o ddŵr yn llifo dros dir sydd fel arfer yn sych FLOODS

llinell *hon enw* (**llinellau**) marc hir, tenau fel hyn _____ LINE

llipa *ansoddair* heb fod yn gadarn nac yn dynn; llac LIMP

llipryn *hwn enw* (**lliprynnod**) person tal, tenau, gwan WEAKLING

llithren *hon enw* tegan mawr y gall plentyn ddringo i fyny un ochr iddo er mwyn llithro i lawr yr ochr arall SLIDE

llithrig *ansoddair* ag wyneb mor llyfn nes ei bod yn anodd sefyll arno neu gael gafael arno SLIPPERY

llithro *berfenw* symud yn gyflym ac yn llyfn dros rywbeth TO SLIDE

lliw *hwn enw* (**lliwiau**) mae coch, glas a gwyrdd yn lliwiau COLOUR

llo *hwn neu hon enw* (**lloi**) buwch neu darw ifanc CALF

lloeren *hon enw* (**lloerenni: lloerennau**) rhywbeth sy'n dilyn llwybr yn y gofod o amgylch y Ddaear neu unrhyw blaned arall SATELLITE

llofnodi *berfenw* ysgrifennu eich enw; arwyddo TO SIGN

llofrudd *hwn enw* (**llofruddion**) un sydd wedi llofruddio rhywun MURDERER

llofruddio *berfenw* lladd rhywun yn fwriadol TO MURDER

llofft *hon enw* (**llofftydd**) **1** llawr y tŷ lle mae'r ystafelloedd gwely UPSTAIRS
2 ystafell wely BEDROOM

llog *hwn enw* fel yn **ar log** sef wedi'i logi ON HIRE

llogi *berfenw* talu am gael defnyddio rhywbeth TO HIRE

llong *hon enw* (**llongau**) cwch mawr sy'n cludo pobl neu bethau ar deithiau hir dros y dŵr SHIP

llongwr *hwn enw* (**llongwyr**) rhywun sy'n gweithio ar long SAILOR

llongyfarch *edrychwch dan* **llon(-)gyfarch**

lloi *hyn enw* mwy nag un **llo**

llon *ansoddair* llawen HAPPY

llond *hwn enw* yn llawn *llond y neuadd o blant*

llongyfarch *berfenw* dweud wrth rywun pa mor falch yr ydych chi o rywbeth da sydd wedi digwydd iddo/iddi TO CONGRATULATE

llongyfarchiadau *hyn enw* y geiriau yr ydych chi'n eu defnyddio i longyfarch rhywun CONGRATULATIONS

llonydd *ansoddair* heb symud *ci yn gorwedd yn llonydd wrth draed ei feistr* STILL

lloriau *hyn enw* mwy nag un **llawr**

llosgfynydd *hwn enw* (**llosgfynyddoedd**) mynydd â chreigiau wedi'u toddi a nwyon poeth iawn o'i fewn, sydd weithiau yn ffrwydro VOLCANO

llosgi *berfenw* **1** bod ar dân *Llosgodd y papurau yn y lle tân.* TO BURN **2** cael dolur gan rywbeth poeth *Llosgodd ei bysedd wrth gydio yn y gwydr poeth.* TO BURN

llu *hwn enw* (**lluoedd**) nifer mawr (o bobl) CROWD

lluchio *berfenw* taflu TO THROW

lludw *hwn enw* y llwch sydd ar ôl wedi i dân orffen llosgi ASH

llun *hwn enw* (**lluniau**) darlun wedi'i greu â phensil, paent neu â chamera PICTURE

lluniaeth *hwn enw* bwyd FOOD

lluo *berfenw* llyfu TO LICK

lluosog *ansoddair* ffurf ar air sy'n dangos bod mwy nag un. Mae *cathod, ceir* a *cŵn* i gyd yn ffurfiau lluosog. PLURAL

llusgo *berfenw* tynnu rhywbeth trwm y tu ôl i chi TO DRAG

llwch *hwn enw* baw sych fel powdr DUST

llwfr *ansoddair* heb fod yn ddewr COWARDLY

llwm *ansoddair* tlawd, heb ddim yn tyfu BARE

llwnc *hwn enw* tu mewn i'r gwddf:gwddw THROAT

llwy *hon enw* (**llwyau**) yr hyn yr ydych yn ei ddefnyddio i yfed cawl, troi eich te neu fwyta pwdin SPOON

llwybr *hwn enw* (**llwybrau**) ffordd fach gul i gerdded arni PATH

llwydrew *hwn enw* iâ tebyg i bowdr gwyn sy'n cuddio popeth pan fydd y tywydd yn oer iawn; barrug FROST

llwyddiannus *ansoddair* yn cael neu yn gwneud yr hyn yr oeddech chi ei eisiau SUCCESSFUL

llwyddiant *hwn enw* (**llwyddiannau**) bod yn llwyddiannus SUCCESS

llwyddo *berfenw* gallu cael neu wneud yr hyn yr oeddech chi'n dymuno ei gael neu'i wneud TO SUCCEED

llwyfan *hwn neu hon enw* (**llwyfannau**) llawr wedi'i godi mewn theatr neu neuadd er mwyn i gynulleidfa allu gweld pobl yn actio, yn dawnsio neu yn canu STAGE

a
b
c
ch
d
dd
e
f
ff
g
ng
h
i
j
k
l
ll
m
n
o
p
ph
r
rh
s
t
th
u
w
y

llwyn *hwn enw* (**llwyni**) **1** rhes o goed yn tyfu gyda'i gilydd *llwyn onn* GROVE
2 coeden fach isel; perth BUSH

llwynog *hwn enw* (**llwynogod**) anifail gwyllt tebyg i gi, â blew coch a chynffon hir; cadno FOX

llwyr *ansoddair* fel yn **yn llwyr** i gyd; yn gyfan COMPLETELY

llwyth *hwn enw* (**llwythi**) rhywbeth (trwm fel arfer) sy'n cael ei gludo *llwyth o wair* LOAD

llwytho *berfenw* gosod yn llwyth TO LOAD

llydain *ansoddair* mwy nag un peth **llydan** *heolydd llydain*

llydan *ansoddair* yn bell o un ochr i'r llall WIDE

llyfn *ansoddair* gwastad; heb fod yn arw SMOOTH

llyfr *hwn enw* (**llyfrau**) casgliad o ddudalennau wedi'u cydio ynghyd o fewn cloriau BOOK

llyfrgell *hon enw* (**llyfrgelloedd**) adeilad neu ran o adeilad lle y mae llyfrau'n cael eu cadw fel y gall pobl eu defnyddio LIBRARY

llyfrithen *hon enw* (**llyfrithod**) chwydd poenus ar amrant y llygad neu yng nghornel y llygad; llefelyn STY

llyfu:llyo *berfenw* symud eich tafod ar hyd rhywbeth TO LICK

llyffant *hwn enw* (**llyffantod**) **1** anifail, tebyg i froga mawr, sydd â chroen sych ac sy'n byw ar y tir TOAD
2 broga FROG

llygad *hwn enw* (**llygaid**) y rhan o'r pen yr ydych yn ei defnyddio i weld EYE

llygoden *hon enw* (**llygod**) **1** anifail bach â chot o flew bach byr, cynffon a thrwyn hir MOUSE
2 teclyn sy'n rhan o gyfrifiadur ac yn gadael ichi symud a newid pethau yr ydych yn eu gweld ar y sgrin MOUSE

llygredd *hwn enw* y mwg a'r baw sy'n gwneud difrod i'r aer, i ddŵr ac i'r tir POLLUTION

llygru *berfenw* gwneud drwg trwy lenwi â llygredd TO POLLUTE

llynges *hon enw* (**llyngesau**) y llongau a'r bobl sydd wedi cael eu hyfforddi sut i'w defnyddio mewn rhyfel NAVY

llym *ansoddair* **1** ag ymyl miniog sy'n torri pethau'n rhwydd *cleddyf llym* SHARP
2 craff; cyflym ei feddwl *meddwl llym* SHARP
3 yn brathu neu yn brifo *Mae'r gwynt yn llym; beirniadu'n llym* SHARP

llymaid *hwn enw* (**llymeidiau**) ychydig o ddiod sy'n cael ei hyfed o ran flaen y geg SIP

llymarch *hwn enw* (**llymeirch**) un o greaduriaid y môr sy'n byw o fewn dwy gragen; wystrysen OYSTER

llyn *hwn enw* (**llynnoedd**) darn eang o ddŵr â thir o'i gwmpas LAKE

llyncu *berfenw* gwneud i rywbeth fynd i lawr eich gwddf *Llyncodd y bilsen gyda llymaid o ddŵr.* TO SWALLOW

llynedd *adferf* y flwyddyn ddiwethaf
LAST YEAR

llynnoedd *hyn* *enw* mwy nag un **llyn**

llyo *berfenw* llyfu TO LICK

llys *hwn* *enw* (**llysoedd**) y man lle y mae pobl yn penderfynu a yw rhywun wedi torri'r gyfraith neu beidio COURT

llysiau *hyn* *enw* **1** planhigion sy'n gwneud bwyd yn fwy blasus wrth iddo gael ei goginio HERBS **2** mwy nag un **llysieuyn**

llysieuyn *hwn* *enw* (**llysiau**) rhan o blanhigyn (y gwreiddyn neu'r dail yn aml) yr ydych yn gallu ei bwyta VEGETABLE

llysywen *hon* *enw* (**llyswennod: llysywod**) pysgodyn sy'n edrych fel neidr EEL

llythrennau *hyn* *enw* mwy nag un **llythyren**

llythyr *hwn* *enw* (**llythyrau:llythyron**) neges sy'n cael ei hysgrifennu a'i hanfon at rywun LETTER

llythyrdy *hwn* *enw* (**llythyrdai**) math o siop sy'n gwerthu stampiau ac yn delio â'r post; swyddfa bost POST OFFICE

llythyren *hon* *enw* (**llythrennau**) un o'r arwyddion sy'n cael eu defnyddio i ysgrifennu geiriau LETTER

llywodraeth *hon* *enw* (**llywodraethau**) y grŵp o bobl sy'n cael eu dewis mewn etholiad i ofalu am y wlad GOVERNMENT

M m

mab *hwn* *enw* (**meibion**) **1** bachgen neu ddyn sy'n blentyn i rywun SON **2** bachgen BOY

mabwysiadu *berfenw* derbyn rhywun i'ch teulu fel eich plentyn eich hun TO ADOPT

macyn *hwn* *enw* (**macynau:macynon**) darn o ddefnydd ar gyfer sychu'r trwyn; cadach, hances, neisied HANDKERCHIEF

machlud *berfenw* (am yr haul) diflannu dros y gorwel ar ddiwedd y dydd TO SET

madarch *hyn* *enw* math o ffwng y mae pobl yn gallu ei fwyta MUSHROOMS

madfall *hon* *enw* (**madfallod**) **1** creadur tebyg i neidr ond sydd â phedair coes; genau-goeg LIZARD **2** creadur bach tebyg, â phedair coes a chynffon hir, sy'n byw yn ymyl dŵr NEWT

maddau *berfenw* gorffen bod yn ddig wrth rywun *Maddeuodd Dafydd i'w chwaer fach am golli llaeth dros ei hoff lyfr.* TO FORGIVE

maes *hwn enw* (**meysydd**) **1** cae FIELD **2** cae chwarae *maes rygbi cenedlaethol* GROUND

maesu *berfenw* (mewn gêm o griced) chwarae yn y maes i geisio rhwystro'r batwyr rhag sgorio rhediadau TO FIELD

mafon *hyn enw* ffrwythau bach coch melys tebyg i fwyar; afan coch RASPBERRIES

magnet *hwn enw* (**magnetau**) darn o fetel sy'n gallu tynnu ato ddarnau o haearn neu ddur MAGNET

magu *berfenw* **1** cario a siglo'n dyner *magu baban* TO NURSE **2** edrych ar ôl plant bach neu anifeiliaid ifanc nes eu bod wedi tyfu TO REAR

maharen *hwn enw* (**meheryn**) dafad wryw; hwrdd RAM

main[1] *hyn enw* mwy nag un **maen**

main[2] *ansoddair* cul a thenau SLENDER

mainc *hon enw* (**meinciau**) sedd hir o bren i fwy nag un person BENCH

maint *hwn enw* (**meintiau**) pa mor fawr neu fach yw rhywbeth SIZE

maith *ansoddair* yn cymryd llawer o amser *blynyddoedd maith yn ôl* LONG

malio *berfenw* poeni neu bryderu am rywbeth TO MIND

malu *berfenw* gwasgu a throi rhywbeth caled nes ei fod yn troi'n bowdr TO GRIND

malwen:malwoden *hon enw* (**malwod**) creadur bach sy'n byw mewn cragen, weithiau ar dir, weithiau mewn dŵr SNAIL

mam *hon enw* (**mamau**) rhiant benyw MOTHER

mam-gu *hon enw* mam eich tad neu eich mam; nain GRANDMOTHER

mamolyn *hwn enw* (**mamolion**) unrhyw anifail (a blew drosto fel arfer) sy'n bwydo'i rai bach â'i laeth ei hun. Mae *llewod, pobl* a *morfilod* i gyd yn famolion. MAMMAL

man *hwn neu hon enw* (**mannau**) lle penodol PLACE **fan hyn** yma HERE

mân *ansoddair* bach iawn LITTLE

maneg *hon enw* (**menig**) dilledyn sy'n cael ei wisgo am eich llaw GLOVE

manion *hyn enw* mwy nag un peth **mân**

mannau *hyn enw* mwy nag un **man**

mantais *hon enw* (**manteision**) rhywbeth sydd yn eich helpu i fod yn well na rhywun arall ADVANTAGE

mantell *hon enw* (**mentyll**) math o got heb lewys sy'n hongian o'r ysgwyddau; clogyn, hugan CLOAK

mantol *hon enw* (**mantolion**) peiriant pwyso pethau; clorian SCALE

manwl *ansoddair* yn rhoi sylw llawn i'r peth lleiaf *edrych yn fanwl ar y llun* DETAILED

manylion *hyn enw* darnau bach o wybodaeth DETAILS

map *hwn* *enw* (**mapiau**) llun o ran o'r byd neu o wlad yn dangos lle mae gwahanol wledydd a lleoedd MAP

mapio *berfenw* gwneud map TO MAP

marc *hwn* *enw* (**marciau**) rhif neu arwydd sy'n dangos pa mor dda yw darn o waith *Cefais wyth marc allan o ddeg am fy ngwaith cartref.* MARK

marcio *berfenw* rhoi marciau TO MARK

march *hwn* *enw* (**meirch**) ceffyl gwryw STALLION

marchnad *hon* *enw* (**marchnadoedd**) man lle ceir stondinau yn gwerthu pethau MARKET

marchog *hwn* *enw* (**marchogion**)
1 rhywun sy'n teithio ar gefn ceffyl HORSEMAN
2 yn yr hen amser, milwr a fyddai'n ymladd oddi ar gefn ceffyl KNIGHT
3 rhywun sy'n cael defnyddio 'Syr' o flaen ei enw KNIGHT

marchogaeth *berfenw* teithio ar gefn ceffyl (neu feic) TO RIDE

marlat *hwn* *enw* ceiliog hwyaden DRAKE

marmalêd *hwn* *enw* jam wedi'i wneud o orenau neu lemonau MARMALADE

marw *berfenw* peidio â byw *Bu farw'r brenin.* TO DIE

masgl *hwn* *enw* (**masglau**) **1** y casyn sy'n tyfu o gwmpas rhai mathau o hadau. Mae pys a ffa yn tyfu o fewn masgl; plisgyn SHELL
2 croen caled wy neu gnau SHELL

masnach *hon* *enw* y gwaith o brynu a gwerthu TRADE

mast *hwn* *enw* (**mastiau**) postyn tal sy'n dal hwyl llong neu erial neu faner MAST

mat *hwn* *enw* (**matiau**) carped bach MAT

matras *hwn neu hon* *enw* (**matresi**) darn trwchus, meddal gwely MATTRESS

matsen *hon* *enw* (**matsys**) coes bach o bren y mae ei ben yn cynnau pan fydd yn cael ei rwbio yn erbyn rhywbeth garw MATCH

math *hwn* *enw* (**mathau**) rhyw beth neu bethau sy'n perthyn i grŵp o bethau tebyg *Pa fath o gar yw hwnnw?* TYPE; SORT

mathemateg *hon* *enw* ffordd o ddarganfod gwybodaeth am rifau, meintiau a siapiau MATHEMATICS

mawn *hwn* *enw* math o bridd sydd wedi'i wneud o blanhigion wedi pydru a'u gwasgu dan bwysau'r ddaear. Gallwch sychu mawn a'i losgi yn lle glo. PEAT

mawr *ansoddair* mwy o faint nag sy'n arferol BIG

mawrhydi *hwn enw* gair sy'n cael ei ddefnyddio wrth siarad â brenin neu frenhines *Eich mawrhydi* MAJESTY

mecanyddol *ansoddair* yn cael ei weithio gan beiriant neu yn gweithio mewn ffordd tebyg i beiriant MECHANICAL

medal *hwn neu hon enw* (**medalau**) darn o fetel ar ffurf darn o arian, croes neu seren, sy'n cael ei roi yn wobr i rywun (am fod yn ddewr iawn yn aml) MEDAL

medru *berfenw* gallu *A fedri di ddod nos Fawrth?* TO BE ABLE

medd *berf* yn dweud *"Eisteddwch fan hyn,"* medd yr athro. SAYS

meddal *ansoddair* heb fod yn galed *Mae plu a thoes yn feddal.* SOFT

meddiant *hwn enw* (**meddiannau**) rhywbeth y mae rhywun yn berchen arno POSSESSION

meddwl[1] *hwn enw* (**meddyliau**) y gallu i greu a thrin syniadau MIND

meddwl[2] *berfenw* **1** defnyddio'r meddwl TO THINK **2** credu *Beth wyt ti'n ei feddwl?* TO THINK

meddyg *hwn enw* (**meddygon**) rhywun sy'n ceisio gwneud pobl sâl yn iach fel rhan o'i waith; doctor DOCTOR

meddygfa *hon enw* (**meddygfeydd**) yr ystafell lle yr ydych chi'n mynd i weld doctor SURGERY

meddyliau *hyn enw* mwy nag un **meddwl**[1]

megis *arddodiad* fel *Rwy'n cofio'r peth megis ddoe.* AS

meheryn *hyn enw* mwy nag un **maharen**

meibion *hyn enw* mwy nag un **mab**

meiddio *berfenw* bod yn ddigon dewr neu yn ddigon beiddgar i wneud rhywbeth TO DARE

meillion *hyn enw* planhigion gwyllt â blodau gwyn neu goch a dail fel tair deilen fach ynghlwm CLOVER

meimio *berfenw* dweud rhywbeth wrth rywun gan ddefnyddio symudiadau yn lle geiriau TO MIME

meinciau *hyn enw* mwy nag un fainc (**mainc**)

meini *hyn enw* mwy nag un **maen**

meintiau *hyn enw* mwy nag un **maint**

meirch *hyn enw* mwy nag un **march**

meirioli *berfenw* y ffordd y mae eira neu iâ yn toddi; dadlaith, dadmer TO THAW

meistr *hwn enw* (**meistri**) gŵr â gwybodaeth arbennig neu allu neu rym arbennig MASTER

meistroli *berfenw* dod yn feistr ar rywbeth TO MASTER

mêl *hwn enw* bwyd melys, tew, sy'n cael ei wneud gan wenyn HONEY

melin *hon enw* (**melinau**) adeilad lle y mae ŷd yn cael ei falu'n flawd MILL

melon *hwn enw* (**melonau**) ffrwyth mawr, crwn, melys â chroen gwyrdd neu felyn MELON

melys *ansoddair* â blas tebyg i siwgr neu fêl SWEET

melysion *hyn enw* darnau bach o fwyd melys wedi'u gwneud o siwgr neu siocled SWEETS

mellt *hyn enw* goleuni sy'n fflachio yn yr awyr yn ystod storm LIGHTNING

melltennu:melltio *berfenw* fflachio'n fellt

menig *hyn enw* mwy nag un faneg (**maneg**)

mentro *berfenw* gwneud rhywbeth llawn perygl neu lawn antur TO RISK

mentrus *ansoddair* yn barod iawn i fentro DARING

mentyll *hyn enw* mwy nag un fantell (**mantell**)

menyn *hwn enw* bwyd melyn, wedi'i wneud o hufen, sy'n cael ei daenu ar fara BUTTER

menyw *hon enw* (**menywod**) oedolyn benyw; dynes WOMAN

merch *hon enw* (**merched**)
1 person ifanc, benyw GIRL
2 plentyn benyw *Ai merch Ben Evans wyt ti?* DAUGHTER

merlen *hon enw* (**merlod**) merlyn benyw PONY

merlyn *hwn enw* (**merlod**) ceffyl bach, ysgafn PONY

mesen *hon enw* (**mes**) cneuen y dderwen ACORN

mesur *berfenw* darganfod maint rhywbeth *Mesurodd faint y ffenestr cyn mynd i brynu darn newydd o wydr.* TO MEASURE

metel *hwn enw* (**metelau**) rhywbeth caled iawn y mae modd ei doddi mewn gwres uchel. Mae *aur, dur* a *thun* yn fetelau. METAL

metr *hwn enw* (**metrau**) uned i fesur hyd METRE

metrig *ansoddair* ffordd o fesur pethau sy'n defnyddio 'metr' i fesur hyd, 'cilogram' i fesur pwysau a 'litr' i fesur hylif METRIC

methu *berfenw* heb fod yn gallu gwneud rhywbeth ar ôl ceisio'i wneud TO FAIL

meysydd *hyn enw* mwy nag un **maes**

mi *rhagenw* fi, i *Dewch gyda mi i'r siop.* I; ME

miaren *hon enw* (**mieri**) llwyn o ddrain y mae mwyar yn tyfu arno BRAMBLE

microdon *hon enw* (**microdonnau**) ffwrn electronig sy'n coginio bwyd yn gyflym MICROWAVE (OVEN)

microffon *hwn enw* (**microffonau**) dyfais sy'n troi sain yn drydan fel bod erial neu deleffon yn gallu ei dderbyn a'i droi yn ôl yn sain MICROPHONE

microsgop *hwn enw* (**microsgopau**) dyfais y mae gwyddonwyr yn ei defnyddio sy'n gwneud i bethau bach iawn edrych yn fawr MICROSCOPE

mieri *hyn enw* mwy nag un fiaren (**miaren**)

migwrn *hwn enw* (**migyrnau**) darn cul y goes lle mae'n cysylltu â'r droed; ffêr ANKLE

mil *hon enw* (**miloedd**) deg cant, 1,000 THOUSAND

milfeddyg *hwn* *enw* (**milfeddygon**) doctor anifeiliaid VET

miliwnydd *hwn* *enw* (**miliynyddion**) rhywun sy'n berchen ar 1,000,000 o bunnau (neu ddoleri) MILLIONAIRE

milwr *hwn* *enw* (**milwyr**) aelod o fyddin SOLDIER

milltir *hon* *enw* (**milltiroedd**) uned i fesur pellter MILE

min *hwn* *enw* (**minion**) y rhan honno ar ymyl neu ben rhywbeth EDGE

miniog *ansoddair* ag ymyl neu ben sy'n gallu torri pethau SHARP

minlliw *hwn* *enw* lliw y byddwch yn ei beintio ar eich gwefusau LIPSTICK

mintys *hwn* *enw* planhigyn â dail gwyrdd sy'n cael eu defnyddio i wella blas bwyd MINT

mis *hwn* *enw* (**misoedd**) uned i fesur amser; mae deuddeg mis mewn blwyddyn MONTH

mo *arddodiad*
mohonof fi   mohonom ni
mohonot ti   mohonoch chi
mohono ef   mohonynt hwy *neu*
mohoni hi   mohonyn nhw

mochyn *hwn* *enw* (**moch**) anifail fferm sy'n cael ei fagu er mwyn ei gig PIG

mochynnaidd *ansoddair* yn frwnt fel mochyn

model *hwn* *enw* (**modelau**) copi bach o rywbeth mwy MODEL

modfedd *hon* *enw* (**modfeddi**) uned i fesur hyd INCH

modrwy *hon* *enw* (**modrwyau**) cylch o fetel, yn arbennig un y byddwch yn ei wisgo ar eich bys RING

modrwyog *ansoddair* â llawer o fodrwyau (neu bethau tebyg i fodrwyau) CURLY

modryb *hon* *enw* (**modrybedd**) gwraig eich ewythr, neu chwaer un o'ch rhieni AUNT

modur *hwn* *enw* (**moduron**) 1 car CAR 2 y rhan honno o gar neu beiriant arall sy'n gwneud iddo symud MOTOR

modurdy *hwn* (**modurdai**) 1 lle i gadw car; garej GARAGE 2 man lle y mae ceir yn cael eu trwsio, sydd hefyd yn gwerthu petrol fel arfer; garej GARAGE

moddion *hwn* *enw* hylif neu dabledi y mae rhywun sy'n sâl yn eu cymryd er mwyn gwella MEDICINE

moel *ansoddair* nad oes dim yn tyfu yno neu arno BALD

moethus *ansoddair* drud ond heb fod ei wir angen LUXURIOUS

moli *berfenw* dweud bod rhywun yn dda iawn TO PRAISE

môr *hwn* *enw* (**moroedd**) ehangder mawr o ddŵr hallt SEA

morfil *hwn* *enw* (**morfilod**) yr anifail mwyaf sy'n byw yn y môr WHALE

môr-forwyn *hon* *enw* (**môr-forynion**) mewn straeon, rhywun sy'n edrych fel merch ond sydd â chynffon pysgodyn yn lle coesau MERMAID

morgrugyn *hwn* *enw* (**morgrug**) trychfilyn bach iawn sy'n byw mewn haid ANT

môr-hwch *hon* *enw* (**môr-hychod**) anifail gwaed cynnes sy'n byw yn y môr; dolffin DOLPHIN

morio *berfenw* teithio ar y môr TO VOYAGE

môr-leidr *hwn* *enw* (**môr-ladron**) rhywun ar long sy'n ymosod ar longau eraill ac yn dwyn pethau oddi arnynt PIRATE

morlo *hwn* *enw* (**morloi**) anifail â chot o ffwr sy'n byw am ran o'r amser yn y môr a rhan o'r amser ar y tir SEAL

moron *hyn* *enw* llysiau coch tebyg i fysedd hir, tew CARROTS

morthwyl *hwn* *enw* (**morthwylion**) erfyn â phen trwm, caled ar gyfer taro hoelion HAMMER

morthwylio *berfenw* taro â morthwyl TO HAMMER

morwr *hwn* *enw* (**morwyr**) rhywun sy'n gweithio ar long SAILOR

morwyn *hon* *enw* (**morynion**) merch sy'n gweini mewn tŷ neu westy MAID

mosaig *hwn* *enw* (**mosaigau**) darlun wedi'i wneud o ddarnau bychain o bapur, gwydr, carreg neu bren wedi'u gludio at ei gilydd; brithwaith MOSAIC

mosg *hwn* *enw* (**mosgiau**) adeilad lle y mae addolwyr Islam yn cwrdd i addoli MOSQUE

mudiad *hwn* *enw* (**mudiadau**) grŵp o bobl sy'n dod at ei gilydd i rannu'r un diddordebau *Mudiad y Ffermwyr Ieuainc* MOVEMENT

mul *hwn* *enw* (**mulod**) creadur sy'n hanner ceffyl a hanner asyn MULE

munud *hwn* *neu* *hon* *enw* (**munudau**) chwe deg (60) eiliad MINUTE

mur *hwn* *enw* (**muriau**) un o ochrau ystafell neu adeilad; wal WALL

murmur *hwn* *enw* sŵn llais isel nad yw'n eglur MURMUR

mwclis *hyn* *enw* gleiniau BEADS

mwd *hwn* pridd gwlyb, tew, fel glud; llaid MUD

mwdlyd *ansoddair* llawn mwd MUDDY

mwg *hwn* *enw* y cwmwl sy'n codi o rywbeth sy'n llosgi SMOKE

mwgwd *hwn* *enw* (**mygydau**) rhywbeth sy'n cael ei wisgo am yr wyneb i'w guddio MASK

mwng *hwn* *enw* (**myngau**) y blew hir sy'n tyfu ar war ceffyl neu o gwmpas wyneb llew MANE

mwnci *hwn* *enw* (**mwncïod**) anifail â chot o flew, breichiau hir, traed mae'n gallu eu defnyddio fel dwylo, a chynffon MONKEY

mwsogl:mwswgl:mwswm *hwn enw*
(**mwsoglau**) planhigyn heb flodau
sy'n tyfu mewn mannau llaith MOSS

mwstard *hwn enw* past melyn â blas
poeth sy'n cael ei ddefnyddio i roi
mwy o flas ar fwyd MUSTARD

mwy *ansoddair* rhagor MORE

mwyaf *ansoddair* mwy nag unrhyw
beth arall MOST

mwyalchen *hon enw* (**mwyeilch**)
aderyn cyffredin mewn gerddi.
Mae'r ceiliog o liw du â phig felen,
a'r iâr yn frown. BLACKBIRD

mwyar *hyn enw* ffrwythau bach
meddal, du, sy'n tyfu ar y fiaren
BLACKBERRIES

mwyara *berfenw* casglu mwyar

mwydyn *hwn enw* (**mwydod**) creadur
hir, tenau sy'n byw mewn pridd
WORM

mwyeilch *hyn enw* mwy nag un
fwyalchen (**mwyalchen**)

mwyn *ansoddair* tawel a charedig
GENTLE

mwynhau *berfenw* hoffi gwylio,
gwrando neu wneud rhywbeth; cael
amser da TO ENJOY

myfyriwr *hwn enw* (**myfyrwyr**) rhywun
sy'n astudio mewn coleg neu
brifysgol STUDENT

mygu *berfenw* gollwng mwg neu
gwmwl o anwedd tebyg i fwg
TO SMOKE

mygydau *hyn enw* mwy nag un
mwgwd

myngau *hyn enw* mwy nag un **mwng**

mymryn *hwn enw* (**mymrynnau**) darn
bach iawn LITTLE BIT

myn *hwn enw* (**mynnod**) gafr ifanc KID

mynach *hwn enw*
(**mynachod:mynaich**) un o grŵp
o ddynion sy'n byw bywyd yn
addoli Duw yng nghwmni ei gilydd
MONK

mynachlog *hon enw* (**mynachlogydd**)
adeilad lle y mae mynachod yn
byw ac yn gweithio
MONASTERY

mynd *berfenw* symud i gyfeiriad
arbennig *af i'r dref yfory; ewch chi,
awn ni yfory; aeth Hefin ddoe; a ei di
i'r dref drosof fi?* TO GO

mynedfa *hon enw* (**mynedfeydd**)
ffordd i mewn ENTRANCE

mynegai *hwn enw* (**mynegeion**)
rhestr yng nghefn llyfr, yn nhrefn yr
wyddor, sydd yn dweud beth sydd
yn y llyfr a lle mae dod o hyd iddo
INDEX

mynediad *hwn enw* (**mynediadau**)
cael mynd i mewn i rywle *Mynediad i
blant £1.00* ENTRANCE

mynnod *hyn enw* mwy nag un **myn**

mynnu *berfenw* dweud yn bendant
TO INSIST

mynwent *hon enw* (**mynwentydd**)
man lle y mae pobl sydd wedi marw
yn cael eu claddu CEMETERY

mynydd *hwn* *enw* (**mynyddoedd**)
bryn uchel iawn MOUNTAIN

mynydda *berfenw* dringo mynyddoedd

N n

Nadolig *hwn* *enw* (**Nadoligau**)
Rhagfyr 25ain, diwrnod dathlu geni
Iesu Grist CHRISTMAS

nadredd:nadroedd *hyn* *enw* mwy nag
un **neidr**

nadu *berfenw* gwneud sŵn cras yr asyn
TO BRAY

naddu *berfenw* torri coed neu garreg er
mwyn creu ffurf arbennig
TO CARVE

nai *hwn* *enw* (**neiaint**) mab eich brawd
neu eich chwaer NEPHEW

naid *hon* *enw* (**neidiau**) symudiad
cyflym o'r llawr i'r awyr JUMP

naill *rhagenw* un neu'r llall o ddau beth
Mae'r bêl naill ai'n ddu neu yn wyn.
EITHER

nain *hon* *enw* (**neiniau**) mam eich tad
neu eich mam; mam-gu
GRANDMOTHER

nant *hon* *enw* (**nentydd**) afon fach
BROOK

natur *hon* *enw* **1** planhigion, anifeiliaid
a phopeth yn y byd nad yw wedi'i
greu gan ddyn NATURE
2 cymeriad person neu beth *natur
dawel Dafydd* NATURE

nawr *adferf* y funud hon; rŵan NOW

neb *hwn* *enw* **1** rhywun, unrhyw un
Peidiwch â dweud wrth neb. ANYONE
2 (gyda 'nid') dim un person *Nid
oedd neb ar gael.* NO ONE

nef:nefoedd *hon* *enw*
1 cartref Duw HEAVEN
2 lle hapus iawn HEAVEN

neges *hon* *enw* (**negeseuon**) geiriau
yr ydych chi'n eu hanfon at rywun
pan na allwch chi siarad ag ef eich
hunan MESSAGE

neiaint *hyn* *enw* mwy nag un **nai**

neidiau *hyn* *enw* mwy nag un **naid**

neidio *berfenw* codi'n gyflym fel bod
eich traed yn gadael y llawr
TO JUMP

neidr *hon* *enw* (**nadredd**) creadur â
chorff hir ond heb goesau; mae rhai
nadredd yn wenwynig ac yn
beryglus SNAKE

neilon *hwn* *enw* defnydd cryf, tenau ar
gyfer gwneud dillad a phethau
eraill NYLON

neilltuol *ansoddair* arbennig SPECIAL

neiniau *hyn* *enw* mwy nag un **nain**

neisied *hon* *enw* (**neisiedi**) darn o
ddefnydd sy'n cael ei ddefnyddio i
chwythu trwyn; hances
HANDKERCHIEF

neithiwr *adferf* y noson cyn heno LAST
NIGHT

nenfwd *hon* *enw* (**nenfydau**)
to ystafell CEILING

nentydd *hyn* *enw* mwy nag un **nant**

nerf *hon* *enw* (**nerfau**) darn bach y tu
mewn i'r corff sy'n mynd â
negeseuon o'r ymennydd fel bod y
corff yn gallu teimlo a symud NERVE

nerfus *ansoddair* yn ofni ac yn poeni
oherwydd rhywbeth mae'n rhaid ei
wneud NERVOUS

nerth *hwn enw* (**nerthoedd**) yr hyn sy'n gwneud rhywun neu rywbeth yn gryf STRENGTH

nes[1] *ansoddair* mwy **agos** NEARER

nes[2] *adferf* hyd oni *Arhoswch yma nes daw'r athrawes.* UNTIL

nesaf *ansoddair* yr un sy'n dilyn NEXT

neuadd *hon enw* (**neuaddau**) ystafell fawr iawn neu adeilad mawr iawn HALL

newid[1] *hwn enw* (**newidiadau**) rhywbeth gwahanol i'r arfer (A) CHANGE

newid[2] *berfenw* gwneud neu dyfu yn wahanol *Newidiodd y tywydd dros y penwythnos.* TO CHANGE

newydd *ansoddair* **1** heb gael ei ddefnyddio o'r blaen NEW **2** gwahanol *Rwy'n mynd i ysgol newydd y tymor nesaf.* NEW

newyddion *hyn enw* hanes yr hyn sydd wedi digwydd yn ystod yr oriau neu'r dyddiau diwethaf NEWS

newyn *hwn enw* adeg pan nad oes bwyd ar gael FAMINE

newynu *berfenw* dioddef o newyn TO STARVE

nhw *rhagenw* y bobl neu'r pethau yr ydych yn sôn amdanynt; hwy THEY; THEM

ni *rhagenw* y bobl (mwy nag un) sy'n siarad WE; US

nifer *hwn neu hon enw* (**niferoedd**) grŵp; mwy nag un neu ddau *Roedd nifer da yn y gynulleidfa.* NUMBER

nionyn *hwn enw* (**nionod**) llysieuyn gwyn, crwn â blas cryf; wynionyn ONION

nith *hon enw* (**nithoedd**) merch eich brawd neu eich chwaer NIECE

niwed *hwn enw* (**niweidiau**) dolur neu ddrwg *A gafodd unrhyw un niwed yn y ddamwain?* HARM

niweidio *berfenw* gwneud niwed i TO HARM

niwl *hwn enw* (**niwloedd**) cwmwl o awyr llaith mae'n anodd gweld trwyddo FOG

nodedig *ansoddair* mor wahanol nes eich bod yn ei gofio REMARKABLE

nodiadau *hyn enw* mwy nag un **nodyn**

nodweddion *hyn enw* mwy nag un **nodwedd** y pethau hynny sydd yn gwneud rhywbeth yr hyn ydyw, ac sy'n ei wneud yn wahanol i bethau eraill CHARACTERISTICS

nodwydd *hon enw* (**nodwyddau**) darn hir, tenau o fetel â thwll yn un pen. Mae nodwyddau yn cael eu defnyddio i wnïo. NEEDLE

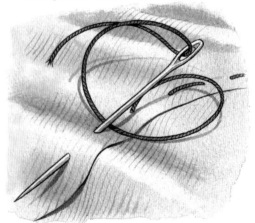

nodyn *hwn enw* **1** (**nodiadau**) llythyr byr NOTE **2** (**nodau**) un sain gerddorol NOTE

noeth *ansoddair* heb ddillad amdano neu unrhyw beth drosto NAKED

nofio *berfenw* symud eich corff trwy ddŵr heb fod eich traed yn cyffwrdd â'r gwaelod TO SWIM

nos *hon enw* (**nosau**) yr amser pan fydd hi'n dywyll *nos Wener; nos da* NIGHT

nosi *berfenw* troi yn nos

noson *hon enw* (**nosweithiau**) yr amser yn ystod y dydd pan fydd hi'n dechrau tywyllu neu newydd dywyllu EVENING

noswaith *hon enw* (**nosweithiau**) noson EVENING

nwy *hwn enw* (**nwyon**)
1 unrhyw beth sy'n debyg i'r aer o'n cwmpas GAS
2 nwy arbennig sy'n cael ei losgi i roi gwres GAS

nwyddau *hyn enw* pethau sy'n cael eu prynu a'u gwerthu GOODS

nyrs *hwn neu hon enw* (**nyrsys**) rhywun sy'n edrych ar ôl pobl sy'n sâl neu wedi cael dolur, fel rhan o'i waith (mewn ysbyty fel arfer) NURSE

nyrsio *berfenw* gwneud gwaith nyrs TO NURSE

nyten *hon enw* (**nytiau**) darn bach o fetel sy'n cael ei sgriwio ar ben blaen bollt NUT

nyth *hwn neu hon enw* (**nythod**) lle diddos sy'n cael ei adeiladu gan adar neu lygod fel cartref i'w rhai bach NEST

nythu *berfenw* gwneud nyth TO NEST

O o

o *arddodiad*

ohonof fi	ohonom ni
ohonot ti	ohonoch chi
ohono ef	ohonynt hwy *neu*
ohoni hi	ohonyn nhw

ocsygen *hwn enw* y nwy yn yr aer mae'n rhaid i ni ei anadlu er mwyn byw OXYGEN

octopws *hwn enw* un o greaduriaid y môr sydd ag wyth o freichiau OCTOPUS

ochenaid *hon enw* (**ocheneidiau**) y sŵn sy'n digwydd pan fyddwch yn gollwng anadl fel arwydd eich bod yn drist neu eich bod yn falch SIGH

ochneidio *berfenw* gwneud sŵn ochenaid TO SIGH

ochr *hon enw* (**ochrau**) **1** un o wynebau allanol rhywbeth rhwng y blaen a'r cefn, a rhwng y pen a'r gwaelod SIDE
2 unrhyw un o wynebau gwastad rhywbeth *Mae gan giwb chwech ochr.* SIDE
3 ymyl *Eisteddodd ar ochr y gwely.* EDGE
4 tîm SIDE

od *ansoddair* rhyfedd *Dyna berson od!* ODD

a
b
c
ch
d
dd
e
f
ff
g
ng
h
i
j
k
l
ll
m
n
o
p
ph
r
rh
s
t
th
u
w
y

o dan *arddodiad*

odanaf fi	odanom ni
odanat ti	odanoch chi
odano ef	odanynt hwy *neu*
odani hi	odanyn nhw

odl *hon enw* (**odlau**) gair sydd yn gorffen gyda'r un sain â gair arall, er enghraifft *troed* a *coed, hardd* a *gardd* RHYME

odrif *hwn enw* (**odrifau**) rhif fel 3,5,7 na allwch ei rannu â 2 ODD NUMBER

odrwydd *hwn enw* bod yn od ECCENTRICITY

oed:oedran *hwn enw* (**oedrannau**) pa mor hen yw rhywun neu rywbeth *Beth yw oedran dy frawd?* AGE **deg oed** (TEN YEARS) OLD

oedi *berfenw* aros am rywbeth yr ydych chi'n ei ddisgwyl *Oedodd y plant y tu allan i'r maes gan obeithio gweld rhai o'r chwaraewyr.* TO WAIT, TO LINGER

oedolyn *hwn enw* (**oedolion**) rhywun dros 18 oed ADULT

oedrannus *ansoddair* hen ELDERLY

oen *hwn enw* (**ŵyn**) dafad ifanc LAMB

oer *ansoddair* heb fod yn gynnes COLD

oerfel *hwn enw* tywydd oer THE COLD

oeri *berfenw* colli gwres *Unwaith y machludodd yr haul, fe ddechreuodd oeri.* TO GET COLD

ofn *hwn enw* (**ofnau**) y teimlad a gewch wrth feddwl bod rhywbeth drwg yn mynd i ddigwydd i chi FEAR

ofnadwy *ansoddair* yn achosi ofn FRIGHTFUL

ofni *berfenw* bod yn llawn ofn TO BE AFRAID

offeiriad *hwn enw* (**offeiriaid**) rhywun sy'n gwasanaethu Duw trwy edrych ar ôl eglwys a'r bobl sy'n addoli ynddi PRIEST

offeryn *hwn enw* (**offerynnau**) rhywbeth sy'n cael ei ddefnyddio i greu sain gerddorol (MUSICAL) INSTRUMENT

offerynnol *ansoddair* (cerddoriaeth) ar gyfer offerynnau INSTRUMENTAL

oglau *hyn enw* ffurf ar **aroglau**

ogof *hon neu hwn enw* (**ogofeydd**) twll mawr tan y ddaear neu ar ochr mynydd CAVE

ongl *hon neu hwn enw* (**onglau**) y gornel lle y mae dwy linell yn dod ynghyd ANGLE

oherwydd *cysylltair* am y rheswm *Collodd y bws oherwydd ei fod yn hwyr.* BECAUSE

ohonof fi *arddodiad* edrychwch dan **o**

ôl *hwn enw* (**olion**) y marc sy'n cael ei adael gan anifail neu berson wedi iddo fynd heibio TRACK; TRAIL

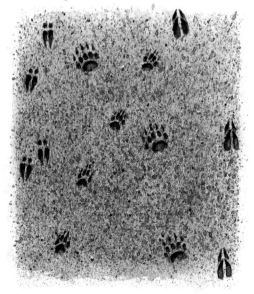

olaf *ansoddair* ar ôl pawb neu bopeth arall LAST

olew *hwn enw* hylif tew llithrig. Mae'n gwneud i beiriannau weithio'n well; mae'n cael ei losgi i greu gwres; ac mae math arall yn cael ei ddefnyddio ar gyfer coginio. OIL

olion *hyn enw* mwy nag un **ôl**

olwyn *hon* *enw* (**olwynion**) cylch â darn canol y mae'n troi o'i gwmpas. Mae gan geir, beiciau a rhai mathau o beiriannau olwynion. WHEEL

oll *ansoddair* i gyd *a chithau oll yn y gynulleidfa* ALL

omled:omlet *hwn* *enw* wyau wedi'u cymysgu a'u ffrio OMELETTE

onnen *hon* *enw* (**ynn**) math o goeden ASH (TREE)

opera *hon* *enw* (**operâu**) drama â cherddoriaeth lle y mae'r geiriau yn cael eu canu OPERA

oren *hwn* *enw* (**orenau**) **1** ffrwyth crwn, melys â chroen trwchus a hadau gwyn ORANGE
2 lliw y ffrwyth hwn ORANGE

organ *hon* *enw* (**organau**) offeryn cerdd mawr, tebyg i biano â phedalau ORGAN

oriau *hyn* *enw* mwy nag un **awr**

oriawr *hon* *enw* wats (A) WATCH

oriel *hon* *enw* (**orielau**) **1** adeilad neu neuadd lle y mae lluniau yn cael eu dangos GALLERY
2 seddau llofft capel neu theatr GALLERY

osgoi *berfenw* cadw allan o ffordd rhywun neu rywbeth TO AVOID

owns *hon* *enw* (**ownsiau**) uned i fesur pwysau OUNCE

P p

pabell *hon* *enw* (**pebyll**) math o dŷ bychan wedi'i wneud o gynfas TENT

pabi *hwn* *enw* (**pabis**) blodyn mawr coch sy'n aml yn tyfu mewn cae ŷd POPPY

pac *hwn* *enw* (**paciau**) **1** set o gardiau PACK
2 yr wyth sy'n chwarae yn y blaen mewn tîm rygbi PACK

paced *hwn* *enw* (**pacedi**) parsel bach PACKET

pacio *berfenw* rhoi pethau mewn bocs neu fag neu bapur er mwyn eu symud neu eu cadw'n ddiogel *Paciodd ei lyfrau i gyd mewn un bocs.* TO PACK

pad *hwn* *enw* (**padiau**) deunydd meddal wedi'i blygu yn glustog i gadw rhywbeth rhag cael niwed *padiau cricedwr* PAD

padell *hon* *enw* (**padelli:pedyll**) math o lestr metel â dolen hir, ar gyfer coginio PAN

padlo *berfenw* gwthio cwch bach neu ganŵ trwy'r dŵr â rhodl (math arbennig o rwyf) TO PADDLE

paen *enw* *hwn* (**paenau**) darn o wydr mewn ffenestr PANE

paent *hwn* *enw* hylif sy'n cael ei daenu ar bethau i roi lliw iddynt PAINT

pafiliwn *hwn* *enw* (**pafiliynau**)
1 adeilad dros dro mawr fel yr un sy'n cael ei ddefnyddio yn yr Eisteddfod Genedlaethol PAVILION
2 adeilad yn ymyl maes criced neu faes chwarae lle y gall chwaraewyr newid PAVILION

paham:pam *adferf* am ba reswm? *Paham nad oeddet ti yn yr ysgol y bore 'ma?* WHY

paid *berf* gorchymyn i ti beidio â gwneud rhywbeth *Paid ti â chyffwrdd â dim byd.* DON'T

pais *hon enw* (**peisiau**) dilledyn y mae merched yn ei wisgo dan sgert neu ffrog PETTICOAT

pâl[1] *hon enw* (**palau**) erfyn â choes hir a llafn byr, llydan ar ei ben ar gyfer palu; rhaw SPADE

pâl[2] *hwn enw* (**palod**) aderyn y môr sydd â phig fawr liwgar PUFFIN

palas *hwn enw* (**palasau**) tŷ mawr, hardd lle mae brenin, brenhines neu rywun pwysig iawn yn byw PALACE

palfalu *berfenw* chwilio am rywbeth na allwch ei weld, trwy deimlo amdano TO GROPE

palmant *hwn enw* (**palmantau**) llwybr i bobl gerdded arno bob ochr i stryd PAVEMENT

palmwydden *hon enw* (**palmwydd**) coeden â choes hir, dail llydan ond dim canghennau, sy'n tyfu mewn gwledydd poeth PALM (TREE)

palu *berfenw* gwneud twll yn y ddaear trwy symud pridd â rhaw/pâl TO DIG

pallu *berfenw* gwrthod gwneud *Mae Emrys yn pallu gwrando; mae'r car yn pallu dechrau.* (WILL NOT); TO REFUSE

pan *cysylltair* yr amser pryd *Doedd neb gartref pan alwodd.* WHEN

panasen *hon enw* (**pannas**) llysieuyn gardd o liw melyn golau ac sydd â blas melys PARSNIP

pancosen *hon enw* (**pancos**) crempog PANCAKE

panel *hwn enw* (**paneli**) darn hir gwastad o bren neu fetel sy'n rhan o ddrws neu ddodrefnyn PANEL

pannas *hyn enw* mwy nag un banasen (**panasen**)

pansi *hwn enw* blodyn bach â phetalau lliwgar llydan PANSY

pantomeim *hwn enw* math o ddrama ddigrif a dwl sy'n arfer cael ei pherfformio adeg y Nadolig PANTOMIME

pantri *hwn enw* ystafell fach lle y mae bwyd yn cael ei gadw PANTRY

papur *hwn* *enw* (**papurau**) darnau bychain o bren, lliain a gwellt wedi'u gwlychu a'u gwasgu ynghyd i greu dalennau tenau. Mae papur yn cael ei ddefnyddio i wneud llyfrau ac i lapio pethau ynddo. PAPER

papuro *berfenw* rhoi papur ar wal TO PAPER

pâr *hwn* *enw* (**parau**) dau beth neu berson sy'n perthyn gyda'i gilydd PAIR

para:parhau *berfenw* mynd ymlaen am amser TO LAST

paralel *ansoddair* *llinellau paralel* yw llinellau sy'n aros yr un pellter oddi wrth ei gilydd PARALLEL

parasiwt *hwn* *enw* (**parasiwtiau**) darn mawr o ddefnydd sy'n agor fel ymbarél wrth iddo gael ei ollwng yn rhydd. Mae'n cael ei glymu wrth gefn rhywun fel y gall neidio allan o awyren a disgyn yn ddiogel i'r llawr. PARACHUTE

paratoadau *hyn* *enw* yr holl waith paratoi PREPARATIONS

paratoi *berfenw* cael rhywbeth yn barod *Roedd Mam wedi paratoi bwyd i ni ar ôl y gêm.* TO PREPARE

parc *hwn* *enw* (**parciau**) gardd fawr y gall unrhyw un gerdded ynddi PARK

parcio *berfenw* gadael car yn rhywle am beth amser *Parciodd Dad y car ar bwys yr ysgol.* TO PARK

parch *hwn* *enw* y teimlad yr ydych yn ei gael pan fyddwch yn hoffi ac yn edmygu rhywun RESPECT

parchus *ansoddair* yn llawn parch RESPECTABLE

parddu *hwn* *enw* y llwch du sy'n cael ei adael gan fwg; huddygl SOOT

parod *ansoddair* yn medru ac yn awyddus i wneud rhywbeth *Rwy'n barod i fynd nawr.* READY

parodrwydd *hwn* *enw* bod yn barod i wneud READINESS

parot *hwn* *enw* (**parotiaid**) aderyn â phlu lliwgar iawn sy'n gallu dysgu adrodd geiriau PARROT

parsel *hwn* *enw* (**parseli**) rhywbeth wedi'i lapio yn barod i gael ei gario neu ei bostio PARCEL

parti *hwn* *enw* (**partïon**) grŵp o bobl yn mwynhau eu hunain gyda'i gilydd PARTY

Pasg *hwn* *enw* yr amser pan fydd eglwysi a chapeli yn cofio bod Iesu Grist wedi dod yn fyw ar ôl marw EASTER

pasio *berfenw* **1** mynd heibio *Rwy'n pasio ei thŷ hi bob bore.* TO PASS **2** taflu, cicio neu daro pêl i rywun TO PASS

past *hwn* *enw* cymysgedd gwlyb ar gyfer gludio papur PASTE

pasta *hwn* *enw* bwyd wedi'i wneud o flawd a dŵr *Sbageti yw'r enw ar un math o basta.* PASTA

pastai *hon* *enw* (**pasteiod**) ffrwyth neu gig, a thoes drosto, wedi'i goginio mewn ffwrn PIE

pastwn *hwn* *enw* (**pastynau**) darn trwchus o bren sy'n cael ei ddefnyddio fel arf CLUB

patrwm *hwn enw* (**patrymau**) yr un set o linellau a lluniau sy'n digwydd un ar ôl y llall, i wneud i rywbeth edrych yn hardd PATTERN

paun *hwn enw* (**peunod**) aderyn y mae'r ceiliog â chynffon hardd iawn PEACOCK

pawb *hyn enw* pob un EVERYONE

pebyll *hyn enw* mwy nag un babell (**pabell**)

pecyn *hwn enw* (**pecynnau**) parsel PACKAGE

pedal *hwn enw* (**pedalau**) darn o beiriant sy'n cael ei wasgu â'r droed *Mae gan feic ddau bedal.* PEDAL

pedol *hon enw* (**pedolau**) darn gwastad o fetel sy'n cael ei osod o dan garn ceffyl HORSESHOE

pedoli *berfenw* gosod pedol ar garn (troed) ceffyl TO SHOE

peidio *berfenw* na wnewch *Peidiwch â mynd; paid â bod yn ffôl.* NOT (TO DO)

peilon *hwn enw* (**peilonau**) twˆr metel uchel sy'n dal gwifrau trydan PYLON

peilot *hwn enw* (**peilotiaid**)
1 rhywun sy'n hedfan awyren PILOT
2 rhywun sy'n mynd â llong trwy leoedd cul ac anodd PILOT

peint *hwn enw* (**peintiau**) uned i fesur hylif PINT

peintio *berfenw* defnyddio paent i roi lliw ar rywbeth TO PAINT

peiriant *hwn enw* (**peiriannau**) dyfais lle y mae nifer o ddarnau yn gweithio gyda'i gilydd i wneud rhyw waith MACHINE

peisiau *hyn enw* mwy nag un bais (**pais**)

peithon *hwn enw* neidr fawr iawn PYTHON

pêl *hon enw* (**peli**) y peth crwn sy'n cael ei ddefnyddio mewn gêmau BALL

pêl-droed *hon enw* gêm i ddau dîm o chwaraewyr sy'n cicio pêl ac yn ceisio sgorio goliau FOOTBALL

pêl-droediwr *hwn enw* (**pêl-droedwyr**) un sy'n chwarae pêl-droed FOOTBALLER

pell *ansoddair* heb fod yn agos *Mae hi'n byw yn bell.* FAR

pellter *hwn enw* (**pellterau**) faint o le sydd rhwng dau fan SPACE

pen *hwn enw* (**pennau**) **1** y rhan honno o gorff person neu anifail lle mae'r llygaid, y trwyn a'r ymennydd HEAD
2 rhan uchaf rhywbeth *Dringodd Edward i ben yr ysgol.* HEAD

pen blwydd *hwn enw* (**pennau blwydd**) y diwrnod hwnnw, bob blwyddyn, i gofio pryd y cafodd rhywun ei eni BIRTHDAY

penbwl *hwn* *enw* (**penbyliaid**) creadur bach sy'n byw mewn dŵr. Bydd yn troi yn froga, yn llyffant neu yn fadfall y dŵr. TADPOLE

pencampwr *hwn* *enw* (**pencampwyr**) y gorau mewn cystadleuaeth; yr enillydd CHAMPION

pencampwriaeth *hon* *enw* (**pencampwriaethau**) cystadleuaeth i ddod o hyd i bencampwr CHAMPIONSHIP

pendant *ansoddair* sicr, heb unrhyw amheuaeth DEFINITE

pendantrwydd *hwn* *enw* bod yn hollol bendant CERTAINTY

penderfynol *ansoddair* wedi penderfynu DETERMINED

penderfynu *berfenw* gwneud dewis *Penderfynodd Megan nad oedd hi am fynd gyda'r merched eraill.* TO DECIDE

pendil *hwn* *enw* (**pendiliau**) rhoden hir â phwysau ar un pen sy'n gallu siglo yn ôl ac ymlaen, ac sy'n cael ei defnyddio weithiau i gadw amser mewn peiriant cloc PENDULUM

penelin *hwn neu hon* *enw* (**penelinoedd**) canol eich braich lle mae'n plygu, a lle y gallwch deimlo'r asgwrn ELBOW

pen-glin *hwn* *enw* (**pennau gliniau**) y man yng nghanol eich coes lle y mae'n plygu KNEE

penglog *hon* *enw* (**penglogau**) ffrâm esgyrn eich wyneb a'ch pen SKULL

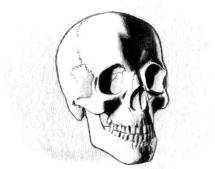

pengwin *hwn* *enw* (**pengwinod**) un o adar y môr nad yw'n gallu hedfan, ond sy'n defnyddio ei adenydd byr i nofio PENGUIN

penigamp *ansoddair* da iawn iawn; rhagorol EXCELLENT

penillion *hyn* *enw* mwy nag un **pennill**

pen-lin *hon* *enw* (**penliniau**) ffurf arall ar **pen-glin**

penlinio *berfenw* pwyso ar eich penliniau ar y llawr TO KNEEL

pennaf *ansoddair* pwysicaf FOREMOST

pennau *hyn* *enw* mwy nag un **pen**

pennill *hwn* *enw* (**penillion**) un rhan o ddarn o farddoniaeth neu gân VERSE

pennod *hon* *enw* (**penodau**) rhan eithaf hir o lyfr CHAPTER

penodi *berfenw* dewis rhywun i wneud gwaith arbennig TO APPOINT

penodol *ansoddair* arbennig; wedi'i nodi *swm penodol o arian* SPECIFIC

pensaer *hwn* *enw* (**penseiri**) person sy'n gwneud y cynlluniau ar gyfer adeilad newydd ARCHITECT

pensil *hwn* *enw* (**pensiliau**) darn tenau o bren â deunydd lliw y tu mewn iddo ar gyfer ysgrifennu neu dynnu llun PENCIL

pentref *hwn* *enw* (**pentrefi**) casgliad o dai ac adeiladau eraill sy'n agos iawn at ei gilydd, ac sy'n llai na thref VILLAGE

pentwr *hwn* *enw* (**pentyrrau**) nifer o bethau wedi'u gosod un ar ben y llall PILE

pentyrru *berfenw* codi pentwr TO PILE

penwythnos *hwn neu hon* *enw* (**penwythnosau**) dydd Sadwrn a dydd Sul WEEKEND

pêr[1] *enw* mwy nag un beren (**peren**)

pêr² *ansoddair* melys neu swynol SWEET

perchennog *hwn* *enw* (**perchenogion**) rhywun sydd biau rhywbeth OWNER

peren *hon* *enw* (**pêr**) gellygen PEAR

pererin *hwn* *enw* (**pererinion**) rhywun sy'n gwneud taith arbennig i le crefyddol PILGRIM

pererindod *hwn* *enw* taith pererin PILGRIMAGE

perffaith *ansoddair* mor dda fel nad yw'n bosibl ei wneud yn well PERFECT

perffeithio *berfenw* gwneud yn berffaith TO PERFECT

perfformiad *hwn* *enw* (**perfformiadau**) gwneud rhywbeth o flaen cynulleidfa PERFORMANCE

perfformio *berfenw* rhoi perfformiad TO PERFORM

perl *hwn* *enw* (**perlau**) pelen fach wen, ddisglair sydd i'w chael o fewn cregyn rhai llymeirch. Mae'n cael ei defnyddio i wneud tlysau drud. PEARL

perlysiau *hyn* *enw* planhigion neu rannau o blanhigion (fel yr hadau) sy'n cael eu defnyddio i roi blas ychwanegol ar fwyd HERBS; SPICES

perllan *hon* *enw* (**perllannau**) darn o dir lle y mae llawer o goed ffrwythau yn tyfu ORCHARD

persawr *hwn* *enw* hylif ag arogl pêr PERFUME

persli *hwn* *enw* planhigyn gwyrdd sy'n cael ei ddefnyddio i roi blas cryfach ar fwyd PARSLEY

person *hwn* *enw* (**personau**) dyn, menyw neu blentyn (A) PERSON

perswadio *berfenw* cael rhywun i gytuno i rywbeth *Perswadiodd Ifan y plant eraill i gyd i fynd gydag ef.* TO PERSUADE

pert *ansoddair* dymunol i edrych arno; tlws *merch bert; llun pert* PRETTY

perth *hon* *enw* (**perthi**) rhes o goed bychain sy'n tyfu'n agos at ei gilydd ac yn gwneud clawdd HEDGE

perthyn *berfenw* bod yn rhan o'r un teulu TO BE RELATED

perthynas *hwn* *enw* (**perthnasau**) rhywun sy'n perthyn i chi RELATION

perygl *hwn* *enw* (**peryglon**) rhywbeth sy'n debyg o'ch lladd neu achosi niwed i chi DANGER

peryglus *ansoddair* yn llawn perygl *Mae'n beryglus i nofio yn y rhan yma o'r afon.* DANGEROUS

peswch:pesychu *berfenw* clirio'r llwnc â sŵn uchel sydyn. Mae annwyd a mwg yn gwneud i bobl beswch. TO COUGH

petal *hwn* *enw* (**petalau**) un o'r rhannau lliwgar sy'n ffurfio pen blodyn PETAL

petrol *hwn* *enw* hylif arbennig wedi'i wneud o olew. Petrol sy'n cael ei ddefnyddio i yrru ceir ac awyrennau. PETROL

petryal *hwn* *enw* (**petryalau**) ffurf drws; ffurf hir â phedair ochr syth OBLONG

peth *hwn* *enw* (**pethau**) rhywbeth y gallwch ei weld neu ei gyffwrdd THING

peunod *enw* mwy nag un **paun**

piano *hwn* *enw* (**pianos**) offeryn cerdd mawr â rhes o nodau du a gwyn yr ydych yn eu taro â'ch bysedd PIANO

piau *berf* yw perchennog *Fi biau'r bêl.* OWNS

pib *hon* *enw* (**pibau**) tiwb cul a bowlen ar un pen ar gyfer smygu PIPE

pibell *hon* *enw* (**pibellau**) tiwb y mae dŵr neu nwy yn llifo trwyddo PIPE

pibonwy *hyn* *enw* darnu hir miniog o iâ yn hongian oddi ar rywbeth ICICLES

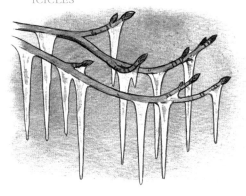

picnic *hwn* *enw* pryd o fwyd yn yr awyr agored PICNIC

pictiwr *hwn* *enw* (**pictiyrau**) llun neu ddarlun PICTURE

picwnen *hon* *enw* (**picwn**) pryf du a melyn sy'n hedfan ac yn gallu pigo; cacynen WASP

pig *hon* *enw* (**pigau**) y darn caled o gwmpas ceg aderyn BEAK

pigo *berfenw* **1** torri'r croen a gwneud dolur â darn miniog a gwenwyn arno (fel sydd gan rai planhigion ac anifeiliaid) TO STING
2 tynnu ffrwyth neu flodyn *pigo pys* TO PICK
3 dewis *A gest ti dy bigo i'r tîm?* TO PICK

pigog *ansoddair* yn gallu pigo (**1**) PRICKLY

pilio *berfenw* tynnu croen oddi ar ffrwyth neu lysiau *pilio afal* TO PEEL

pilipala *hwn* *enw* trychfilyn ag adenydd mawr sydd naill ai'n wyn neu yn lliwgar; iâr fach yr haf; glöyn byw BUTTERFLY

pilsen *hon* *enw* (**pils**) pelen fach o foddion i'w llyncu PILL

pìn *hwn* *enw* (**pinnau**) darn bach main, miniog o fetel, fel hoelen fach PIN

pin *hyn* *enw* mwy nag un binwydden (**pinwydden**) *coed pin*

pinafal *hwn* *enw* (**pinafalau**) ffrwyth mawr, tebyg i gôn pinwydden, sy'n tyfu mewn gwledydd poeth PINEAPPLE

pinio *berfenw* rhoi pin yn rhywbeth i'w ddal TO PIN

pinnau *hyn* *enw* mwy nag un **pìn**

pinsio *berfenw* gwasgu croen rhywun rhwng eich bys a bawd er mwyn ei frifo TO PINCH

pinwydden *hon* *enw* (**pinwydd:coed pin**) coeden â dail fel nodwyddau gwyrdd a chonau sy'n dal ei hadau PINE TREE

pioden *hon* *enw* (**piod**) aderyn du a gwyn â chynffon hir MAGPIE

pisyn *hwn* *enw* (**pisynnau:pisys**) darn; rhan o rywbeth *pisyn o gacen* PIECE

pla *hwn* *enw* (**plâu**) afiechyd peryglus sy'n mynd o un person i'r llall yn gyflym PLAGUE

pladur *hon enw* (**pladuriau**) erfyn â llafn hir ar gyfer torri gwair â llaw SCYTHE

plaen *ansoddair* **1** heb addurn *cacen blaen* PLAIN
2 hawdd ei ddeall, ei weld neu ei glywed PLAIN

planed *hon enw* (**planedau**) un o'r bydoedd sy'n troi o gwmpas yr Haul. Mae'r Ddaear yn blaned. PLANET

planhigyn *hwn enw* (**planhigion**) unrhyw beth sy'n tyfu o'r ddaear megis coed, blodau neu lwyni PLANT

plannu *berfenw* gosod rhywbeth mewn pridd neu yn y ddaear i dyfu TO PLANT

plastig *hwn enw* (**plastigion**) deunydd ysgafn, cryf sy'n cael ei wneud mewn ffatri ac y mae pob math o bethau yn cael eu gwneud ohono PLASTIC

plât *hwn enw* (**platiau**) dysgl wastad i fwyta bwyd oddi arni PLATE

pleidlais *hon enw* (**pleidleisiau**) y ffordd yr ydych yn dangos eich dewis wrth bleidleisio (A) VOTE

pleidleisio *berfenw* dweud pa berson neu syniad yr ydych chi yn ei ddewis, fel arfer trwy godi eich llaw neu drwy ysgrifennu ar ddarn o bapur TO VOTE

plentyn *hwn enw* (**plant**) **1** bachgen neu ferch ifanc CHILD
2 mab neu ferch rhieni arbennig CHILD

pleser *hwn enw* (**pleserau**) teimlad hapus PLEASURE

pleth *hon enw* (**plethau**) rhywbeth wedi'i blethu PLAIT

plethu *berfenw* gwau tri neu ragor o ddarnau (o wellt, gwallt, cordyn ac ati) trwy ei gilydd i wneud un rhaff TO PLAIT

plisgyn *hwn enw* (**plisg**) croen caled y mae hadau rhai planhigion yn tyfu oddi mewn iddo; masgl *plisgyn pys, cnau* hefyd *plisgyn wy* POD; SHELL

plisman:plismon *hwn enw* (**plismyn**) aelod o'r heddlu POLICE OFFICER

pluen *hon enw* (**plu**) **1** un o'r darnau ysgafn, fflat sy'n tyfu dros gorff ac adenydd aderyn FEATHER
2 un darn o eira SNOWFLAKE

plwg *hwn* *enw* (**plygiau**) **1** darn sy'n cael ei gysylltu wrth lamp neu wrth beiriant sy'n defnyddio trydan. Mae'n cael ei osod mewn tyllau arbennig mewn wal i dderbyn trydan. PLUG
2 darn o rwber neu fetel sy'n ffitio i dwll rhag i ddŵr redeg o fasn neu fath PLUG

plwm *hwn* *enw* metel meddal, tywyll ei liw, sy'n drwm iawn LEAD

plws *hwn* *enw* (**plysau**) arwydd + sy'n dangos bod angen adio rhifau at ei gilydd PLUS

plwyf *hwn* *enw* (**plwyfi**) ardal â'i heglwys a'i hoffeiriad ei hun PARISH

plygain *hwn neu hon* *enw* (**plygeiniau**) gwasanaeth o ganu carolau Cymraeg o gwmpas adeg y Nadolig fel arfer

plygiau *hyn* *enw* mwy nag un **plwg**

plygu *berfenw* **1** gwneud rhywbeth yn grwm neu yn gam TO BEND
2 pwyso ymlaen nes bod eich pen yn nes at y llawr TO BEND
3 gosod un rhan o ddarn o bapur neu liain i orwedd ar ben rhan arall o'r un papur neu liain TO FOLD

plysau *hyn* *enw* mwy nag un **plws**

pobi *berfenw* coginio mewn ffwrn; crasu *pobi bara* TO BAKE

pobl *hon* *enw* (**pobloedd**) dynion, gwragedd a phlant PEOPLE

poblogaeth *hon* *enw* nifer y bobl sy'n byw mewn lle arbennig POPULATION

poblogaidd *ansoddair* rhywbeth y mae llawer o bobl yn ei hoffi POPULAR

pobydd *hwn* *enw* (**pobyddion**) rhywun sy'n pobi a gwerthu (bara, teisennau ac ati) BAKER

poced *hwn neu hon* *enw* (**pocedi**) rhywbeth tebyg i fag bach wedi'i wnïo oddi mewn i rai dillad POCKET

poen *hwn neu hon* *enw* (**poenau**) y teimlad pan gewch chi ddolur PAIN

poeni *berfenw* gofidio TO WORRY

poenus *ansoddair* yn achosi poen PAINFUL

poeri *berfenw* chwythu dafnau o ddŵr allan o'r geg TO SPIT

poeth *ansoddair* cynnes iawn HOT

poethi *berfenw* gwneud yn boeth TO HEAT

polyn *hwn* *enw* (**polion**) coes syth, hir, crwn o bren POLE

pompren *hon* *enw* pont fach bren FOOT-BRIDGE

pont *hon* *enw* (**pontydd**) rhywbeth wedi'i godi i groesi cwm, afon, rheilffordd neu ffordd BRIDGE

pontio *berfenw* cysylltu fel y mae pont yn ei wneud TO BRIDGE

popeth *hwn* *enw* pob peth EVERYTHING

popty *hwn* *enw* (**poptai**) math o focs y mae modd coginio bwyd o'i fewn; ffwrn OVEN

porc *hwn* *enw* cig mochyn PORK

porfa *hon* *enw* (**porfeydd**) planhigyn gwyrdd y mae defaid a gwartheg yn ei bori mewn caeau GRASS

pori *berfenw* bwyta porfa wrth iddo dyfu TO GRAZE

portread *hwn enw* (**portreadau**)
darlun o berson PORTRAIT

porthladd *hwn enw* (**porthladdoedd**)
darn o ddŵr wedi'i gysgodi rhag y
tywydd, lle mae llongau a chychod
yn ddiogel pan nad ydynt allan ar
y môr HARBOUR

pos *hwn enw* (**posau**) gêm neu
gystadleuaeth sy'n anodd ei datrys
PUZZLE

posibl *ansoddair* yn gallu digwydd
POSSIBLE

postio *berfenw* anfon llythyr, parsel
neu garden a stamp arno neu arni
TO POST

postyn *hwn enw* (**pyst**) polyn cryf o
bren neu fetel wedi'i osod yn y
ddaear POST

potel *hon enw* (**poteli**) cynhwysydd o
wydr neu blastig â gwddf cul
BOTTLE

potes *hwn enw* bwyd gwlyb wedi'i
wneud o gig neu lysiau; cawl SOUP

powdr:powdwr *hwn enw* (**powdrau**)
rhywbeth sy'n bod yn yr un ffurf â
blawd neu lwch POWDER

powlen *hon enw* (**powlenni**) math o
gwpan mawr heb ddolen BOWL

praidd *hwn enw* (**preiddiau**) grŵp o
ddefaid yn pori gyda'i gilydd
FLOCK

pram *hwn enw* (**pramiau**) math o
grud ar olwynion ar gyfer babi
PRAM

prawf *hwn enw* (**profion**) **1** rhywbeth
sy'n dangos bod y peth yn wir
PROOF
2 math o arholiad TEST

pregethu *berfenw* adrodd neges gref
(grefyddol, ac i gynulleidfa fel
arfer) PREACH

pregethwr *hwn enw* (**pregethwyr**) un
sy'n pregethu, mewn capel fel arfer
PREACHER

preiddiau *hyn enw* mwy nag un
praidd

preifat *ansoddair* heb fod ar agor neu
ar gael i bawb *traeth preifat* PRIVATE

pren *hwn enw* (**prennau**) **1** y deunydd
caled y mae coeden wedi'i wneud
ohono WOOD
2 coeden *pren eirin* TREE

pres *hwn enw* **1** metel melyn sy'n
gymysgedd o gopr a sinc BRASS
2 arian (ceiniogau, punnoedd ac
ati) MONEY

preseb *hwn enw* bocs hir mewn beudy
y mae ceffylau neu wartheg yn
bwyta ohono MANGER

pridd *hwn enw* (**priddoedd**) y ddaear
y mae planhigion yn tyfu ynddi
SOIL

prif *ansoddair* uchaf, cyntaf neu fwyaf *prif weinidog* CHIEF; HEAD

prifathrawes *hon enw* (**prifathrawesau**) athrawes sy'n edrych ar ôl ysgol a'r holl blant ac athrawon sydd ynddi HEADMISTRESS

prifathro *hwn enw* (**prifathrawon**) athro sy'n edrych ar ôl ysgol a'r holl blant ac athrawon sydd ynddi HEADMASTER

prifddinas *hon enw* (**prifddinasoedd**) dinas bwysicaf gwlad *Caerdydd yw prifddinas Cymru.* CAPITAL (CITY)

priflythyren *hon enw* (**priflythrennau**) un o'r llythrennau mawr ar ddechrau enw person neu le, er enghraifft ABC CAPITAL LETTER

prifysgol *hon enw* (**prifysgolion**) coleg lle y mae rhai pobl yn mynd i astudio ar ôl gadael yr ysgol UNIVERSITY

priffordd *hon enw* (**priffyrdd**) heol/ffordd fawr HIGHWAY

prin *ansoddair* heb fod yn gyffredin *Mae'r barcud yn aderyn prin iawn.* RARE

prinder *hwn enw* bod yn brin o SCARCITY

priodas *hon enw* (**priodasau**) y gwasanaeth pan fydd gŵr a gwraig yn priodi WEDDING

priodi *berfenw* dod yn ŵr neu yn wraig i rywun TO MARRY

pris *hwn enw* (**prisiau**) yr arian y mae'n rhaid ichi ei dalu er mwyn prynu rhywbeth PRICE

problem *hon enw* (**problemau**) rhywbeth anodd ei ddeall neu ei ateb PROBLEM

procio *berfenw* gwthio rhywun neu rywbeth â phen eich bys neu ben blaen darn o bren neu fetel *procio'r tân* TO POKE

profi *berfenw* **1** dangos bod rhywbeth yn hollol wir *Profodd Rolant ei fod gartref yn gwylio'r teledu ar y pryd.* TO PROVE **2** teimlo *Profodd siom fawr ar ôl colli'r gêm.* TO EXPERIENCE

profion *hyn enw* mwy nag un **prawf**

proffwyd *hwn enw* (**proffwydi**) rhywun sy'n gweld beth sy'n mynd i ddigwydd cyn iddo ddigwydd PROPHET

proffwydo *berfenw* dweud beth sy'n mynd i ddigwydd fel y byddai proffwyd yn ei wneud TO PROPHESY

pryd[1] *hwn enw* (**prydiau**) amser *A gyrhaeddon nhw mewn pryd?* TIME

pryd[2] *hwn enw* (**prydau**) y bwyd sy'n cael ei fwyta i frecwast, cinio, te neu swper MEAL

pryderu *berfenw* gofidio TO WORRY

prydferth *ansoddair* hardd iawn; tlws BEAUTIFUL

prydferthu *berfenw* gwneud yn brydferth

pryf *hwn enw* (**pryfed**) creadur bach â chwe choes. Mae clêr, morgrug a gwenyn i gyd yn bryfed. INSECT

prynhawn *hwn enw* (**prynhawniau**) yr amser o ganol dydd tan tua chwech o'r gloch AFTERNOON

a
b
c
ch
d
dd
e
f
ff
g
ng
h
i
j
k
l
ll
m
n
o
p
ph
r
rh
s
t
th
u
w
y

prynu *berfenw* cael rhywbeth trwy dalu arian amdano *Prynodd hufen iâ i bawb.* TO BUY

prysur *ansoddair* yn gwneud rhywbeth drwy'r amser BUSY

prysurdeb *hwn enw* bod yn brysur

pulpud *hwn enw* (**pulpudau**) math o lwyfan mewn capel neu eglwys lle y mae'r gweinidog neu'r offeiriad yn siarad â'r gynulleidfa PULPIT

punt *hon enw* (**punnoedd**) uned i fesur arian, £; *can punt = £100* POUND

pupur *hwn enw* powdr sy'n rhoi blas cryfach ar fwyd PEPPER

pur *ansoddair* heb fod wedi'i gymysgu ag unrhyw beth *aur pur* PURE

puro *berfenw* gwneud yn bur TO PURIFY

pwdin *hwn enw* (**pwdinau**) bwyd melys sy'n cael ei fwyta ar ôl prif ran pryd o fwyd PUDDING

pwdr *ansoddair* wedi pydru ROTTEN

pwdu *berfenw* digio mewn ffordd blentynnaidd TO SULK

pwll *hwn enw* (**pyllau**) **1** man lle y mae dŵr wedi casglu POOL
2 twll dwfn yn y ddaear lle y mae pobl yn gweithio er mwyn tynnu glo PIT

pwmpio *berfenw* gwthio aer neu ddŵr i mewn i rywbeth TO PUMP

pwnc *hwn enw* (**pynciau**) testun SUBJECT

pwrs *hwn enw* (**pyrsau**) cwdyn bach i ddal arian PURSE

pwynt *hwn enw* (**pwyntiau**) y ffordd o gadw'r sgôr mewn rhai gêmau POINT

pwyntio *berfenw* dangos lle mae rhywbeth â'ch bys *Pwyntiodd ei bys at y bachgen drwg.* TO POINT

pwys *hwn enw* (**pwysi**) uned i fesur pa mor drwm yw rhywbeth *chwe phwys = 6lb* POUND

pwysau *hwn enw* pa mor drwm yw rhywbeth *Beth yw pwysau'r bocs?* WEIGHT

pwysig *ansoddair* yn werth meddwl yn ddifrifol amdano *dyn pwysig* IMPORTANT

pwysigrwydd *hwn enw* pa mor bwysig yw rhywbeth IMPORTANCE

pwyso *berfenw* **1** mesur pa mor drwm yw rhywbeth TO WEIGH
2 rhoi eich pwysau ar rywbeth TO LEAN

pwyth *hwn enw* (**pwythau**) cylch o edau sy'n cael ei greu â nodwydd STITCH

pwytho *berfenw* gwnïo â phwythau TO STITCH

pydru *berfenw* mynd yn feddal neu yn ddrwg fel nad oes modd ei ddefnyddio *Mae ffrwythau a phren yn pydru.* TO ROT

pyllau *hyn enw* mwy nag un **pwll**

pympiau *hyn enw* mwy nag un **pwmp**

pynciau *hyn enw* mwy nag un **pwnc**

pyped *hwn enw* (**pypedau**)
1 math o ddol neu degan y mae modd symud ei goesau a'i freichiau trwy dynnu ar linynnau PUPPET
2 tegan y gallwch ei wisgo am eich llaw a'i symud â'ch bysedd PUPPET

pyramid *hwn enw* (**pyramidiau**)
1 ffurf y mae ei hochrau yn goleddfu at ei gilydd ac yn creu pen miniog yn y man lle maen nhw'n cwrdd PYRAMID
2 adeilad enfawr ar y ffurf hon yr oedd yr hen Eifftiaid yn cadw corff brenin neu frenhines ynddo PYRAMID

pyrsau *hyn enw* mwy nag un **pwrs**

pys *hyn enw* hadau gwyrdd, meddal sy'n tyfu o fewn plisgyn hir gwyrdd PEAS

pysgodyn *hwn enw* (**pysgod**) unrhyw anifail a chen dros ei gorff sy'n byw ac yn anadlu drwy'r amser dan y dŵr FISH

pysgota *berfenw* ceisio dal pysgod TO FISH

pyst *hyn enw* mwy nag un **postyn**

pytaten *hon enw* (**pytatws:tatws**) llysieuyn sy'n cael ei balu o'r ddaear, ei goginio a'i fwyta POTATO

pythefnos *hwn neu hon enw* (**pythefnosau**) dwy wythnos FORTNIGHT

R r

raced *hwn neu hon enw* (**racedi**) bat arbennig â thannau tyn yn croesi'i gilydd o fewn ffrâm o bren neu fetel RACKET

radio *hwn enw* peiriant sy'n derbyn, trwy erial, seiniau wedi'u hanfon fel tonnau trydan, ac yn eu troi'n eiriau neu yn gerddoriaeth y mae pobl yn gallu gwrando arnynt RADIO

radiws *hwn enw* (**radiysau**) y pellter o ganol cylch i'w ymyl RADIUS

raffl *hon enw* (**rafflau**) ffordd o godi arian trwy werthu nifer mawr o docynnau wedi'u rhifo. Bydd un neu ragor ohonynt yn cael eu dewis, ar hap, i ennill gwobr. RAFFLE

rafft *hon enw* (**rafftiau**) peth gwastad wedi'i wneud o ddarnau o goed wedi'u clymu ynghyd; mae'n cael ei defnyddio yn lle cwch RAFT

a
b
c
ch
d
dd
e
f
ff
g
ng
h
i
j
k
l
ll
m
n
o
p
ph
r
rh
s
t
th
u
w
y

rali *hon enw* (**ralïau**) **1** nifer mawr o bobl sydd wedi dod i gyfarfod arbennig RALLY
2 ras geir *Rali Monte Carlo* RALLY

ras *hon enw* (**rasys**) cystadleuaeth i weld p'un yw'r mwyaf cyflym RACE

rasal *hon enw* (**raselydd**) llafn miniog, tenau, sy'n cael ei ddefnyddio i eillio (crafu blew o'r croen) RAZOR

rasio *berfenw* mynd yn gyflym fel cystadlu mewn ras TO RACE

rebel *hwn enw* rhywun sy'n penderfynu peidio ufuddhau i'r bobl sy'n gyfrifol am rywbeth REBEL

record *hon enw* (**recordiau**)
1 (mewn cystadleuaeth) y gorau hyd yn hyn RECORD
2 cylch o blastig du a ddefnyddir i chwarae cerddoriaeth ar beiriant chwarae recordiau RECORD

recordio *berfenw* cadw sain neu lun ar dâp (neu gyfrwng arall) er mwyn clywed neu weld y peth eto TO RECORD

reis *hwn enw* hadau gwyn, caled sy'n tyfu ar blanhigion mewn gwledydd poeth. Mae'r hadau yn cael eu berwi i wneud bwyd. RICE

rihyrsal *hon enw* (**rihyrsals**) ymarfer ar gyfer cyngerdd, cymanfa ganu neu ddrama REHEARSAL

ril *hon enw* (**riliau**) darn crwn o bren, metel neu blastig y mae modd troi edau, cordyn, neu ffilm etc. amdano REEL

riwl *hon enw* (**riwliau**) darn o bren, metel neu blastig sy'n cael ei ddefnyddio i fesur pellter, ac i dynnu llinellau syth RULER

robin goch *hwn enw* aderyn bach cyffredin â chefn brown a blaen ei gorff yn goch ROBIN

robot *hwn enw* (**robotau**) peiriant sy'n gallu gwneud gwaith fel person ROBOT

roced *hon enw* (**rocedi**) **1** math o dân gwyllt sy'n cael ei saethu i'r awyr ROCKET
2 tiwb hir o fetel sy'n cael ei saethu i'r awyr i lansio llong ofod ROCKET

rod *hon enw* (**rodiau**) darn hir, tenau, crwn o bren neu fetel; gwialen ROD

ruban *hwn enw* (**rubanau**) darn hir, cul o ddefnydd RIBBON

rŵan *adferf* yn awr NOW

rwber *hwn enw* deunydd cryf sy'n gallu cael ei dynnu, ei blygu a chael ei daro i fyny ac i lawr RUBBER

rysáit *hon enw* (**ryseitiau**) rhestr o bethau i'w gwneud i goginio bwyd arbennig RECIPE

Rh rh

rhaca *hwn neu hon enw* (**rhacanau**) erfyn garddio a choes hir a rhes o ddannedd ar un pen iddo RAKE

rhacanu *berfenw* casglu ynghyd gan ddefnyddio rhaca TO RAKE

rhad *ansoddair* heb fod yn costio llawer
CHEAP

rhaeadr *hon enw* (**rhaeadrau**) ffrwd o ddŵr sy'n disgyn o uchder
WATERFALL

rhaff *hon enw* (**rhaffau**) cordyn cryf, tew ROPE

rhag *arddodiad*

rhagof fi	rhagom ni
rhagot ti	rhagoch chi
rhagddo ef	rhagddynt hwy *neu*
rhagddi hi	rhagddyn nhw

rhagbrawf *hwn enw* (**rhagbrofion**) cystadleuaeth (mewn eisteddfod neu gêmau) i weld pwy fydd yn cyrraedd rhan olaf y gystadleuaeth PRELIM; HEAT

rhaglen *hon enw* (**rhaglenni**)
1 drama, sgwrs neu gerddoriaeth ar y radio neu'r teledu PROGRAMME
2 rhestr ar gyfer cynulleidfa yn dweud beth sydd yn mynd i ddigwydd PROGRAMME
3 rhestr o orchmynion yn dweud wrth gyfrifiadur beth i'w wneud PROGRAM

rhagor *hwn enw* mwy MORE

rhagorol *ansoddair* da dros ben EXCELLENT

rhai *rhagenw* ambell un, ychydig SOME

rhaid *hwn enw* (**rheidiau**) rhywbeth yr ydych chi'n gorfod ei wneud *Rhaid imi fynd.*

rhain *rhagenw* y rhai hyn THESE

rhan *hon enw* (**rhannau**) unrhyw beth sy'n rhan o rywbeth mwy PART

rhanbarth *hwn enw* (**rhanbarthau**) rhan o wlad neu o'r byd REGION

rhannu *berfenw* torri'n ddarnau llai fel y gall pawb gael peth *Rhannodd yr athrawes y deisen rhwng y dosbarth i gyd.* TO SHARE

rhaw *hon enw* (**rhawiau**) pâl arbennig SHOVEL; SPADE

rhedeg *berfenw* defnyddio'ch coesau i symud yn gyflym *Rhedodd ar ôl y bêl.* TO RUN

rheg *hon enw* (**rhegfeydd**) un o'r geiriau drwg sy'n cael eu defnyddio wrth regi CURSE, SWEAR-WORD

rhegi *berfenw* defnyddio geiriau drwg TO SWEAR

rheiddiadur *hwn enw* (**rheiddiaduron**)
1 pibellau neu focs o fetel sy'n cynhesu ystafell RADIATOR
2 darn o fewn peiriant car sy'n ei gadw rhag mynd yn rhy boeth RADIATOR

rheilffordd *hon enw* (**rheilffyrdd**) cledrau i drenau redeg arnynt RAILWAY

rhent *hwn enw* (**rhenti**) arian sy'n cael ei dalu bob wythnos neu bob mis am gael defnyddio rhywbeth sy'n perthyn i rywun arall RENT

rheol *hon enw* (**rheolau**) rhywbeth y mae disgwyl i bawb ufuddhau iddo *rheolau pêl-droed* RULE

rheoli *berfenw* gwneud yn siŵr bod y rheolau'n cael eu cadw TO RULE

rhes *hon enw* (**rhesi**) pobl neu bethau wedi'u gosod mewn llinell syth ROW

rhestr *hon enw* (**rhestri**) cyfres o bethau wedi'u hysgrifennu y naill ar ôl y llall LIST

rheswm *hwn enw* (**rhesymau**) unrhyw beth sy'n egluro pam y mae rhywbeth yn digwydd *Y rheswm yr oedd y tîm yn hwyr oedd bod eu bws wedi torri i lawr.* REASON

rhesymol *ansoddair* **1** teg *pris rhesymol* REASONABLE
2 yn gwneud synnwyr *cynllun rhesymol* REASONABLE

rhew *hwn enw* iâ tebyg i bowdr gwyn sy'n cuddio popeth pan fydd y tywydd yn oer iawn; llwydrew FROST

rhewgell *hon enw* (**rhewgelloedd**) math o gwpwrdd ar gyfer rhewi bwyd a'i gadw am gyfnod hir FREEZER

rhewi *berfenw* **1** troi yn iâ *Rhewodd y dŵr yn y bwced neithiwr.* TO FREEZE **2** bod yn oer iawn *Mae hi'n rhewi yn yr ystafell yma.* TO FREEZE

rhewlif *hwn enw* (**rhewlifau**) afon o iâ sy'n symud yn araf i lawr mynydd GLACIER

rhiant *hwn enw* (**rhiaint:rhieni**) un o'ch rhieni (eich tad neu eich mam) PARENT

rhibidirês *hon enw* rhes o bethau heb fawr o drefn arnynt *rhibidirês o jôcs* (A) STRING

rhieni *hyn enw* mwy nag un **rhiant**

rhif *hwn enw* (**rhifau**) gair neu arwydd sy'n dangos nifer neu faint *Mae 1,2,3 yn rhifau.* NUMBER

rhifo *berfenw* rhoi rhif i *Mae'r seddau wedi'u rhifo o 1 i 200.* TO NUMBER

rhinoseros *hwn enw* anifail mawr trwm o Asia ac Affrica. Mae ganddo groen trwchus ac o leiaf un corn ar ei drwyn. RHINOCEROS

rhisgl *hwn a hyn enw* croen caled coeden BARK

rhiw *hon enw* (**rhiwiau**) tir sy'n codi'n uwch na'r tir o'i gwmpas HILL

rhiwbob *hwn enw* planhigyn â choesau pinc sy'n cael eu coginio gyda siwgr a'u bwyta RHUBARB

rhoden *hon enw* (**rhodenni**) darn hir, tenau, crwn o bren neu fetel ROD

rhodl *hwn neu hon enw* (**rhodlau**) polyn â llafn ar bob pen iddo ar gyfer gyrru canŵ PADDLE

rhodd *hon enw* (**rhoddion**) anrheg GIFT

rhoi *berfenw* gadael i rywun gael rhywbeth *Rhoddodd Gareth lyfr i'w chwaer ar ei phen blwydd.* TO GIVE

rholio *berfenw* troi drosodd a throsodd fel pêl *Rholiodd y bêl i lawr ochr y cae ac i mewn i'r dŵr.* TO ROLL

rholyn *hwn enw* (**rholiau**) rhywbeth gwastad wedi'i rolio i wneud tiwb ROLL

rhos *hon enw* (**rhosydd**) darn o dir sydd â llwyni ond dim coed yn tyfu arno oherwydd ei fod yn lle rhy wyntog MOOR

rhosyn *hwn enw* (**rhosynnau:rhosod**) blodyn lliwgar â choesau pigog ROSE

rhuo *berfenw* gwneud sŵn mawr dwfn fel y mae llew yn ei wneud TO ROAR

rhuthro *berfenw* symud yn gyflym, yn rhy gyflym weithiau *Rhuthrodd y plant i mewn i'r neuadd.* TO RUSH

rhwbio *berfenw* pwyso un peth yn erbyn rhywbeth arall a'i symud yn ôl ac ymlaen *Rhwbiodd ei lygaid ar ôl dihuno.* TO RUB

rhwd *hwn enw* y peth coch, garw sydd i'w weld ar haearn sydd wedi bod yn wlyb RUST

rhwng *arddodiad*
rhyngof fi	rhyngom ni
rhyngot ti	rhyngoch chi
rhyngddo ef	rhyngddynt hwy *neu*
rhyngddi hi	rhyngddyn nhw

rhwyd *hon enw* (**rhwydau:rhwydi**) defnydd a llawer o fân dyllau ynddo NET

rhwydd *ansoddair* hawdd; heb drafferth EASY

rhwyfo *berfenw* defnyddio darnau arbennig o bren (rhwyfau) i yrru cwch trwy'r dŵr TO ROW

rhwyg *hwn enw* (**rhwygiadau**) man lle y mae rhywbeth wedi rhwygo (A) TEAR

rhwygo *berfenw* tynnu rhywbeth yn ddarnau *Rhwygodd yr athro y tudalen yn ddarnau mân.* TO RIP

rhwymyn *hwn enw* (**rhwymynnau**) darn o ddefnydd sy'n cael ei glymu am glwyf BANDAGE

rhwystro *berfenw* cadw rhywun rhag gwneud rhywbeth TO HINDER

rhy *adferf* yn fwy nag sydd ei angen *Mae'n rhy boeth yn yr ystafell.* TOO

rhybudd *hwn enw* (**rhybuddion**) dweud wrth rywun fod rhywbeth yn beryglus WARNING

rhybuddio *berfenw* rhoi rhybudd *Rhybuddiodd yr athro y plant rhag chwarae yn rhy agos at ymyl yr afon.* TO WARN

rhydd *ansoddair* heb ddim byd i'ch cadw chi rhag gwneud rhywbeth neu fynd i rywle FREE

rhyddhau *berfenw* gollwng yn rhydd TO FREE

rhyfedd *ansoddair* mor anghyffredin nes gwneud ichi synnu *gwisg ryfedd y dyn dieithr* STRANGE

rhyfel *hwn enw* (**rhyfeloedd**) ymladd rhwng gwledydd WAR

rhyfela *berfenw* ymladd rhyfel

rhythm *hwn enw* (**rhythmau**) y patrwm o seiniau trwm ac ysgafn mewn cerddoriaeth neu farddoniaeth RHYTHM

rhyw[1] *hon enw* (**rhywiau**) un o'r ddau fath o bob peth byw – gwryw neu fenyw SEX

rhyw[2] *ansoddair* un *Fe awn ni i Ffrainc ryw ddydd pan gawn ni gyfle.* SOME

rhywle *adferf* yn rhyw fan neu i ryw fan SOMEWHERE

rhywsut *adferf* mewn rhyw ffordd neu'i gilydd SOMEHOW

rhywun *hwn enw* person SOMEONE

S s

sach *hon enw* (**sachau**) bag mawr wedi'i wneud o ddefnydd garw SACK

sachaid *hon enw* (**sacheidiau**) llond sach *sachaid o dato/datws*

saer *hwn enw* (**seiri**) crefftwr sy'n gwneud pethau o bren CARPENTER

saeth *hon enw* (**saethau**) darn hir, syth o bren a blaen miniog iddo, sy'n cael ei saethu o fwa ARROW

saethu *berfenw* **1** defnyddio dryll neu fwa a saeth TO SHOOT
2 lladd neu wneud niwed trwy ddefnyddio dryll *Saethodd yr heddlu y ci peryglus.* TO SHOOT
3 symud yn gyflym *Saethodd y car i ganol y dorf.* TO SHOOT
4 cicio pêl at y gôl TO SHOOT

safodd *berf* edrychwch dan **sefyll**

safon *hon enw* (**safonau**) pa mor dda yw rhywbeth *safon uchel o waith* STANDARD

saffrwm *hwn enw* blodyn bach melyn, gwyn neu las sy'n agor yn gynnar yn y gwanwyn CROCUS

sail *hon enw* (**seiliau**) y darn cadarn dan y ddaear y mae adeilad yn cael ei godi arno FOUNDATION

saim *hwn enw* rhywbeth tew, llithrig fel olew GREASE

sain *hon* (**seiniau**) *enw* unrhyw beth y mae'n bosibl ei glywed SOUND

saint *hyn enw* mwy nag un **sant**

sâl *ansoddair* yn dioddef o salwch *Rydw i'n teimlo'n sâl.* ILL

salad *hwn enw* gwahanol lysiau wedi'u cymysgu, sy'n cael eu bwyta'n oer SALAD

salm *hon enw* (**salmau**) un o emynau'r Beibl PSALM

salwch *hwn enw* rhywbeth sy'n gwneud rhywun yn sâl neu yn dost ILLNESS

sanctaidd *ansoddair* arbennig iawn oherwydd ei fod yn perthyn i Dduw HOLY

sandal *hon enw* (**sandalau**) esgid ysgafn â gwaelod a strapiau sy'n cau am eich troed SANDAL

sant *hwn enw* (**saint:seintiau**) rhywun sanctaidd *Dewi Sant* SAINT

sarhau *berfenw* brifo teimladau rhywun trwy ddweud pethau cas amdano TO INSULT

sathru *berfenw* cerdded dros rywbeth a'i wasgu i'r llawr *Cafodd y blodau eu sathru a'u sbwylio o dan draed y dorf.* TO TRAMPLE

sawdl *hwn enw* (**sodlau**) rhan gefn gwaelod eich troed HEEL

saws *hwn enw* (**sawsiau**) hylif tew sy'n cael ei arllwys dros fwyd i'w wneud yn fwy blasus SAUCE

sbageti *hwn enw* bwyd sy'n edrych (ar ôl iddo gael ei ferwi) yn debyg i ddarnau hir o gortyn SPAGHETTI

sbaner *hwn enw* (**sbaneri**) teclyn sy'n ffitio am nyten er mwyn ei throi i'w gwneud yn fwy tyn neu yn fwy llac SPANNER

sbâr *ansoddair* **1** heb ei angen, dros ben SPARE
2 heb ei ddefnyddio ond yn cael ei gadw rhag ofn y bydd ei eisiau rywbryd *olwyn sbâr car* SPARE

sbectol *hon enw* dau ddarn o wydr arbennig wedi'u gosod mewn ffrâm sy'n gorffwys ar y trwyn a'r clustiau. Mae pobl yn gwisgo sbectol er mwyn gallu gweld pethau yn well. SPECTACLES; GLASSES

sboncen *hon enw* gêm sy'n cael ei chwarae dan do â racedi a phelen fach rwber SQUASH

sboncio *berfenw* neidio neu dasgu yn ôl ar ôl taro rhywbeth caled, neu symud mewn ffordd debyg *Sbonciodd y broga i mewn i'r llyn.* TO BOUNCE; TO SPRING

sbort *hwn* *enw* hwyl a sbri FUN

sbri *hwn* *enw* hwyl (swnllyd fel arfer) FUN

sbwng:ysbwng *hwn* *enw* (**sbyngau**) peth trwchus, meddal a llawer o dyllau ynddo. Mae sbwng yn dda am gadw dŵr ac yn cael ei ddefnyddio i ymolchi. SPONGE

sbwriel:ysbwriel *hwn* *enw* deunydd nad oes ar neb ei eisiau RUBBISH

sbyngau *hyn* *enw* mwy nag un **sbwng**

sebon *hwn* *enw* (**sebonau**) peth sy'n cael ei ddefnyddio gyda dŵr i olchi pethau SOAP

sebra *hwn* *enw* (**sebraod**) anifail o Affrica tebyg i geffyl a stribedi du a gwyn drosto ZEBRA

sedd *hon* *enw* (**seddau:seddi**) cadair, stôl, rhywbeth i eistedd ynddo SEAT

sefyll *berfenw* bod ar eich traed heb symud *Safodd pawb ar eu traed pan ddaeth y prifathro i'r dosbarth.* TO STAND

sefyllfa *hon* *enw* (**sefyllfaoedd**) y pethau sy'n digwydd i chi *Mae'r ffaith fod cyngerdd yr ysgol a'r gêm bêl-droed yr un noson wedi fy ngosod mewn sefyllfa anodd.* SITUATION

sengl *ansoddair* heb briodi *person sengl* SINGLE

seiclo *berfenw* gyrru beic (â'ch traed); beicio TO CYCLE

seiliau *hyn* *enw* mwy nag un **sail**

seimlyd:seimllyd *ansoddair* a saim drosto GREASY

seindorf *hon* *enw* grŵp o bobl yn chwarae offerynnau chwyth BAND

seiniau *hyn* *enw* mwy nag un **sain**

seinio *berfenw* gwneud seiniau

seintiau *hyn* *enw* mwy nag un **sant**

seiri *hyn* *enw* mwy nag un **saer**

seld *hon* *enw* (**seldau**) dodrefnyn i ddal llestri; dresel DRESSER

seler *hon* *enw* (**selerau**) ystafell o dan adeilad, ar gyfer storio pethau fel arfer CELLAR

selog *ansoddair* brwdfrydig iawn ZEALOUS

selsigen *hon* *enw* (**selsig**) tiwb o groen tenau wedi'i lenwi â darnau mân o gig a briwsion bara SAUSAGE

senedd *hon* *enw* (**seneddau**) grŵp o bobl sy'n gwneud cyfreithiau gwlad PARLIAMENT

sensitif *ansoddair* hawdd ei brifo SENSITIVE

a
b
c
ch
d
dd
e
f
ff
g
ng
h
i
j
k
l
ll
m
n
o
p
ph
r
rh
s
t
th
u
w
y

135

sêr *hyn enw* mwy nag un **seren**

serchog:serchus *ansoddair* yn dymuno bod yn gyfaill i chi
AFFECTIONATE

seremoni *hon enw* (**seremonïau**) cyfarfod pwysig lle mae rhywbeth yn cael ei wneud o flaen pobl eraill
CEREMONY

seren *hon enw* (**sêr**) **1** un o'r goleuadau bach, disglair yr ydych yn eu gweld yn yr awyr yn y nos
STAR
2 canwr neu actor enwog iawn STAR

sero *hwn enw* y rhif 0 ZERO

serth *ansoddair* yn codi'n sydyn fel ochr mynydd *rhiw serth* STEEP

set *hon* (**setiau**) grŵp o bethau sy'n perthyn i'w gilydd *set o gardiau* SET

sêt *hon enw* (**seti**) cadair, stôl, rhywbeth i eistedd arno SEAT

sffêr *hon enw* (**sfferau**) siâp pêl
SPHERE

sgaffaldau:ysgaffaldau *hyn enw* ystyllod wedi'u gosod yn sownd wrth bolion o gwmpas adeilad. Mae gweithwyr yn gallu sefyll ar yr ystyllod wrth weithio ar yr adeilad.
SCAFFOLDING

sgarff *hon enw* (**sgarffiau**) darn o ddefnydd i'w wisgo am y gwddf a'r pen SCARF

sgerbwd:ysgerbwd *hwn enw* (**sgerbydau:ysgerbydau**) y ffrâm o esgyrn sy'n dal cnawd y corff
SKELETON

sgert *hon enw* (**sgertiau**) dilledyn i ferch neu wraig, sy'n cael ei wisgo o'r canol i lawr SKIRT

sgio *berfenw* llithro dros eira (neu ddŵr) ar bâr o lafnau arbennig (sgis) TO SKI

sgipio *berfenw* neidio'n ysgafn o un droed i'r llall TO SKIP

sglefrio:ysglefrio *berfenw* llithro yn llyfn ar draws iâ gan wisgo esgidiau a llafnau arbennig ar eu gwaelod
TO SKATE

sgleinio *berfenw* gwneud i rywbeth ddisgleirio *Sgleiniodd ei esgidiau yn ofalus cyn mynd i'r cyngerdd.*
TO SHINE; TO POLISH

sglodyn:ysglodyn *hwn enw* (**sglodion:ysglodion**)
1 darn hir, tenau o daten wedi'i goginio mewn saim CHIP
2 darn bach electronig o fewn cyfrifiadur CHIP

sgôr *hwn enw* nifer y pwyntiau neu'r goliau sydd gan bob ochr mewn gêm SCORE

sgorio *berfenw* llwyddo i ennill pwynt neu gôl mewn gêm *Sgoriodd Dai goliau ym mhob un o'r pedair gêm ddiwethaf.* TO SCORE

sgorpion *hwn enw* math o gorryn â gwenwyn yn ei gynffon
SCORPION

sgrech:ysgrech *hon enw*
(**sgrechiadau**) gweiddi uchel yn
dangos ofn neu boen SCREAM

sgrechian *berfenw* gweiddi
sgrechiadau TO SCREAM

sgrin *hon enw* (**sgriniau**) **1** rhan wydr
teledu neu gyfrifiadur lle y mae'r
lluniau neu eiriau yn cael eu
dangos SCREEN
2 sgwâr mawr o ddefnydd sy'n cael
ei ddefnyddio i ddangos lluniau
ffilm SCREEN

sgriw *hon enw* (**sgriwiau**) math
arbennig o hoelen sydd yn cael ei
throi a'i throi i mewn i dwll, er
mwyn cydio dau ddarn o rywbeth
yn dynn wrth ei gilydd SCREW

sgriwio *berfenw* troi a thynhau dau
beth yn dynn wrth ei gilydd
TO SCREW

sgrwbio *berfenw* rhwbio rhywbeth yn
galed iawn â brws a dŵr *Sgrwbiodd
Megan ei sgidiau pêl-droed ar ôl bod
yn chwarae ar gae gwlyb llawn mwd.*
TO SCRUB

sguthan:ysguthan *hon enw*
(**sguthanod:ysguthanod**) colomen
wyllt WOOD PIGEON

sgwâr:ysgwâr *hwn neu hon enw*
(**sgwariau**) siâp gwastad â phedair
ochr syth, i gyd o'r un hyd SQUARE

sgwrs *hon enw* (**sgyrsiau**) siarad â
rhywun CONVERSATION

sgwrsio *berfenw* cynnal sgwrs
TO CONVERSE

sgwter *hwn enw* (**sgwteri**) **1** tegan dwy
olwyn. Yr ydych yn sefyll arno ag
un droed ac yn gwthio'r llawr
gyda'r llall er mwyn symud
ymlaen. SCOOTER
2 math o feic modur bach SCOOTER

sgyrsiau *hyn enw* mwy nag un **sgwrs**

si *hwn enw* (**sïon**) **1** sŵn isel tebyg i
sŵn gwenyn BUZZ; HUM
2 stori y mae llawer o bobl yn ei
hadrodd, er nad oes neb yn sicr a
yw'n wir neu beidio RUMOUR

siaced *hon enw* (**siacedi**) math o got
fer JACKET

siafio *berfenw* crafu blew oddi ar groen
i'w wneud yn llyfn; eillio
TO SHAVE

sialc *hwn enw* (**sialciau**) darn meddal
o galch ar gyfer ysgrifennu ar
fwrdd du CHALK

siampŵ *hwn enw* (**siampŵau**) sebon
golchi gwallt ar ffurf hylif SHAMPOO

sianel *hon enw* (**sianeli:sianelau**)
1 gwely afon, neu fath o gafn y
mae dŵr yn llifo drwyddo CHANNEL
2 enw ar orsaf deledu CHANNEL

a
b
c
ch
d
dd
e
f
ff
g
ng
h
i
j
k
l
ll
m
n
o
p
ph
r
rh
s
t
th
u
w
y

137

siani flewog *hon enw* lindysyn bach, blewog WOOLLY BEAR

siâp *hwn enw* (**siapiau**) y llun sy'n cael ei ffurfio wrth dynnu llinell o gwmpas rhywbeth *Siâp crwn sydd i bêl.* SHAPE

siâr *hon enw* (**siariau**) darn o rywbeth sydd wedi cael ei rannu rhwng nifer SHARE

siarad *berfenw* dweud rhywbeth TO SPEAK

siaradus *ansoddair* yn hoff o siarad TALKATIVE

siarc *hwn* (**siarcod**) *enw* pysgodyn mawr, â dannedd mawr, sydd yn byw yn y môr SHARK

siarp *ansoddair* ag ymyl sy'n gallu torri pethau'n rhwydd, neu â blaen sy'n gallu gwneud tyllau; miniog SHARP

sibrwd *berfenw* siarad yn ddistaw iawn; sisial *Sibrydodd y neges yng nghlust ei ffrind.* TO WHISPER

sicr:siŵr *ansoddair* yn gwybod bod rhywbeth yn gywir neu yn iawn SURE

sidan *hwn enw* (**sidanau**) defnydd llyfn, moethus wedi'i wau o edafedd lindys arbennig – y pryf sidan SILK

siec *hon enw* (**sieciau**) math o ffurflen banc yr ydych yn gallu ei harwyddo a'i defnyddio yn lle arian i dalu am bethau CHEQUE

siffrwd *berfenw* gwneud sŵn tebyg i ddail sych yn rhwbio yn ei gilydd TO RUSTLE

sigâr *hon enw* (**sigarau**) dail tybaco wedi'u rholio ynghyd ar gyfer smygu CIGAR

sigarét *hon enw* (**sigarennau**) tiwb cul o bapur yn llawn tybaco ar gyfer smygu CIGARETTE

siglo *berfenw* **1** symud yn gyflym i fyny ac i lawr neu o'r naill ochr i'r llall TO SHAKE **2** symud yn araf yn ôl ac ymlaen *mam yn siglo'r crud* TO ROCK

silff *hon enw* (**silffoedd**) darn hir, cul, gwastad o bren ar gyfer dal pethau; mae'n pwyso yn erbyn wal fel arfer *silff lyfrau* SHELF

silindr *hwn enw* (**silindrau**) siâp tiwb CYLINDER

sillafu *berfenw* ysgrifennu gair yn gywir *Sillafodd Emrys 'syllafi' yn lle 'sillafu'.* TO SPELL

simdde:simnai *hon enw* (**simneiau**) piben hir y tu mewn i wal tŷ sy'n mynd â'r mwg o'r tân CHIMNEY

sinema *hon enw* (**sinemâu**) man lle y mae pobl yn mynd i edrych ar ffilmiau CINEMA

sinsir *hwn enw* powdr sy'n rhoi blas cryf a phoeth i fwyd GINGER

sioc *hon enw* (**siociau**) cael eich synnu'n fawr gan rywbeth cas SHOCK

siocled *hwn enw* (**siocledi**) bwyd melys wedi'i wneud o goco a siwgr CHOCOLATE

sioe *hon enw* (**sioeau**) **1** dawnsio, canu ac actio sy'n cael eu perfformio i ddifyrru pobl SHOW

138

2 math arbennig o arddangosfa *sioe flodau* SHOW

siôl *hon* *enw* (**siolau**) darn o ddefnydd sy'n cael ei wisgo am ysgwyddau gwraig, neu sy'n cael ei lapio am fabi SHAWL

siom *hon* *enw* y tristwch sy'n dod o beidio cael neu beidio gwneud yr hyn yr oeddech yn gobeithio amdano DISAPPOINTMENT

siomi *berfenw* rhoi siom i rywun TO DISAPPOINT

sionc *ansoddair* yn gallu symud yn gyflym yn rhwydd NIMBLE

Siôn Corn SANTA CLAUS

sioncyn y gwair *hwn* *enw* trychfilyn sy'n gallu neidio yn bell ac sy'n 'canu' trwy rwbio darnau o'i gorff yn erbyn ei gilydd GRASSHOPPER

siop *hon* *enw* (**siopau**) man y mae pobl yn mynd iddo i brynu pethau A SHOP

siopa *berfenw* mynd i siop a phrynu rhywbeth TO SHOP

sip *hwn* *enw* (**sipiau**) dyfais arbennig sy'n clymu ymylon defnydd at ei gilydd A ZIP

sipio *berfenw* defnyddio sip i gau rhywbeth TO ZIP

sipsi *hwn neu hon* *enw* (**sipsiwn**) un o grŵp o bobl â gwallt du nad ydynt yn byw mewn tai ond sy'n teithio o le i le mewn carafannau GIPSY

sir *hon* *enw* (**siroedd**) un o raniadau mawr Prydain a Gogledd Iwerddon sydd â chyngor sir COUNTY

siriol *ansoddair* yn edrych neu yn siarad yn llawen CHEERFUL

sisial *berfenw* siarad neu wneud sŵn yn ddistaw iawn; sibrwd *Sisialai'r awel fwyn.* TO WHISPER

si-so *hwn neu hon* *enw* ystyllen sy'n cael ei chynnal yn ei chanol fel y gall rhywun eistedd bob pen iddi a mynd i fyny ac i lawr SEE-SAW

siswrn *hwn* *enw* (**sisyrnau**) erfyn torri pethau â dau lafn miniog wedi'u cysylltu yn y canol SCISSORS

siwgr *hwn* *enw* bwyd melys sy'n cael ei ddefnyddio i wneud diodydd neu fwydydd eraill yn fwy melys SUGAR

siwr:siŵr *ansoddair* yn gwybod bod rhywbeth yn gywir *Wyt ti'n siŵr ei fod e'n dod 'fory?* SURE

siwt *hon* (**siwtiau**) *enw* cot a thrywsus wedi'u gwneud i'w gwisgo gyda'i gilydd SUIT

slab *hwn* *enw* (**slabiau**) darn gwastad, tew SLAB

sled *hwn* *enw* (**slediau**) cerbyd wedi'i wneud i lithro dros eira SLED; SLEIGH

a
b
c
ch
d
dd
e
f
ff
g
ng
h
i
j
k
l
ll
m
n
o
p
ph
r
rh
s
t
th
u
w
y

slefren fôr *hon enw* un o greaduriaid y môr; mae ganddi gorff fel darn o jeli JELLYFISH

sleifio *berfenw* symud mewn ffordd dawel a dirgel fel pe baech chi'n ofnus neu am guddio TO SLINK

sleisen *hon enw* (**sleisys**) darn tenau wedi'i dorri oddi ar ddarn mwy SLICE

slic *ansoddair* yn llyfn a llithrig ac yn anodd cael gafael arno neu sefyll arno SLIPPERY

smala:ysmala *ansoddair* doniol COMICAL

sment *hwn enw* clai a chalch wedi'u cymysgu sy'n cael eu defnyddio i lynu pethau ynghyd wrth adeiladu CEMENT

smotyn:ysmotyn *hwn enw* (**smotiau**) cylch bach SPOT

smwddio:ysmwddio *berfenw* gwasgu dillad yn llyfn ac yn wastad â haearn poeth TO IRON

smyglo *berfenw* dod â nwyddau i mewn i wlad mewn ffordd ddirgel, heb dalu treth i'r Llywodraeth TO SMUGGLE

smygu:ysmygu *berfenw* sugno mwg tybaco o sigarét neu bibell drwy'r geg ac yna'i chwythu allan TO SMOKE

snwcer *hwn enw* gêm sy'n cael ei chwarae ar fwrdd hir gyda ffon arbennig a dau ddeg a dwy o beli bach lliw SNOOKER

soced *hwn enw* (**socedau**) y darn y mae bwlb neu blwg trydan yn cael ei roi yn dynn ynddo SOCKET

sodlau *hyn enw* mwy nag un **sawdl**

solet:solid *ansoddair* heb fod yn nwy nac yn ddŵr na hylif arall *tir solet* SOLID

sôn *berfenw* dweud, siarad *A soniodd Megan am ei gwyliau o gwbl?* TO MENTION

sosban *hon enw* (**sosbannau: sosbenni**) llestr metel, â choes i gydio ynddo a chlawr, sy'n cael ei ddefnyddio i goginio bwyd ar ben stof SAUCEPAN

soser *hon enw* (**soseri**) llestr crwn i ddal cwpan SAUCER

stabl:ystabl *hon enw* (**stablau**) adeilad i gadw ceffylau ynddo STABLE

stadiwm *hon enw* lle mawr i bobl gael gwylio chwaraeon STADIUM

staer *hon enw* (**staerau**) grisiau o fewn adeilad STAIR

stamp *hwn enw* (**stampiau**) darn bach o bapur a llun arno. Mae pobl yn gludio stampiau ar lythyr neu barsel i ddangos eu bod wedi talu am gael ei bostio. STAMP

sticil:sticill *hon enw* math o ysgol fach i helpu pobl i ddringo dros ben clawdd; camfa STILE

stiwdio *hon enw* man lle y mae rhaglenni radio neu deledu neu ffilmiau'n cael eu creu STUDIO

stof *hon enw* (**stofau**) dyfais i goginio bwyd neu i gynhesu ystafell STOVE

stôl *hon enw* (**stolion**) cadair STOOL; CHAIR

stondin *hwn neu hon enw* (**stondinau**) math o siop fach neu fwrdd yn yr awyr agored lle y mae pethau'n cael eu gwerthu STALL

stori:ystori *hon enw* (**storïau:straeon**) hanes rhywbeth sydd wedi digwydd (yn wir, neu yn ôl dychymyg yr awdur) STORY

storm:ystorm *hon enw* (**stormydd**) gwynt cryf iawn gydag eira neu law STORM

straeon *hyn enw* mwy nag un **stori**

strancio *berfenw* cicio a bwrw a llefain *babi bach yn strancio* TO STRUGGLE

strapen *hon enw* (**strapiau**) darn hir, cul o ddefnydd cryf (fel lledr) i ddal pethau'n dynn STRAP

streicio *berfenw* gwrthod gweithio nes bod y bobl sy'n edrych ar ôl y gwaith yn gwneud pethau'n well TO STRIKE

stribed *hwn enw* (**stribedi**) darn hir, cul STRIP

stryd *hon enw* (**strydoedd**) heol â thai bob ochr iddi STREET

stumog:ystumog *hon enw* (**stumogau**) y rhan honno yng nghanol eich corff lle y mae bwyd yn mynd ar ôl ichi ei fwyta; bol, bola STOMACH

stwffio *berfenw* gwthio rhywbeth i mewn i rywbeth arall *Stwffiodd y menig i'w boced.* TO STUFF

stŵr *hwn enw* sŵn mawr, uchel RUMPUS

sudd *hwn enw* yr hylif o fewn ffrwythau a llysiau JUICE

suddo *berfenw* mynd o dan y dŵr *Suddodd y llong yn y storm.* TO SINK

sugno *berfenw* **1** tynnu diod neu aer i'ch ceg TO SUCK
2 bwyta rhywbeth trwy ei gadw yn eich ceg heb ei gnoi TO SUCK

sur *ansoddair* **1** â blas fel lemwn neu finegr SOUR
2 heb fod yn ffres *llaeth sur* SOUR

sut *rhagenw* ym mha ffordd HOW

sw *hwn enw* (**swâu**) man lle y mae gwahanol fathau o anifeiliaid gwyllt yn cael eu cadw, fel y gall pobl fynd i'w gweld nhw ZOO

swil *ansoddair* yn ofni cyfarfod pobl SHY

swildod *hwn enw* bod yn swil SHYNESS

swits *hwn enw* (**switsys**) unrhyw beth sy'n cael ei wasgu neu ei droi er mwyn cael rhywbeth i weithio neu i ddiffodd rhywbeth *swits golau* SWITCH

swllt *hwn enw* (**sylltau**) darn o hen arian a oedd yn arfer bod yn werth pum ceiniog SHILLING

sŵn *hwn enw* (**synau**) sain sydd fel arfer yn uchel ac yn gas NOISE

swnllyd *ansoddair* yn gwneud llawer o sŵn NOISY

a
b
c
ch
d
dd
e
f
ff
g
ng
h
i
j
k
l
ll
m
n
o
p
ph
r
rh
s
t
th
u
w
y

swper *hwn neu hon enw* (**swperau**) pryd o fwyd sy'n cael ei fwyta gyda'r nos SUPPER

swyddfa *hon enw* (**swyddfeydd**) ystafell â desgiau a theleffonau lle mae pobl yn gweithio OFFICE

swyddfa bost *hon enw* (**swyddfeydd post**) math o siop sy'n gwerthu stampiau ac yn delio â'r post; llythyrdy POST OFFICE

swyddog *hwn enw* (**swyddogion**) person mewn gwaith neu yn y lluoedd arfog sy'n gyfrifol am bobl eraill OFFICER

swyn *hwn enw* (**swynion**) geiriau hud a lledrith sy'n gwneud i rywbeth ddigwydd SPELL

swyno *berfenw* dal mewn swyn TO ENCHANT

sych *ansoddair* heb fod yn wlyb DRY

syched *hwn enw* y teimlad o fod eisiau rhywbeth i'w yfed THIRST

sychu *berfenw* cael gwared â gwlybaniaeth TO DRY

sydyn *ansoddair* cyflym iawn SUDDEN

sylfaen *hwn neu hon enw* (**sylfeini**) y rhan drwchus o dan y ddaear y mae adeilad yn cael ei godi arni FOUNDATION

sylw *hwn enw* (**sylwadau**) yr hyn yr ydych chi'n ei ddweud neu'n ei ysgrifennu am rywbeth yr ydych chi wedi'i weld COMMENT

sylweddoli *berfenw* dod i ddeall TO REALIZE

sylwi *berfenw* edrych ar rywbeth yn ofalus TO OBSERVE

sylltau *hyn enw* mwy nag un **swllt**

sym *hon enw* (**symiau**) problem gyfrif (adio, tynnu, rhannu neu luosi) *Mae 2 × 2 + 4 yn sym.* SUM

syml *ansoddair* rhwydd iawn SIMPLE

symud *berfenw* mynd o un lle i le arall TO MOVE

syniad *hwn enw* (**syniadau**) rhywbeth yr ydych chi wedi meddwl amdano eich hunan IDEA

synnu *berfenw* cael rhywbeth yn anodd ei gredu oherwydd ei fod mor anarferol TO SURPRISE

synnwyr *hwn enw* (**synhwyrau**) y gallu i weld, clywed, blasu, arogli neu deimlo rhywbeth SENSE

syr *hwn enw* **1** gair o barch at ŵr pan na fyddwch yn defnyddio ei enw SIR **2** teitl marchog *Syr T.H. Parry-Williams* SIR

syrcas *hon enw* (**syrcasau**) sioe fawr sy'n cael ei chynnal mewn pabell gydag anifeiliaid ac acrobatiaid a chlowniau CIRCUS

syrthio *berfenw* cwympo TO FALL

syth *ansoddair* fel linell wedi'i thynnu â riwl STRAIGHT

T t

tabl *hwn enw* (**tablau**) rhestr o ffigurau neu ffeithiau wedi'u gosod mewn trefn TABLE

tabled *hon enw* (**tabledi**) darn bach caled o foddion TABLET

tacio *berfenw* gwnïo dau ddarn o ddefnydd ynghyd yn gyflym â phwythau bras TO TACK

taclo *berfenw* ceisio mynd â'r bêl oddi ar rywun mewn gêm o bêl-droed, neu geisio rhwystro rhywun rhag rhedeg gyda'r bêl mewn gêm o rygbi TO TACKLE

taclus *ansoddair* trefnus; heb fod yn anniben TIDY

tacluso *berfenw* gwneud yn daclus TO TIDY

tacsi *hwn enw* car yr ydych chi'n cael teithio ynddo os talwch y gyrrwr TAXI

tad *hwn enw* (**tadau**) rhiant sy'n ddyn FATHER

tad-cu *hwn enw* tad eich tad neu eich mam; taid GRANDFATHER

taenu *berfenw* lledu rhywbeth ar ben peth arall *taenu menyn ar fara* TO SPREAD

tafell *hon enw* (**tafellau**) darn gwastad, tenau fel arfer, o fara neu gig neu gaws ac ati SLICE

taflu *berfenw* gwneud i rywbeth symud drwy'r awyr *Pwy daflodd y garreg at y ffenestr?* TO THROW

tafod *hwn enw* (**tafodau**) y darn hir, pinc sy'n symud yn eich ceg TONGUE

tagell *hon enw* (**tagellau**) un o'r ddwy ran hynny o gorff pysgodyn y mae'n anadlu drwyddynt GILL

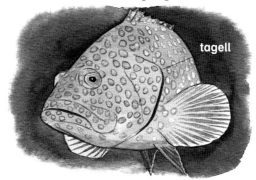

tagell

tai *hyn enw* mwy nag un **tŷ**

taid *hwn enw* (**teidiau**) tad eich tad neu eich mam; tad-cu GRANDFATHER

tair *rhifol* 3 *tair merch* THREE

taith *hon enw* (**teithiau**) y symud sydd raid ei wneud i gyrraedd o un man i rywle arall JOURNEY

tal *ansoddair* yn mesur yn fwy na'r cyffredin o'i ben i'w waelod TALL

tâl *hwn enw* (**taliadau**) y swm o arian yr ydych yn ei dalu PAYMENT

talaith *hon enw* (**taleithiau**) gwlad neu ran fawr o wlad *Unol Daleithiau America* STATE

talcen *hwn enw* (**talcennau**) y rhan honno o'ch wyneb uwchben y llygaid FOREHEAD

taleithiau *hyn enw* mwy nag un dalaith (**talaith**)

talent *hon enw* (**talentau**) y gallu i wneud rhywbeth yn dda iawn TALENT

talentog *ansoddair* â llawer o dalent TALENTED

143

talfyriad *hwn enw* (**talfyriadau**) ffordd o ysgrifennu gair neu grŵp o eiriau yn fyr. Mae *t.7* yn dalfyriad o *tudalen 7*. ABBREVIATION

talfyrru *berfenw* llunio talfyriad
TO ABBREVIATE

talp *hwn enw* (**talpiau**) darn o rywbeth heb siâp clir; lwmpyn LUMP

talu *berfenw* rhoi arian (i rywun) am rywbeth TO PAY

tamaid *hwn enw* (**tameidiau**) darn bach o rywbeth mwy BIT

tan *arddodiad*

tanaf fi	tanom ni
tanat ti	tanoch chi
tano ef	tanynt hwy *neu*
tani hi	tanyn nhw

tân *hwn enw* (**tanau**) fflamau a gwres o rywbeth sy'n llosgi FIRE

tanc *hwn enw* (**tanciau**) **1** math o focs mawr i ddal dŵr neu hylif arall *tanc pysgod; tanc dŵr poeth* TANK **2** cerbyd rhyfel cryf iawn sydd ag un dryll mawr ar ei ben ac sy'n symud ar strapiau o ddur TANK

tancer *hwn enw* (**tanceri**) llong neu lorri sydd wedi cael ei gwneud i gario hylif neu nwy TANKER

tanio *berfenw* saethu *tanio gwn*
TO FIRE

tannau *hyn enw* mwy nag un **tant**

tanodd *adferf* oddi tano BELOW

tant *hwn enw* (**tannau**) un o linynnau offeryn cerdd fel telyn neu ffidl
STRING

tanwydd *hwn enw* (**tanwyddau**) unrhyw beth sy'n cael ei losgi er mwyn cynhyrchu gwres *Mae glo yn danwydd.* FUEL

tâp *hwn enw* (**tapiau**) darn hir, cul o blastig arbennig sy'n cael ei ddefnyddio i recordio pethau arno *tâp casét, tâp fideo* TAPE

tapio *berfenw* recordio ar dâp TO TAPE

tar *hwn enw* hylif du, tew, gludiog sy'n cael ei ddefnyddio i wneud heolydd
TAR

taran *hon enw* (**taranau**) y sŵn mawr sy'n dilyn mellten mewn storm
THUNDER

taranu *berfenw* gwneud sŵn fel taran
TO THUNDER

targed *hwn enw* (**targedau**) rhywbeth y mae pobl yn anelu ato ac yn ceisio'i daro neu ei gyrraedd
TARGET

tarian *hon enw* (**tarianau**) darn mawr o fetel, pren neu blastig sy'n gallu cael ei ddal o flaen rhywun i'w amddiffyn SHIELD

taro *berfenw* bwrw, rhoi ergyd *Trawodd ei ben yn erbyn y drws.*
TO STRIKE

tarten *hon enw* (**tartennau**) toes wedi'i goginio a jam neu ffrwythau ynddo
TART

tarth *hwn enw* aer llaith mae'n anodd gweld trwyddo; niwl MIST

tarw *hwn* *enw* (**teirw**) tad llo BULL

tasgu *berfenw* gwneud i ddafnau o ddŵr neidio, fel pan fyddwch yn taflu rhywbeth i mewn i bwll o ddŵr TO SPLASH

taten *hon* *enw* (**tatws, tato, tatw**) llysieuyn sy'n cael ei balu o'r ddaear, ei goginio a'i fwyta *taten bob* POTATO

tawel *ansoddair* **1** heb sŵn *Mae'r nos yn dawel.* QUIET
2 isel *llais tawel* QUIET

tawelu *berfenw* mynd yn dawel neu wneud yn dawel TO QUIETEN

te *hwn* *enw* **1** diod boeth yn cynnwys dŵr berwedig a dail sych y llwyn te TEA
2 pryd o fwyd sy'n cael ei fwyta yn y prynhawn TEA

tebot *hwn* *enw* (**tebotau**) llestr neu bot arbennig i ddal te TEAPOT

tebyg *ansoddair* bron yr un fath â rhywun neu rywbeth arall LIKE; SIMILAR

tecach *ansoddair* mwy **teg** *Byddai'n decach pe baech chi'n trin pawb yr un peth.*

tecell:tegell *hwn* *enw* (**tecellau:tegellau**) cynhwysydd i ferwi dŵr ynddo. Mae ganddo big, caead a dolen i gydio ynddi. KETTLE

teclyn *hwn* *enw* (**taclau**) unrhyw ddyfais (fach fel arfer) sy'n gymorth i chi wneud rhywbeth; erfyn TOOL

teg *ansoddair* **1** yn dilyn y rheolau, yn onest FAIR
2 (am y tywydd) braf a chynnes FAIR (*Edrychwch hefyd dan* **tecach**)

tegan *hwn* *enw* (**teganau**) rhywbeth i chwarae ag ef TOY

tegell *edrychwch dan* **tecell:tegell**

tei *hwn neu hon* *enw* darn hir o ddefnydd sy'n cael ei wisgo gyda chrys ac yn cael ei glymu am y gwddf fel bod ei ddau ben yn hongian tu blaen i'r crys TIE

teiar *hwn* *enw* (**teiars**) cylch o rwber o amgylch ymyl olwyn TYRE

teidiau *hyn* *enw* mwy nag un **taid**

teigr *hwn* *enw* (**teigrod**) cath fawr, wyllt â chot o stribedi melyn a du TIGER

teilsen *hon* *enw* (**teils**) un o'r darnau tenau, caled (fel arfer) sy'n cael ei ddefnyddio i orchuddio llawr, wal neu do TILE

teimlad *hwn* *enw* (**teimladau**)
1 rhywbeth yr ydych chi'n ei brofi oddi mewn i chi, fel cariad neu ofn FEELING
2 yr hyn yr ydych chi'n ei brofi wrth gyffwrdd â rhywbeth FEELING

teimlo *berfenw* **1** cyffwrdd â rhywbeth â'ch bysedd *Teimlodd y dillad i weld a oeddynt wedi sychu.* TO FEEL
2 gwybod rhywbeth y tu mewn i chi *teimlo'n swil* TO FEEL

teipio *berfenw* defnyddio peiriant arbennig (teipiadur neu gyfrifiadur) i ysgrifennu rhywbeth TO TYPE

teirw *hyn* *enw* mwy nag un **tarw**

a
b
c
ch
d
dd
e
f
ff
g
ng
h
i
j
k
l
ll
m
n
o
p
ph
r
rh
s
t
th
u
w
y

145

teisen *hon enw* (**teisennau**) bwyd wedi'i wneud o flawd, menyn, wyau a siwgr CAKE

teitl *hwn enw* (**teitlau**) yr enw sy'n cael ei roi ar lyfr, darn o fiwsig, ffilm, neu fath arbennig o berson *Mae 'Y Ffordd Beryglus', 'Yma o Hyd' ac 'Yr Arglwydd---' i gyd yn deitlau.* TITLE

teithiau *hyn enw* mwy nag un daith (**taith**)

teledu *hwn enw* dyfais sy'n codi rhaglenni sy'n cael eu darlledu, ac yn eu newid yn lluniau a sain y mae pobl yn gallu eu gwylio ar sgrin arbennig TELEVISION

teleffon:teliffon *hwn enw* (**teleffonau:teliffonau**) dyfais sy'n gallu danfon sain ar hyd weiren drydan, fel y gallwch siarad â rhywun sy'n bell i ffwrdd; ffôn TELEPHONE

telesgop *hwn enw* (**telesgopau**) tiwb â gwydr arbennig ar bob pen er mwyn gallu gweld pethau pell yn agos TELESCOPE

telyn *hon enw* (**telynau**) offeryn cerdd ar ffurf triongl mawr â thannau wedi'u tynnu'n dynn drosto. Yr ydych chi'n defnyddio'ch bysedd i ganu'r delyn. HARP

teml *hon enw* (**temlau**) adeilad lle y mae pobl yn addoli TEMPLE

tenau *ansoddair* heb fod yn dew nac yn drwchus THIN (*Edrychwch hefyd dan* **teneuach**)

tendio *berfenw* gofalu am TO TEND

teneuach *ansoddair* yn fwy **tenau** *Mae'r llyfr hwn yn deneuach na hwnna.*

tennis *hwn enw* gêm i ddau neu bedwar o chwaraewyr yn defnyddio racedi a phêl ar gwrt sydd â rhwyd ar ei draws TENNIS

terfynell *hon enw* (**terfynellau**) dyfais debyg i deledu sy'n rhan o gyfrifiadur TERMINAL

testun *hwn enw* (**testunau**) y person neu'r peth yr ydych yn ysgrifennu neu yn dysgu amdano SUBJECT

teulu *hwn enw* (**teuluoedd**) rhieni, eu plant a pherthnasau eraill FAMILY

tew *ansoddair* â chorff trwchus, crwn FAT

teyrnas *hon enw* (**teyrnasoedd**) gwlad â brenin neu frenhines yn bennaeth arni KINGDOM

teyrnasu *berfenw* gwaith brenin neu frenhines yn rheoli teyrnas TO REIGN

ti:di *rhagenw* y person yr wyf i'n siarad ag ef YOU

ticed *hwn enw* (**ticedi**) darn o bapur neu gerdyn yr ydych yn ei brynu er mwyn cael mynd ar fws neu drên neu i gael mynd i mewn i gyngerdd neu'r sinema; tocyn TICKET

tîm *hwn enw* (**timau**) grŵp o bobl sydd yn gweithio gyda'i gilydd neu sydd yn chwarae ar yr un ochr mewn gêm TEAM

tinsel *hwn enw* edafedd disglair sy'n cael ei ddefnyddio i addurno pethau (adeg y Nadolig fel arfer) TINSEL

tip *hwn enw* (**tipiau**) mynydd o sbwriel neu o lo TIP

tipian *berfenw* gwneud sŵn fel 'tic-toc' cloc TO TICK

tipyn *hwn enw* ychydig; tamaid A LITTLE

tir *hwn enw* (**tiroedd**) pob darn sych ar wyneb y Ddaear LAND

tirion *ansoddair* mwyn a heb fod yn falch GENTLE

tisian *berfenw* gwneud sŵn mawr wrth i'ch anadl ruthro allan o'ch trwyn; twsian TO SNEEZE

tiwb *hwn enw* (**tiwbiau**) piben gron, wag o fetel, gwydr, rwber ac ati TUBE

tlawd *ansoddair* ag ychydig iawn o arian POOR

tlotach *ansoddair* mwy **tlawd**

tlws¹ *hwn enw* (**tlysau**) carreg werthfawr a hardd, fel arfer wedi'i gosod mewn aur neu arian GEM

tlws² *ansoddair* pert PRETTY

to *hwn* (**toeau**) y tu allan i dop adeilad ROOF

tocio *berfenw* torri i ffwrdd ddarnau nad oes eu hangen TO TRIM

tocyn *hwn enw* (**tocynnau**) darn o bapur neu gerdyn yr ydych yn ei brynu er mwyn cael mynd ar fws neu drên neu i gael mynd i mewn i gyngerdd neu'r sinema; ticed TICKET

toddi *berfenw* newid yn hylif wrth gael ei gynhesu TO MELT

toes *hwn enw* dŵr a blawd a phethau eraill sy'n cael eu cymysgu i wneud bara a tharten DOUGH

tolc *hwn enw* (**tolciau**) man lle mae rhywbeth wedi cael ei daro i mewn *tolc yn ochr y car* DENT

tolcio *berfenw* rhoi neu gael tolc yn rhywbeth TO DENT

tomato *hwn enw* (**tomatos**) ffrwyth coch, crwn sy'n gallu cael ei fwyta heb ei goginio TOMATO

ton *hon enw* (**tonnau**) un o'r llinellau o ddŵr yr ydych chi'n gallu eu gweld yn symud ar wyneb y môr WAVE

tôn *hon enw* (**tonau**) cyfres o nodau cerddorol sy'n gwneud alaw TUNE

tonsil *hwn enw* (**tonsiliau**) un o ddau ddarn bach o gnawd sy'n tyfu yng nghefn y gwddf TONSIL

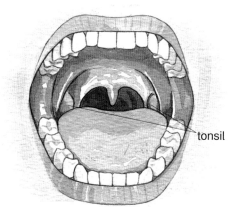

tonsil

torf *hon enw* (**torfeydd**) nifer mawr o bobl; tyrfa CROWD

torri *berfenw* gwneud drwg i rywbeth fel nad ydyw'n gyfan neu yn gweithio fel y dylai TO BREAK

torth *hon enw* (**torthau**) bara ar ôl iddo gael ei goginio LOAF

tost *ansoddair* yn gwneud dolur SORE

a
b
c
ch
d
dd
e
f
ff
g
ng
h
i
j
k
l
ll
m
n
o
p
ph
r
rh
s
t
th
u
w
y

tractor *hwn enw* (**tractorau**) math o gerbyd sy'n cael ei ddefnyddio ar fferm i dynnu pethau trwm TRACTOR

traed *hyn enw* mwy nag un droed (**troed**)

traeth *hwn enw* (**traethau**) tir sydd â thywod neu gerrig mân drosto yn ymyl y môr BEACH

trafnidiaeth *hon enw* ceir, bysiau, lorïau, beiciau a phopeth arall sy'n teithio ar y ffyrdd TRAFFIC

trafod *berfenw* cynnal trafodaeth TO DISCUSS

trafodaeth *hon enw* (**trafodaethau**) siarad am rywbeth â phobl sydd â syniadau gwahanol i chi amdano DISCUSSION

trafferth *hwn neu hon enw* (**trafferthion**) rhywbeth sy'n broblem neu yn eich poeni chi TROUBLE

trafferthu *berfenw* mynd i drafferth (i wneud rhywbeth yn iawn) TO GO TO THE TROUBLE (OF)

traffordd *hon enw* (**traffyrdd**) heol lydan ar gyfer teithio'n gyflym MOTORWAY

trannoeth *adferf* y diwrnod wedyn *trannoeth y frwydr* THE NEXT DAY

trapîs *hwn enw* bar yn hongian wrth raffau sy'n cael ei ddefnyddio gan acrobat TRAPEZE

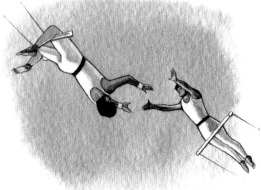

trawodd *berf* edrychwch dan **taro**

tref:tre *hon enw* (**trefi:trefydd**) lle gyda siopau, ysgolion, swyddfeydd a llawer o dai wedi'u hadeiladu'n agos at ei gilydd TOWN

trefniadau *hyn enw* y manylion sydd wedi'u trefnu ARRANGEMENTS

trefnu *berfenw* cynllunio a pharatoi rhywbeth *Trefnodd Dad ein bod i gyd yn mynd i weld y gêm ddydd Sadwrn.* TO ARRANGE

treiglo *berfenw* newid cytsain ar ddechrau gair, fel yn *fy nghath; dy gath; ei chath hi* TO MUTATE

trên *hwn enw* (**trenau**) y cerbydau a'r injan sy'n eu tynnu ar hyd cledrau rheilffordd TRAIN

tresmasu *berfenw* mynd ar dir rhywun arall heb ofyn yn gyntaf TO TRESPASS

treth *hon enw* (**trethi**) arian y mae'n rhaid i bobl ei dalu i'r Llywodraeth TAX

treulio *berfenw* gwario amser *Treuliodd dri mis yn Awstralia.* TO SPEND TIME

tri *rhifol* 3 THREE

tric *hwn enw* (**triciau**) gwneud rhywbeth mewn ffordd sy'n cael pobl i gredu rhywbeth nad yw'n wir TRICK

trimio *berfenw* torri i ffwrdd y darnau nad oes eu hangen; tocio TO TRIM

trin *berfenw* ymddwyn tuag at rywun neu rywbeth mewn ffordd arbennig TO TREAT

triniaeth *hon enw* y ffordd y mae rhywun yn cael ei drin, yn arbennig y ffordd y mae meddyg neu ysbyty yn trin rhywun sy'n sâl er mwyn ei wella TREATMENT

triongl *hwn* *enw* (**trionglau**) ffurf wastad â thair llinell syth a thair ongl TRIANGLE

trip *hwn* *enw* taith fer TRIP

trist *ansoddair* yn teimlo fel llefain SAD

tro *hwn* *enw* (**troeon**) **1** newid mewn cyfeiriad *tro yn yr heol* BEND
2 amser i chi wneud rhywbeth y mae rhai wedi'i wneud o'ch blaen ac y mae eraill yn aros i'w wneud ar eich ôl *Fe gei di dy dro cyn hir.* TURN

trochi *berfenw* **1** (yn y Gogledd) gosod mewn dŵr TO DIP
2 (yn y De) mynd yn frwnt; dwyno TO DIRTY

troed *hon* *enw* (**traed**) y rhan o'ch corff sydd ar waelod eich coes FOOT

troi *berfenw* symud mewn cylch TO TURN

troli *hwn* *enw* (**trolïau**) **1** math o fasged ar olwynion sy'n cael ei defnyddio mewn siopau bwyd TROLLEY
2 bwrdd bach ar olwynion TROLLEY

tros:dros *arddodiad*

trosof fi	trosom ni
trosot ti	trosoch chi
trosto ef	trostynt hwy *neu*
trosti hi	trostyn nhw

trosedd *hon neu hwn* *enw* (**troseddau**) rhywbeth yr ydych yn ei wneud sy'n torri'r gyfraith CRIME

troseddwr *hwn* *enw* (**troseddwyr**) rhywun sydd wedi torri'r gyfraith CRIMINAL

trosodd *adferf* **1** i fyny, ar draws ac yna i lawr *Mae'r llaeth yn berwi drosodd.* OVER
2 wedi gorffen *Mae'r egwyl drosodd.* OVER

trosol *hwn* *enw* (**trosolion**) bar sy'n cael ei ddefnyddio i symud pethau trwm neu i weithio peiriant LEVER

trueni *hwn* *enw* teimlad o dristwch dros rywun arall PITY

trwch *hwn* *enw* pa mor dew neu drwchus yw rhywbeth THICKNESS

trwchus *ansoddair* heb fod yn denau nac yn fain THICK

trwm *ansoddair* yn pwyso llawer iawn HEAVY (*Edrychwch hefyd dan* **trymach**)

trwmped *hwn* *enw* (**trwmpedi**) offeryn pres sy'n cael ei chwythu TRUMPET

trwser *hwn* *enw* (**trwseri**) gair arall am **trywser**

trwsio *berfenw* gwneud i rywbeth sydd wedi torri weithio, neu roi rhywbeth sydd wedi torri yn ôl at ei gilydd; atgyweirio TO MEND

149

trwy:drwy *arddodiad*

trwof fi   trwom ni

trwot ti   trwoch chi

trwyddo ef   trwyddynt hwy *neu*

trwyddi hi   trwyddyn nhw

trwyn *hwn enw* (**trwynau**) y rhan honno o'ch wyneb sy'n cael ei defnyddio i anadlu ac arogli NOSE

trychfil:trychfilyn *hwn enw* (**trychfilod**) creadur bach iawn â chwe choes. Mae *clêr, morgrug, ieir-bach-yr-haf*, a *gwenyn* i gyd yn drychfilod. INSECT

trydan *hwn enw* egni sy'n symud trwy weiren ac yn rhoi gwres a golau i ni ELECTRICITY

trymach *ansoddair* mwy **trwm** *A yw pwys o blwm yn drymach na phwys o blu?*

trysor *hwn enw* (**trysorau**) aur, arian, gemau a phethau gwethfawr eraill TREASURE

trysori *berfenw* meddwl am rywbeth fel trysor TO TREASURE

trywser:trywsus *hwn enw* (**trywserau:trywsusau**) dilledyn sy'n cael ei wisgo o'r canol i lawr dros y coesau. Mae ganddo le i'r ddwy goes ar wahân. TROUSERS

tsimpansî *hwn enw* anifail sy'n debyg i fwnci mawr â breichiau hir ond heb gynffon CHIMPANZEE

tudalen *hon enw* (**tudalennau**) un ochr i ddarn o bapur sy'n rhan o lyfr PAGE

tueddu *berfenw* bod yn debyg o wneud rhywbeth TO TEND

tuthio *berfenw* ffordd ceffyl o gerdded sydd rhwng cerdded a charlamu; trotian TO TROT

twll *hwn enw* (**tyllau**) bwlch, agoriad neu le gwag yn rhywbeth HOLE

twndis *hwn enw* math o diwb sy'n llydan ar un pen ac yn gul y pen arall. Mae'n cael ei ddefnyddio i arllwys pethau drwyddo; twmffat FUNNEL

twnnel *hwn enw* (**twnelau**) twll hir sydd wedi cael ei wneud dan y ddaear neu drwy fynydd TUNNEL

tŵr *hwn enw* (**tyrau**) adeilad tal, main. Weithiau mae'n sefyll ar ei ben ei hun, weithiau mae'n rhan o adeilad arall fel castell neu eglwys. TOWER

twrci *hwn enw* (**twrcïod**) aderyn mawr sy'n cael ei fagu er mwyn ei gig TURKEY

twrw *hwn enw* sŵn mawr uchel ROAR

twsian *berfenw* gwneud sŵn mawr wrth i'ch anadl ruthro allan o'ch trwyn; tisian TO SNEEZE

twt *ansoddair* taclus TIDY

twyllo *berfenw* gwneud i rywun gredu rhywbeth nad yw'n wir TO DECEIVE

twym *ansoddair* cynnes iawn; poeth HOT

tŷ *hwn enw* (**tai**) adeilad lle y mae pobl yn byw gyda'i gilydd HOUSE

tybaco *hwn* *enw* planhigyn y mae ei ddail yn cael eu sychu a'u smygu mewn pib neu ar ffurf sigarennau ncu sigarau TOBACCO

tyddyn *hwn* *enw* (**tyddynnod**) bwthyn yng nghefn gwlad ag ychydig o dir yn perthyn iddo SMALLHOLDING

tyfu *berfenw* mynd yn fwy TO GROW

tylwyth teg *hyn* *enw* y bobl fach sy'n perthyn i fyd hud a lledrith mewn storïau FAIRIES

tyllau *hyn* *enw* mwy nag un **twll**

tylluan *hon* *enw* (**tylluanod**) aderyn â llygaid mawr sy'n hela anifeiliaid bach yn y nos; gwdihŵ OWL

tymer *hon* *enw* (**tymherau**) y ffordd y mae person yn ymddwyn yn ôl pa mor hapus neu ddig ydyw *tymer dda,* ond fel arfer *tymer ddrwg* TEMPER

tymheredd *hwn* *enw* pa mor boeth neu oer yw hi TEMPERATURE

tymor *hwn* *enw* (**tymhorau**) un o bedair rhan y flwyddyn. Gwanwyn, haf, hydref a gaeaf yw enwau'r tymhorau. SEASON

tyn *ansoddair* yn glynu'n agos ac yn anodd ei symud, *esgidiau tyn; clawr tyn ar jar* TIGHT (*Edrychwch hefyd dan* **dynn**)

tyner *ansoddair* **1** meddal TENDER
2 mwyn TENDER

tynerwch *hwn* *enw* bod yn dyner TENDERNESS

tynfad *hwn* *enw* (**tynfadau**) cwch sy'n cael ei ddefnyddio i dynnu llongau TUG

tynnach *ansoddair* mwy **tyn** *Mae gofyn clymu'r rhaff yn dynnach.*

tynnu *berfenw* **1** gafael yn rhywbeth a gwneud iddo symud atoch chi TO PULL
2 gwneud llun â phen neu bensil TO DRAW

tyrau *hyn* *enw* mwy nag un **tŵr**

tyrd *berf* dere

tyrfa *hon* *enw* (**tyrfaoedd**) nifer mawr o bobl; torf CROWD

tystiolaeth *hon* *enw* unrhyw beth sydd yn dangos bod rhywbeth yn wir EVIDENCE

tywallt *berfenw* arllwys TO POUR

tywel *hwn* *enw* (**tywelion**) darn o liain neu bapur ar gyfer sychu pethau TOWEL

tywod *hyn* *enw* y darnau mân iawn o graig a gewch yn yr anialwch neu ar draeth SAND

tywydd *hwn* *enw* gwynt, glaw, haul, niwl, eira a rhew WEATHER

tywyll *ansoddair* **1** heb oleuni *noson dywyll* DARK
2 heb fod yn olau *lliw tywyll* DARK

tywyllu *berfenw* troi'n dywyll TO DARKEN

tywynnu *berfenw* disgleirio fel y mae'r haul yn ei wneud TO BEAM, TO SHINE

tywysog *hwn* *enw* (**tywysogion**) mab brenin neu frenhines PRINCE

tywysoges *hon* *enw* (**tywysogesau**) merch brenin neu frenhines PRINCESS

a
b
c
ch
d
dd
e
f
ff
g
ng
h
i
j
k
l
ll
m
n
o
p
ph
r
rh
s
t
th
u
w
y

Th th

theatr *hon enw* (**theatrau**) adeilad y mae pobl yn mynd iddo i weld dramâu THEATRE

thermomedr *hwn enw* (**thermomedrau**) dyfais mesur tymheredd THERMOMETER

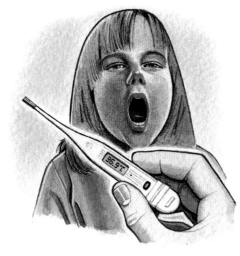

U u

uchel *ansoddair* i fyny ymhell HIGH (*Edrychwch hefyd dan* **uwch**)

uchelwr *hwn enw* (**uchelwyr**) dyn sy'n farchog neu yn arglwydd NOBLEMAN

uchelwydd *hwn enw* planhigyn sy'n tyfu ar goed eraill. Mae'n cael ei ddefnyddio yn addurn adeg y Nadolig. MISTLETOE

udo *berfenw* llefain yn uchel fel anifail mewn poen TO HOWL

ufudd *ansoddair* yn ufuddhau OBEDIENT

ufuddhau *berfenw* gwneud yr hyn y mae rhywun yn dweud wrthych chi am ei wneud TO OBEY

ugain *rhifol* 20 TWENTY

un *rhifol* 1 ONE

unawd *hwn enw* (**unawdau**) darn i'w berfformio gan un person SOLO

uncorn *hwn enw* mewn chwedlau, anifail tebyg i geffyl â chorn yn tyfu o ganol ei ben UNICORN

undeb *hwn enw* (**undebau**) grŵp o weithwyr sydd wedi dod ynghyd i sicrhau bod pawb yn cael chwarae teg gan berchenogion y gwaith UNION

undonog *ansoddair* anniddorol BORING

unig *ansoddair* **1** (o flaen gair) un nad oes un arall yn debyg iddo *unig blentyn* ONLY
2 (ar ôl gair) heb gyfaill na chwmni *plentyn bach unig* LONELY

uno *berfenw* rhoi ynghyd i wneud un peth TO JOIN

unrhyw *ansoddair* does dim gwahaniaeth pa un neu pa rai *Dewiswch unrhyw un ohonyn nhw.* ANY

unwaith *adferf* un tro ONCE

urddas *hwn enw* yr hyn sy'n gwneud rhywun yn urddasol DIGNITY

urddasol *ansoddair* yn edrych yn bwysig ac yn ddifrifol DIGNIFIED

utgorn *hwn enw* (**utgyrn**) trwmped TRUMPET

uwch *ansoddair* mwy **uchel**

uwchfarchnad *hon enw* siop fawr iawn lle y mae pobl yn codi pethau o'r silffoedd ac yn talu amdanyn nhw wrth fynd allan SUPERMARKET

uwd *hwn enw* bwyd brecwast wedi'i wneud o laeth cynnes a blawd ceirch PORRIDGE

W w

wal *hon enw* (**waliau**) mur WALL

wats *hon enw* (**watsys**) cloc bach sy'n cael ei wisgo am yr arddwrn neu ei gario mewn poced WATCH

wedi *arddodiad* ar ôl *hanner awr wedi chwech* AFTER

wedyn *adferf* ar ôl hynny *Awn i'r caffi gyntaf ac i'r sinema wedyn.* AFTER

weiren *hon enw* darn hir, tenau o fetel WIRE

weithiau *adferf* ambell waith SOMETIMES

wen *ansoddair* ffurf ar **gwyn** *caseg wen* WHITE

werdd *ansoddair* ffurf ar **gwyrdd** *ystafell werdd* GREEN

wiced *hon enw* (**wicedi**) un o'r tair ffon bren y mae bowliwr yn ceisio'u taro mewn gêm o griced WICKET

wrth *arddodiad*

wrthyf fi	wrthym ni
wrthyt ti	wrthych chi
wrtho ef	wrthynt hwy *neu*
wrthi hi	wrthyn nhw

wy *hwn enw* (**wyau**) y peth hirgrwn â masgl/plisgyn o'i gwmpas sy'n cael ei ddodwy gan aderyn EGG

wylo *berfenw* llefain; crio TO CRY

ŵyn *hyn enw* mwy nag un **oen**

wyneb *hwn enw* (**wynebau**) **1** rhan flaen y pen FACE **2** ochr allanol *sychu wyneb y bwrdd* FACE

wynebu *berfenw* troi eich wyneb i gyfeiriad arbennig TO FACE

wynionyn:wynwynyn *hwn enw* (**wynionod:wynwyn**) llysieuyn gwyn, crwn â blas cryf ONION

ŵyr *hwn enw* (**wyrion**) mab i fab neu ferch rhywun GRANDSON

wyres *hon enw* (**wyresau**) merch i fab neu ferch rhywun GRANDDAUGHTER

wystrysen *hon enw* (**wystrys**) un o greaduriaid y môr sy'n byw mewn cragen fawr a dwy ran iddi; llymarch OYSTER

wyth *rhifol* 8 EIGHT

wythnos *hon enw* (**wythnosau**) y saith niwrnod o ddydd Sul i ddydd Sadwrn WEEK

Y y

ych[1] *hwn enw* (**ychen**) (*mae'n odli gyda 'sych'*) anifail mawr sy'n cael ei gadw er mwyn ei gig neu i dynnu cerbyd OX

ych[2] *ebychiad* (*fel yr 'ych' yn 'sychu'*) gair sy'n dangos bod yn gas gennych rywbeth *Ych a fi!*

ychwanegu *berfenw* rhoi rhywbeth at rywbeth arall i'w wneud yn fwy TO ADD

ychydig *hwn enw* nifer bach, tamaid bach neu ddiferyn *Ychydig yn rhagor o siwgr os gwelwch yn dda.* A LITTLE

ŷd *hwn enw* (**ydau**) had planhigion fel gwenith CORN

yfed *berfenw* llyncu diod *Yfodd botelaid o bop ar ei phen.* TO DRINK

yfory *adferf* y diwrnod ar ôl heddiw TOMORROW

ynghwsg *adferf* yn cysgu SLEEPING

ynglŷn â *adferf* am ABOUT

yma *adferf* yn y fan hon HERE

ymadrodd *hwn enw* (**ymadroddion**) grŵp o eiriau fel *noson olau leuad* PHRASE

ymagor *berfenw* agor eich ceg led eich pen oherwydd eich bod wedi blino TO YAWN

ymarfer *berfenw* gwneud yr un peth drosodd a throsodd er mwyn ei wneud yn well TO PRACTISE

ymbarél *hwn enw* cylch o ddefnydd ar ffrâm arbennig sy'n gallu cael ei hagor a'i chau er mwyn eich cysgodi rhag y glaw UMBRELLA

ymdeithio *berfenw* cerdded gyda'ch gilydd i rythm pendant, fel y mae milwyr yn ei wneud TO MARCH

ymdrech *hon enw* (**ymdrechion**) gwaith caled iawn EFFORT

ymdrechu *berfenw* gwneud ymdrech TO STRIVE

ymddangos *berfenw* **1** edrych fel TO APPEAR **2** dod i'r golwg TO APPEAR

ymddeol *berfenw* gorffen gweithio oherwydd eich bod yn rhy hen neu oherwydd nad ydych yn ddigon iach TO RETIRE

ymddiheuro *berfenw* dweud ei bod yn ddrwg gennych achosi trafferth TO APOLOGIZE

ymddiried *berfenw* credu yn rhywun TO TRUST

ymddwyn *berfenw* gwneud pethau mewn ffordd dda neu ffordd ddrwg TO BEHAVE

ymddygiad *hwn enw* y ffordd y mae rhywun yn ymddwyn BEHAVIOUR

ymennydd *hwn enw* y rhan o'r corff sydd o fewn y pen ac yn ein galluogi ni i feddwl, teimlo a chofio BRAIN

ymfudo *berfenw* mynd i fyw i wlad arall TO EMIGRATE

ymffrostio *berfenw* canmol eich hunan TO BOAST

ymgom *hon* *enw* sgwrs; siarad a gwrando ar rywun arall CONVERSATION

ymhell *adferf* yn bell i ffwrdd FAR

ymherodr *hwn* *enw* dyn y mae ganddo deyrnas a llawer o wledydd ynddi EMPEROR

ymlacio *berfenw* gorffwys trwy adael i gyhyrau'r corff fynd yn llac TO RELAX

ymladd *berfenw* cymryd rhan mewn brwydr TO FIGHT

ymladdwr *hwn* *enw* (**ymladdwyr**) un sy'n ymladd FIGHTER

ymlaen *adferf* mynd i'r un ffordd ag yr ydych yn edrych FORWARD

ymlusgiad *hwn* *enw* (**ymlusgiaid**) anifail gwaed oer sy'n llithro neu yn cerdded ar ei fol. Mae neidr, madfall a chrwban yn ymlusgiaid. REPTILE

ymolchi *berfenw* eich golchi eich hun TO WASH

ymosod *berfenw* dechrau ymladd er mwyn curo rhywun TO ATTACK

ymosodiad *hwn* *enw* (**ymosodiadau**) y gwaith o ymosod AN ATTACK

ymuno *berfenw* dod yn aelod o grŵp neu gymryd rhan yn ei weithgarwch TO JOIN (IN)

ymweld *berfenw* mynd i weld rhywun neu rywbeth TO VISIT

ymweliad *hwn* *enw* (**ymweliadau**) y gwaith o ymweld A VISIT

ymwybodol *ansoddair* ar ddihun ac yn gwybod beth sy'n digwydd o'ch cwmpas CONSCIOUS

ymyl *hwn* *enw* (**ymylon**) y rhan ar hyd pen neu ochr rhywbeth EDGE

ynn *hyn* *enw* (*mae'n odli gyda 'bryn'*) mwy nag un **onnen**

ynni *hwn* *enw* y grym i wneud gwaith ENERGY

ynys *hon* *enw* (**ynysoedd**) darn o dir a dŵr o'i gwmpas ISLAND

yrŵan:rŵan *adferf* yn awr, y funud hon NOW

ysbienddrych *hwn* *enw* tiwb â lens ar bob pen iddo. Yr ydych yn edrych trwy ysbienddrych i wneud i bethau pell edrych yn agos; telesgop TELESCOPE

ysblennydd *ansoddair* yn edrych yn dda; yn hardd ac yn urddasol SPLENDID

ysbryd *hwn* *enw* (**ysbrydion**) **1** y rhan honno o berson na allwch ei gweld, ond y mae pobl yn credu ei bod yn parhau ar ôl ichi farw SPIRIT **2** ffurf rhywun sydd wedi marw, y mae pobl yn credu iddyn nhw ei gweld yn symud fel pe bai'n fyw GHOST

a
b
c
ch
d
dd
e
f
ff
g
ng
h
i
j
k
l
ll
m
n
o
p
ph
r
rh
s
t
th
u
w
y

ysbyty *hwn enw* (**ysbytai**) lle y mae pobl sy'n sâl neu sydd wedi cael dolur yn cael gofal a thriniaeth HOSPITAL

ysgafn *ansoddair* heb fod yn drwm; yn hawdd ei godi LIGHT

ysgol[1] *hon enw* (**ysgolion**) lle y mae plant yn mynd iddo i gael eu dysgu SCHOOL

ysgol[2] *hon enw* (**ysgolion**) un neu weithiau ddau ddarn hir o bren neu fetel, a llawer o farrau byr rhyngddyn nhw. Yr ydych yn gallu dringo'r ysgol trwy gamu ar y barrau. LADDER

ysgrifen *hon enw* rhywbeth sydd wedi cael ei ysgrifennu WRITING

ysgrifennu *berfenw* gosod llythrennau neu arwyddion (ar bapur fel arfer) fel bod pobl yn gallu eu darllen TO WRITE

ysgub *hon enw* (**ysgubau**) **1** ŷd neu lafur wedi'i glymu ynghyd ar ôl iddo gael ei dorri SHEAF **2** gair arall am frws BROOM

ysgubo *berfenw* defnyddio brws (neu ysgub) i lanhau TO SWEEP

ysgubor *hon enw* (**ysguboriau**) ar fferm, adeilad mawr i gadw pethau ynddo BARN

ysgwyd *berfenw* symud yn gyflym i fyny ac i lawr neu o ochr i ochr TO SHAKE

ysgwydd *hon enw* (**ysgwyddau**) y rhan o'ch corff rhwng y gwddf a'r fraich SHOULDER

ysgyfaint *hyn enw* mwy nag un **ysgyfant** un o'r ddwy ran o fewn y corff sy'n cael eu defnyddio i anadlu LUNGS

ysgyfarnog *hon enw* (**ysgyfarnogod**) anifail tebyg i gwningen fawr sy'n gallu rhedeg yn gyflym HARE

ysmygu *berfenw edrychwch dan* **smygu:ysmygu**

ystafell *hon enw* (**ystafelloedd**) un o'r lleoedd y tu mewn i adeilad, a waliau o'i gwmpas ROOM

ystlum *hwn enw* (**ystlumod**) anifail tebyg i lygoden ag adenydd BAT

ystwyth *ansoddair* yn plygu'n rhwydd FLEXIBLE

ystwythder *hwn enw* bod yn ystwyth FLEXIBILITY

ystyfnig *ansoddair* yn gwrthod newid eich meddwl er eich bod yn anghywir STUBBORN

ystyllen *hon enw* (**ystyllod**) darn hir, gwastad o bren PLANK

ystyr *hwn enw* (**ystyron**) yr hyn y mae rhywun yn ei olygu wrth ddefnyddio geiriau arbennig MEANING

yw *hyn enw* mwy nag un **ywen**

ywen *hon enw* (**yw**) coeden â dail gwyrdd tywyll sy'n para trwy'r flwyddyn YEW

SAESNEG - CYMRAEG

A a

abbey	abaty *hwn*
to abbreviate	talfyrru
abbreviation	talfyriad *hwn*
Aberdare	Aberdâr
Abergavenny	Y Fenni
Abertillery	Abertyleri
ability	dawn *hon*
to be able	gallu, medru
about	ynglŷn â
abrupt	sydyn
absence	absenoldeb *hwn*
absent	absennol
accent	acen *hon*
accented	acennog
to accept	derbyn
accident	damwain *hon*
accidental	damweiniol
accompanist	cyfeilydd *hwn*
to accompany	cyfeilio
account	hanes *hwn*
accurate	cywir
accusation	cyhuddiad *hwn*
to accuse	cyhuddo
achievement	camp *hon*
acid	asid *hwn*
acorn	mesen *hon*
acrobat	acrobat *hwn*
to act	actio
activity	gweithgarwch *hwn*
actor	actor *hwn*
actress	actores *hon*
to adapt	addasu
to add	adio, ychwanegu
addicted	caeth
an address	cyfeiriad *hwn*
to address	annerch
adjective	ansoddair *hwn*
adjudicator	beirniad *hwn*
admiration	edmygedd *hwn*

to admire	edmygu
to admit	cyfaddef
to adopt	mabwysiadu
adult	oedolyn *hwn*
advantage	mantais *hon*
adventure	antur *hon*
adverb	adferf *hon*
to advertise	hysbysebu
advice	cyngor *hwn*
to advise	cynghori
aerial	erial *hon*
aeroplane	awyren *hon*
affectionate	serchog:serchus
to afford	fforddio
to be afraid	ofni
Africa	Affrica, Yr Affrig
after	ar ôl, wedyn
afternoon	prynhawn *hwn*
again	eto
against	yn erbyn
age	oed: oedran *hwn*
agent	asiant *hwn*
to agree	cyd-fynd, cytuno
agreement	cytundeb *hwn*
aid	cymorth *hwn*
to aim	anelu
air	aer *hwn*, awyr *hon*
aired	cras
airtight	aer-dynn
alarm clock	cloc larwm *hwn*
alcohol	alcohol *hwn*
alert	effro
alive	byw
all	holl, oll
to allow	gadael
almond	almon *hon*
almost	bron
the alphabet	gwyddor *hon*
already	eisoes
also	hefyd

157

	altar	allor *hon*	
	alteration	newid *hwn*	
	aluminium	alwminiwm *hwn*	
	amateur	amatur *hwn*	
to	amaze	synnu	
	ambulance	ambiwlans *hwn*	
	amen	amen *hwn*	
	Ammanford	Rhydaman	
to	amuse	difyrru	
an	anchor	angor *hwn*	
to	anchor	angori	
	angel	angel *hwn*	
to	anger	digio	
an	angle	ongl *hon*	
to	angle	genweirio	
	Anglesey	Môn	
	angry	dig	
	animal	anifail *hwn*	
	ankle	ffêr *hon*, migwrn *hwn*	
to	annoy	digio	
	anorak	anorac *hwn*	
	another	arall	
an	answer	ateb *hwn*	
to	answer	ateb	
	ant	morgrugyn *hwn*	
	antelope	gafrewig *hon*	
	any	unrhyw	
	anyone	neb *hwn*	
	ape	epa *hwn*	
to	apologize	ymddiheuro	
	apostrophe	collnod *hwn*	
to	appeal	apelio	
to	appear	ymddangos	
	appearance	golwg *hon*	
	appetite	archwaeth *hwn*	
to	applaud	clapio	
	apple	afal *hwn*	
to	appoint	penodi	
	April	Ebrill	
	apron	ffedog *hon*	
	aquarium	acwariwm *hwn*	
	arch	bwa *hwn*	
	architect	pensaer *hwn*	

	area	arwynebedd *hwn*	
	Argentina	Yr Ariannin	
to	argue	dadlau	
	arm	braich *hon*	
	armpit	cesail *hwn*	
	arms	arfau *hyn*	
	army	byddin *hon*	
to	arrange	trefnu	
	arrangements	trefniadau *hyn*	
to	arrest	arestio	
to	arrive	cyrraedd	
	arrow	saeth *hon*	
	art	celfyddyd *hon*	
	artist	arlunydd *hwn*, artist *hwn*	
	artistic	artistig	
	as	megis	
	ash tree	onnen *hon*	
to	ask	gofyn, holi	
	ass	asyn *hwn*	
to	assess	asesu	
to	assist	cynorthwyo	
	assistance	cymorth *hwn*	
	assistant	cynorthwyydd *hwn*	
to	astonish	synnu	
	astronaut	astronot *hwn* gofodwr *hwn*	
	athletics	athletau *hyn*	
	atlas	atlas *hwn*	
	atmosphere	atmosffer *hwn*	
	atom	atom *hwn*	
	atomic	atomig	
an	attack	ymosodiad *hwn*	
to	attack	ymosod	
to	attempt	ceisio	
	attention	sylw *hwn*	
to	attract	denu	
	attraction	atyniad *hwn*	
	attractive	atyniadol, deniadol	
	auction	arwerthiant *hwn*	
	audience	cynulleidfa *hon*	
	August	Awst	
	aunt	modryb *hon*	

Australia	Awstralia
Austria	Awstria
author	awdur *hwn*
authoress	awdures *hon*
authoritative	awdurdodol
authority	awdurdod *hwn*
to autograph	llofnodi
automatic	awtomatig
autumn	hydref *hwn*
to avoid	osgoi
to await	aros
awake	ar ddihun, effro
award	gwobr *hon*
away	bant, i ffwrdd
awkward	clogyrnaidd, lletchwith
axe	bwyall *hon*
axle	echel *hon*

B b

baby	baban *hwn*, babi *hwn*
back	cefn *hwn*
bad	drwg
badge	bathodyn *hwn*
bag	bag *hwn*, cwdyn *hwn*
bait	abwyd *hwn*
to bake	crasu, pobi
balance	cydbwysedd *hwn* cytbwysedd *hwn*
balanced	cytbwys
bald	moel
ball	pêl *hon*
ballet	bale *hwn*
balloon	balŵn *hwn*
bamboo	bambŵ *hwn*
banana	banana *hwn*
band	band *hwn* seindorf *hon*
bandage	rhwymyn *hwn*
banjo	banjô *hwn*

bank[1] (money)	banc *hwn*
bank[2] (river)	glan *hon*
to bank	bancio
banner	baner *hon*
banquet	gwledd *hon*
to baptise	bedyddio
baptism	bedydd *hwn*
bar	bar *hwn*, trosol *hwn*
barber	barbwr *hwn*
bare	llwm
bargain	bargen *hon*
bark	rhisgl *hwn neu hyn*
to bark	cyfarth
barley	barlys *hyn*
barn	ysgubor *hon*
barrel	baril *hwn*
barrier	bariwns *hwn*
Barry	Y Barri
base	bôn *hwn*
bashful	swil
basin	basn *hwn*
basket	basged *hon*, cawell *hwn*
bat[1] (in game)	bat *hwn*
bat[2] (animal)	ystlum *hwn*
to bat	batio
bath	bath *hwn*
Bath	Caerfaddon
battery	batri *hwn*
battle	brwydr *hon*
bay	bae *hwn*
bazaar	basâr *hwn*
beach	traeth *hwn*
bead	glain *hwn*
beads	mwclis *hyn*
beak	pig *hon*
beam	pelydryn *hwn*
beans	ffa *hyn*
bear	arth *hon*
beard	barf *hon*
bearded	barfog
beast	bwystfil *hwn*
to beat	curo

	beautiful	prydferth			bitch	gast *hon*
	beauty	harddwch *hwn*		a	bite	brathiad *hwn*
	because	achos, oherwydd		to	bite	brathu, cnoi
	bed	gwely *hwn*			bitter	chwerw
	bee	gwenynen *hon*			blackberries	mwyar *hyn*
	beech	ffawydden *hon*			blackbird	mwyalchen *hon*
	beer	cwrw *hwn*			blackboard	bwrdd du *hwn*
	beetle	chwilen *hon*			blacksmith	gof *hwn*
	beetroot	betys *hyn*			Blackwood	Coed-duon
	before	cyn, o'r blaen			blade	llafn *hwn*
to	begin	dechrau		to	blame	beio
to	behave	ymddwyn			blanket	blanced *hon*,
	behaviour	ymddygiad *hwn*				carthen *hon*
	Belgium	Gwlad Belg		a	bleat	bref *hon*
to	believe	coelio, credu		to	bleat	brefu
	bell	cloch *hon*			blessing	bendith *hon*
	belly	bol:bola *hwn*			blind	dall
to	belong	perthyn			blister	chwysigen *hon*
	below	tanodd		a	block	bloc:blocyn *hwn*
	belt	belt *hon*, gwregys *hwn*		to	block	blocio
	bench	mainc *hon*			blood	gwaed *hwn*
a	bend	tro *hwn*			blossom	blodyn *hwn*
to	bend	plygu			blouse	blows:blowsen *hon*
	beneficial	buddiol		a	blow	ergyd *hon*
	bent	cam		to	blow	chwythu
	berries	aeron *hyn*		to	blush	cochi, gwrido
	best	gorau			boar	baedd *hwn*
to	betray	bradychu		to	boast	bostio, brolio:brolian,
	better	gwell				ymffrostio
	between	rhwng			boat	bad *hwn*, cwch *hwn*
	Bible	Beibl *hwn*			body	corff *hwn*
	bicycle	beic *hwn*, beisicl *hwn*			bog	cors *hon*
	big	mawr			boggy	corsog
	bill	bil *hwn*		to	boil	berwi
	billiards	biliards *hyn*			boiling hot	berwedig
to	bind	clymu			bold	dewr
	bird	aderyn *hwn*		a	bolt	bollt *hon*
to	give birth	esgor (ar)		to	bolt	bolltio
	birthday	pen blwydd *hwn*		a	bomb	bom *hwn*
	biscuit	bisgeden:bisgïen *hon*		to	bomb	bomio
	bishop	esgob *hwn*			bone	asgwrn *hwn*
	bit[1] (little)	tamaid *hwn*			bonfire	coelcerth *hon*
	bit[2] (horse)	bit *hwn*, genfa *hon*			bonnet	boned *hwn*

	book	llyfr *hwn*		to breathe	anadlu
	boomerang	bwmerang *hwn*		Brecon	Aberhonddu
a	border	ffin *hon*	to	breed	bridio
to	border	ffinio		breeze	awel *hon*
	boredom	diflastod *hwn*		brick	bricsen *hon*
	boring	diflas, undonog		bridge	pont *hon*
to	borrow	benthyca		Bridgend	Pen-y-bont ar Ogwr
	bother	ffwdan *hwn*		bridle	ffrwyn *hon*
to	bother	ffwdanu		brief	byr
	bottle	potel *hon*		brigade	brigâd *hon*
	bottom	gwaelod *hwn*		bright	disglair, gloyw
	bough	cangen *hon*		brim	ymyl *hwn*
to	bounce	sboncio	to	bring	dod â
to	bound	neidio		Bristol	Bryste
	boundary	ffin *hon*		Brittany	Llydaw
	bow	bwa *hwn*		brittle	brau
a	bowl	bowlen *hon*,		broad	eang
		powlen *hon*	to	broadcast	darlledu
to	bowl	bowlio		bronze	efydd *hwn*
a	box	blwch *hwn*, bocs *hwn*		brook	nant *hon*
to	box	bocsio		broth	cawl *hwn*
	Boxing Day	dydd Gŵyl Sain		brother	brawd *hwn*
		Steffan		bruise	clais *hwn*
	boy	bachgen *hwn*,	a	brush	brws *hwn*
		mab *hwn*	to	brush	ysgubo
	bracelet	breichled *hon*	to	bruise	cleisio
	braces	bresus:bresys *hyn*	to	bubble	byrlymu
	bracket	cromfach *hon*		buck	bwch *hwn*
to	brag	bostio		bucket	bwced *hwn*
	braggart	broliwr *hwn*		buckle	bwcl *hwn*
	Braille	Braille *hwn*	a	bud	blaguryn *hwn*,
	brain	ymennydd *hwn*			eginyn *hwn*
a	brake	brêc *hwn*	to	bud	blaguro, egnio
to	brake	brecio	to	build	adeiladu, codi
	bramble	miaren *hon*		building	adeilad *hwn*
	branch	cangen *hon*		Builth Wells	Llanfair-ym-Muallt
	brass	pres *hwn*		bulb	bwlb *hwn*
	brave	dewr, glew		bull	tarw *hwn*
	Brazil	Brasil		bullet	bwled *hon*
	bread	bara *hwn*		bullock	eidion *hwn*
to	break	torri	a	bully	bwli *hwn*
	breakfast	brecwast *hwn*	to	bully	bwlian
	breath	anadl *hon*	to	bump	bwrw

	bun	bynnen:bynsen *hon*	
	bungalow	býngalo:bynglo *hwn*	
	buoy	bwi *hwn*	
	burden	baich *hwn*, bwrn *hwn*	
to	burn	llosgi	
to	burst	byrstio	
to	bury	claddu	
	bus	bws *hwn*	
	bush	llwyn *hwn*	
	business	busnes *hwn*	
	busy	prysur	
	butcher	cigydd *hwn*	
	butter	menyn *hwn*	
	butterfly	glöyn byw *hwn*, pilipala *hwn*	
a	button	botwm *hwn*	
to	button	botymu	
to	buy	prynu	
a	buzz	si:su *hwn*	

C c

	cab	cab *hwn*
	cabbage	bresych *hyn*, cabaets *hyn*
	cabin	caban *hwn*
	cabinet	cabinet *hwn*
a	cackle	clegar *hwn*
	cactus	cactws *hwn*
	Caerphilly	Caerffili
	café	caffe:caffi *hwn*
	cake	cacen *hon*, teisen *hon*
	calculator	cyfrifiannell *hwn*
	calendar	calendr *hwn*
	calf	llo *hwn neu hon*
to	call	galw
	calm	tawel
	Cambridge	Caer-grawnt
	camel	camel *hwn*
	camera	camera *hwn*
	camp	gwersyll *hwn*
	canal	camlas *hon*

	canary	caneri *hwn*
	cancer	cancr *hwn*
	candle	cannwyll *hon*
	candlestick	canhwyllbren *hwn*
	cane	cansen *hon*, gwialen *hon*
a	canoe	canŵ *hwn*
to	canoe	canwio
	canteen	cantîn *hwn*
	canvas	cynfas *hon*
	cap	cap *hwn*
	capital city	prifddinas *hon*
	capital letter	priflythyren *hon*
	captain	capten *hwn*
	captive	caeth
to	capture	dal
	car	car *hwn*, modur *hwn*
	caravan	carafán *hon*
	card	carden *hon*, cerdyn *hwn*
	cardboard	cardfwrdd *hwn*
	Cardiff	Caerdydd
	Cardigan	Aberteifi
	care	gofal *hwn*
	careful	gofalus
	careless	esgeulus
	carelessness	esgeulustod *hwn*
	cargo	cargo *hwn*
	Carmarthen	Caerfyrddin
	carnival	cárnifal *hwn*
	carol	carol *hon*
	carpenter	saer *hwn*
	carpet	carped *hwn*
	carrots	moron *hyn*
to	carry	cludo, cario
	cart	cart *hwn*
	cartoon	cartŵn *hwn*
	cartridge	cartrisen *hon*
to	carve	cerfio, naddu
	cascade	rhaeadr *hon*
	case	casyn *hwn*
	cassette	casét *hwn*
	castle	castell *hwn*

	cat	cath *hon*			cheerful	siriol
to	catch	dal:dala			cheese	caws *hwn*
	caterpillar	lindys *hwn a hyn*		a	cheese	cosyn *hwn*
	cattle	da *hyn*, gwartheg *hyn*			chemist	fferyllydd *hwn*
to	cause	achosi			Chepstow	Cas-gwent
	cautious	gofalus			cheque	siec *hon*
	cave	ogof *hon*			cherries	ceirios *hyn*
to	cease	peidio			chest	cist *hon*
	ceiling	nenfwd *hon*			chest	brest *hon*, bron *hon*
to	celebrate	dathlu			Chester	Caer
	cell	cell *hon*			chestnut	castan *hon*
	Celt	Celt *hwn*		to	chew	cnoi
	cement	sment *hwn*			chick	cyw *hwn*
	cemetry	mynwent *hon*			chicken	ffowlyn *hwn*
	centenary	canmlwyddiant *hwn*			chief	prif
	central	canolog			child	plentyn *hwn*
	centre	canol *hwn*,		to	chill	oeri
		canolfan *hon*			chimney	simdde:
						simnai *hon*
	century	canrif *hon*				
	ceremony	seremoni *hon*			chimpanzee	tsimpansî *hwn*
	certain	sicr:siŵr			chin	gên *hon*
	certainty	pendantrwydd *hwn*			China	China, Tsieina
	chaffinch	ji-binc *hwn*			chip	sglodyn:
	chain	cadwyn *hon*				ysglodyn *hwn*
a	chair	cadair *hon*			chisel	cŷn *hwn*, gaing *hon*
to	chair	cadeirio			chocolate	siocled *hwn*
	chalk	sialc *hwn*			choice	dewis *hwn*
to	challenge	herio			choir	côr *hwn*
	champion	pencampwr *hwn*		to	choose	dethol, dewis
	championship	pencampwriaeth *hon*			chorus	cytgan *hwn*
a	change	newid *hwn*		to	christen	bedyddio
to	change	newid			Christmas	Nadolig *hwn*
	channel	sianel *hon*			chrysalis	chwiler *hon*
	chapel	capel *hwn*			church	eglwys *hon*
	chapter	pennod *hon*			cigar	sigâr *hon*
	character	cymeriad *hwn*			cigarette	sigarét *hon*
	characteristics	nodweddion *hyn*			cinema	sinema *hon*
	charity	elusen *hon*			circle	cylch *hwn*
to	chase	hela			circus	syrcas *hon*
to	chatter	clebran			city	dinas *hon*
	cheap	rhad		to	clap	clapio
to	cheat	twyllo		to	clasp	cydio
	cheek	boch *hon*			class	dosbarth *hwn*

claw	crafanc *hon*	
clay	clai *hwn*	
clean	glân	
to clean	glanhau	
clear	eglur, clir	
to clear	clirio	
clever	galluog	
a click	clic *hwn*	
cliff	clogwyn *hwn*	
climate	hinsawdd *hon*	
to climb	dringo	
to cling	cydio	
clinic	clinig *hwn*	
a clip	clip *hwn*	
to clip	clipio	
cloak	clogyn *hwn*,	
	hugan *hon*,	
	mantell *hon*	
clock	cloc *hwn*	
clockwise	clocwedd	
close	clòs	
to close	cau	
cloth	clwt:clwtyn *hwn*,	
	lliain *hwn*	
clothes	dillad *hyn*	
cloud	cwmwl *hwn*	
cloudy	cymylog	
clover	meillion *hyn*	
clown	clown *hwn*	
club	clwb *hwn*,	
	pastwn *hwn*	
a cluck	clegar *hwn*	
to cluck	clochdar	
clue	cliw *hwn*	
clumsy	afrosgo	
cluster	clwstwr *hwn*	
coach	coets *hon*	
coal	glo *hwn*	
coarse	bras	
coast	arfordir *hwn*	
coastal	arfordirol	
coat	cot:côt *hon*	
cobbler	crydd *hwn*	

cobweb	gwe *hon*	
cockerel	ceiliog *hwn*	
code	cod *hwn*	
coffee	coffi *hwn*	
coffin	arch *hon*	
to coin	bathu	
cold	oer	
a cold	annwyd *hwn*	
the cold	oerfel *hwn*	
to get cold	oeri	
to collect	casglu	
collection	casgliad *hwn*	
college	coleg *hwn*	
to collide	gwrthdaro	
collier	glöwr *hwn*	
colliery	pwll glo *hwn*	
colour	lliw *hwn*	
colt	ebol *hwn*	
column	colofn *hon*	
a comb	crib *hwn*	
to comb	cribo	
combine		
harvester	combein *hwn*	
to come	dod	
comedian	digrifwr *hwn*	
comedy	comedi *hon*	
comfortable	cyfforddus,	
	cyffyrddus,	
	cysurus	
comical	smala:ysmala	
comma	coma *hwn*	
a command	gorchymyn *hwn*	
to command	gorchymyn	
comment	sylw *hwn*	
common	cyffredin	
a common	comin *hwn*	
commotion	cynnwrf *hwn*	
to communicate	cyfathrebu	
compact disc	cryno-ddisg *hwn*	
company	cwmni *hwn*	
to compare	cymharu	
compass	cwmpawd *hwn*	
compasses	cwmpas *hwn*	

to compete	cystadlu	to convince	argyhoeddi
competition	cystadleuaeth *hon*	convinced	argyhoeddedig
to complain	achwyn, cwyno,	to cook	coginio
	grwgnach	copper	copor:copr *hwn*
complaint	cwyn *hwn*	a copy	copi *hwn,*
completely	llwyr		efelychiad *hwn*
complicated	cymhleth, dyrys,	to copy	copïo
	astrus	coracle	cwrwgl *hwn*
to compose	cyfansoddi	cord	cordyn:
composer	cyfansoddwr *hwn*		cortyn *hwn*
computer	cyfrifiadur *hwn*	core	canol *hwn*
to conceal	cuddio	corgi	corgi *hwn*
to concentrate	canolbwyntio	cork[1]	corcyn *hwn*
concert	cyngerdd *hwn*	cork[2]	corc *hwn*
concrete	concrit *hwn*	cormorant	bilidowcar *hwn*
to conduct	arwain	corn	ŷd *hwn*
conductor	arweinydd *hwn*	corner	congl *hon,*
cone	côn *hwn*		cornel *hon*
to confess	cyfaddef, cyffesu	Cornwall	Cernyw
confetti	conffeti *hyn*	corpse	corff *hwn*
confident	ffyddiog	correct	cywir
to confuse	drysu	to cost	costio
to congratulate	llongyfarch	to correct	cywiro
congratulations	llongyfarchiadau *hyn*	cottage	bwthyn *hwn*
conjuror	consuriwr *hwn*	cotton	cotwm *hwn*
conker	concer *hwn*	to cough	peswch, pesychu
to connect	cysylltu	council	cyngor *hwn*
to conquer	goresgyn	to count	cyfrif
conscious	ymwybodol	counter	cownter *hwn*
consonant	cytsain *hon*	country	gwlad *hon*
constellation	cytser *hwn*	county	sir *hon*
to construct	adeiladu	court	llys *hwn*
to contain	cynnwys	cousin (male)	cefnder *hwn*
container	cynhwysydd *hwn*	cousin	
contempt	dirmyg *hwn*	(female)	cyfnither *hon*
contented	jocôs	cover	clawr *hwn*
contest	gornest:	cow	buwch *hon*
	ornest *hon*	cowardly	llwfr
continent	cyfandir *hwn*	cowboy	cowboi *hwn*
to continue	para:parhau	Cowbridge	Y Bont-faen
conversation	sgwrs *hon,*	cowshed	beudy *hwn*
	ymgom *hon*	crab	cranc *hwn*
to converse	sgwrsio	to crack	cracio

cradle	crud *hwn*	curiosity	chwilfrydedd *hwn*
craft	crefft *hon*	curious	chwilfrydig
craftsman	crefftwr *hwn*	curly	modrwyog
crane	craen *hwn*	currants	cwrens *hyn*,
crazy	dwl		cyrans *hyn*
cream	hufen *hwn*	current	cerrynt *hwn*,
to create	creu		llif:lli *hwn*
creator	crëwr *hwn*	curtain	llen *hon*
creature	creadur *hwn*	to curve	crymu
creek	nant *hon*	curved	crwm
cress	berwr *hwn*	cushion	clustog *hon*
crew	criw *hwn*	custard	cwstard *hwn*
cricket	criced *hwn*	custom	arfer *hwn*
crime	trosedd *hon*	customer	cwsmer *hwn*
criminal	troseddwr *hwn*	a cut	cwt *hwn*
crisps	creision *hyn*	to cut	torri, lladd
croak	crawc *hon*	to cycle	beicio, seiclo
crocodile	crocodeil *hwn*	cylinder	silindr *hwn*
crocus	saffrwm *hwn*	Czech Republic	Gweriniaeth Tsiec
cromlech	cromlech *hon*		
crop	cnwd *hwn*		
a cross	croes *hon*		
to cross	croesi		
crow	brân *hon*		
crowd	llu *hwn*, torf *hon*,		
	tyrfa *hon*		

D d

a crown	coron *hon*	daffodil	cenhinen Bedr *hon*,
to crown	coroni		daffodil *hwn*
cruel	creulon	daft	dwl
crumbs	briwsion *hyn*	dam	argae *hwn*
crust	crwst:crwstyn *hwn*	damage	difrod *hwn*
crutch	bagl *hon*	to damage	difrodi
a cry	cri *hon*	damp	llaith
to cry	crio, llefain, wylo	a dance	dawns *hon*
crystal	crisial *hwn*,	to dance	dawnsio
	grisial *hwn*	danger	perygl *hwn*
cub	cenau *hwn*	dangerous	peryglus
cube	ciwb *hwn*	to dare	beiddio, meiddio
cuckoo	cog *hon*, cwcw *hon*	daring	beiddgar
cucumber	ciwcymber *hwn*	dark	tywyll
cue	ciw *hwn*	to darken	tywyllu
cup	cwpan *hwn*	dash	cyplysnod *hwn*
cupboard	cwpwrdd *hwn*	data	data *hyn*
		date	dyddiad *hwn*
		daughter	merch *hon*
		dawn	gwawr *hon*

day	diwrnod *hwn*, dydd *hwn*	
dazzling	llachar	
dead	marw	
deaf	byddar	
to deafen	byddaru	
to deal with	delio â	
dear	annwyl	
debt	dyled *hon*	
to decay	pydru	
to deceive	twyllo	
December	Rhagfyr	
to decide	penderfynu	
decimal	degol	
a decimal	degolyn *hwn*	
to decorate	addurno	
decoration	addurn *hwn*	
decorative	addurniadol	
deep	dwfn	
deer	carw *hwn*	
to defeat	gorchfygu	
to defend	amddiffyn	
definite	pendant	
to defy	herio	
degree	gradd *hon*	
delicious	blasus	
to demonstrate	dangos	
Denbigh	Dinbych	
Denmark	Denmarc	
a dent	tolc *hwn*	
to dent	tolcio	
dentist	deintydd *hwn*	
to deny	gwadu	
to depart	gadael	
to depend	dibynnu	
to descend	disgyn	
to describe	disgrifio	
desert	anialwch *hwn*, diffeithwch *hwn*	
to deserve	haeddu	
deserved	haeddiannol	
to design	dylunio	
a desire	awydd *hwn*	

to desire	eisiau	
desk	desg *hon*	
to despise	dirmygu	
to destroy	difetha, dinistrio, distrywio	
detailed	manwl	
details	manylion *hyn*	
detective	ditectif *hwn*	
determined	penderfynol	
to detest	casáu	
to develop	datblygu	
device	dyfais *hon*	
dew	gwlith *hwn*	
diagonal	lletraws	
diagram	diagram *hwn*	
dial	deial *hwn*	
diameter	diamedr *hwn*	
diamond	diemwnt *hwn*	
dice	dis *hwn*	
dictionary	geiriadur *hwn*	
to die	marw	
diet	diet *hwn*	
difference	gwahaniaeth *hwn*	
different	gwahanol	
difficult	anodd	
difficulty	anhawster *hwn*	
to dig	palu	
dignified	urddasol	
dignity	urddas *hwn*	
dinner	cinio *hwn*	
dinosaur	deinosor *hwn*	
to dip	trochi	
to direct	cyfeirio	
direction	cyfeiriad *hwn*	
dirt	baw *hwn*	
dirty	brwnt, budr	
to dirty	difwyno:dwyno, trochi	
to disagree	anghytuno	
disagreement	anghytundeb *hwn*	
to disappear	diflannu	
to disappoint	siomi	
disappointment	siom *hon*	

discussion	trafodaeth *hon*	to dream	breuddwydio
disciple	disgybl *hwn*	dreamy	breuddwydiol
to discover	darganfod	to drench	gwlychu
discoverer	darganfyddwr *hwn*	a dress	ffrog *hon*
to discuss	trafod	to dress	gwisgo
disease	clefyd *hwn*,	dresser	dresel:dreser *hon*,
	haint *hwn neu hon*		seld *hon*
disgraceful	gwarthus	to dribble	driblo:driblan
dish	dysgl *hon*	a drink	diod *hon*
dishes	llestri *hyn*	to drink	yfed
disk	disg *hwn*	to drip	diferu
dismal	diflas	to drive	gyrru
display	arddangosfa *hon*	a drop	defnyn *hwn*,
to dissolve	toddi		diferyn *hwn*
distance	pellter *hwn*	to drop	cwympo, gollwng
distant	pell	to drown	boddi
district	ardal *hon*	drugs	cyffuriau *hyn*
ditch	ffos *hon*	drum	drwm *hwn*
to do	gwneud	drummer	drymiwr *hwn*
doctor	doctor *hwn*,	dry	sych
	meddyg *hwn*	to dry	sychu
dog	ci *hwn*	Dublin	Dulyn
doll	doli *hon*	duck	hwyad:
dolphin	dolffin *hwn*,		hwyaden *hon*
	môr-hwch *hon*	dust	llwch *hwn*
domino	domino *hwn*	duster	clwt:clwtyn *hwn*
don't	paid	duty	dyletswydd *hon*
door	drws *hwn*	dwarf	corrach *hwn*
to dote	gwirioni		
to double	dyblu		
to doubt	amau		
dough	toes *hwn*		
down	lawr		
dozen	dwsin *hwn*		E e
to drag	llusgo	eager	awyddus
dragon	draig *hon*	eagle	eryr *hwn*
drake	barlat *hwn*,	ear	clust *hon*
	marlat *hwn*	early	cynnar
drama	drama *hon*	earth	daear *hon*
to draw	tynnu	earthquake	daeargryn *hon*
drawer	drâr:drôr *hwn*	east	dwyrain *hwn*
dreadful	erchyll	Easter	Pasg *hwn*
a dream	breuddwyd *hon*	easy	esmwyth, hawdd,
			rhwydd

to eat	bwyta	
	Ebbw Vale	Glynebwy
	eccentricity	odrwydd *hwn*
an echo	adlais *hwn*, atsain *hon*
to echo	adleisio, atseinio
	eclipse	clip *hwn*, eclips *hwn*
	edge	min *hwn*, ymyl *hwn*
	Edinburgh	Caeredin
to edit	golygu
	editor	golygydd *hwn*
	education	addysg *hon*
	educational	addysgiadol
	eel	llysywen *hon*
an effect	effaith *hon*
to effect	effeithio
	effort	ymdrech *hon*
	egg	wy *hwn*
	Egypt	yr Aifft
	eight	wyth
	eighteen	deunaw
	either	naill
	elastic	lastig *hwn*
	elbow	penelin *hwn* neu *hon*
	elderly	oedrannus
to elect	ethol
	election	etholiad *hwn*
	electricity	trydan *hwn*
	electron	electron *hwn*
	electronic	electronig
	elephant	eliffant *hwn*
	embroidery	brodwaith *hwn*
	emerald	emrallt *hwn*
to emigrate	ymfudo
	emperor	ymherodr *hwn*
	empty	gwag
to empty	gwacáu
	enamel	enamel *hwn*
to enchant	swyno
	encyclopaedia	gwyddoniadur *hwn*
an end	diwedd *hwn*
to end	diweddu
	enemy	gelyn *hwn*

	energy	egni *hwn*, ynni *hwn*
	engine	injan *hon*
	England	Lloegr
to enjoy	mwynhau
	enmity	gelyniaeth *hon*
	enormous	anferth
	enough	digon
to entertain	diddanu, difyrru
	entertaining	adloniadol, diddan
	entertainment	adloniant *hwn*
	enthusiasm	brwdfrydedd *hwn*
	enthusiastic	brwdfrydig
	entire	cyfan
	entrance	mynedfa *hon*, mynediad *hwn*
	envelope	amlen *hon*
	environment	amgylchedd *hwn*
	envy	cenfigen *hon*
	equal	cyfartal
	equator	cyhydedd *hwn*
	equipment	cyfarpar *hwn*
	error	camgymeriad *hwn*
to escape	dianc
	especially	yn enwedig
to estimate	amcangyfrif
	even number	eilrif *hwn*
	evening	noson *hon*, noswaith *hon*
	event	digwyddiad *hwn*
	ever	erioed
	evergreen	bythwyrdd: bytholwyrdd
	everyone	pawb *hyn*
	everything	popeth *hwn*, cyfan *hwn*
	evidence	tystiolaeth *hon*
	evil	drwg
to exaggerate	gor-ddweud
to examine	archwilio
	examination	arholiad *hwn*, archwiliad *hwn*
	example	enghraifft *hon*, esiampl *hon*

169

excellent	ardderchog, rhagorol, penigamp		

excellent — ardderchog, rhagorol, penigamp

except — ac eithrio (eithrio)

to exchange — cyfnewid

to excite — cynhyrfu

excitement — cyffro *hwn*

exciting — cyffrous

to exclaim — ebychu

exclamation mark — ebychnod *hwn*

an excuse — esgus *hwn*

to excuse — esgusodi

to execute — dienyddio

exhibition — arddangosfa *hon*

an exile — alltud *hwn*

to exile — alltudio

to exist — bod

exit — allanfa *hon*

to expand — ehangu

to expect — disgwyl

expensive — drud

to experience — profi

an experiment — arbrawf *hwn*

to experiment — arbrofi

to explain — egluro, esbonio

to explode — ffrwydro

explorer — fforiwr *hwn*

explosives — ffrwydron *hyn*

expression — golwg *hon*

to extend — estyn

extension — estyniad *hwn*

to extinguish — diffodd

extra — mwy

eye — llygad *hwn*

eyebrow — ael *hon*

eyelid — amrant *hwn*

F f

fable — chwedl *hon*

face — wyneb *hwn*

fact — ffaith *hon*

factual — ffeithiol

factory — ffatri *hon*

Fahrenheit — Fahrenheit

to fail — methu

to faint — llewygu

fair — gweddol

fair (pretty) — teg

a fair — ffair *hon*

fairies — tylwyth teg *hyn*

faith — ffydd *hon*

faithful — ffyddlon

fake — ffug

to fall — cwympo, disgyn, syrthio

family — teulu *hwn*

famine — newyn *hwn*

famous — enwog

far — pell, ymhell

a farm — ffarm *hon*, fferm *hon*

to farm — amaethu, ffarmio, ffermio

farmer — amaethwr *hwn*, ffarmwr: ffermwr *hwn*

farmyard — buarth *hwn*, clos *hwn*

fashion — ffasiwn *hon*

fashionable — ffasiynol

fast — cyflym

fat — tew, boliog

the fat — braster *hwn*

father — tad *hwn*

fault — bai *hwn*

favour — cymwynas *hon*

favourite — hoff

a favourite — ffefryn *hwn*

fear — arswyd *hwn neu hon*, ofn *hwn*

fearful — arswydus

	feast	gwledd *hon*		flame	fflam *hon*
	feat	camp *hon*	to	flare	fflamio
	feather	pluen *hon*	a	flash	fflach *hon*
	February	Chwefror	to	flash	fflachio
to	feed	bwydo		flask	fflasg *hon*
to	feel	teimlo		flat	fflat
	feeling	teimlad *hwn*	to	flatten	fflatio
to	feint	ffugio		flavour	blas *hwn*
	fellow man	cyd-ddyn *hwn*		flea	chwannen *hon*
	female	benyw *hon*		flesh	cnawd *hwn*
	fence	ffens *hon*		flexible	ystwyth
	ferry	fferi *hon*		flexibility	ystwythder *hwn*
	festival	gŵyl *hon*	to	fling	taflu
	fête	garddwest *hon*		Flint	Y Fflint
	fewer	llai	to	float	arnofio
	fiddle	ffidl:ffidil *hon*		flock	diadell *hon*,
	field	cae *hwn*, maes *hwn*			praidd *hwn*
	fierce	ffyrnig		floods	llifogydd *hyn*
to	fight	ymladd, brwydro		floor	llawr *hwn*
	fighter	ymladdwr *hwn*		flotsam	broc môr *hwn*
	figure	ffigur *hwn*		flour	blawd *hwn*, can *hwn*
to	fill	llanw:llenwi	to	flow	llifo
a	film	ffilm *hon*		flower	blodyn *hwn*
to	film	ffilmio		flu	ffliw *hwn*
	fine	braf	a	fly	cleren *hon*
a	fine	dirwy *hon*	to	fly	hedfan
	finger	bys *hwn*		foal	ebol *hwn*
to	finish	gorffen		foam	ewyn *hwn*
	Finland	Y Ffindir		foaming	ewynnog
	fir (tree)	ffynidwydden *hon*		fog	niwl *hwn*
	fire	tân *hwn*	a	fold (sheep)	corlan *hon*
to	fire	tanio	to	fold	plygu
	firm	cadarn		foliage	dail *hyn*
	first	cyntaf		folk	gwerin *hon*
a	fish	pysgodyn *hwn*	to	follow	dilyn
to	fish	pysgota		folly	ffolineb *hwn*
	Fishguard	Abergwaun		fond	hoff
	fishing rod	genwair *hon*		food	bwyd *hwn*,
	fist	dwrn *hwn*			lluniaeth *hwn*
	fit	ffit		fool	ffŵl *hwn*
to	fit	ffitio		foolish	ffôl
	flag	baner *hon*		foot	troed *hon*
	flakes	creision *hyn*		football	pêl-droed *hon*

171

	footballer	pêl-droediwr *hwn*
	foot-bridge	pompren *hon*
	for ever	am byth
	force	grym *hwn*
	forehead	talcen *hwn*
	foreign	estron
	foremost	pennaf, blaenaf
	forest	coedwig *hon*
	forge	gefail *hon*
to	forget	anghofio
	forgetful	anghofus
to	forgive	maddau
	fork	fforc *hon*, fforch *hon*
a	form¹	ffurf *hon*
a	form²	ffurflen *hon*
to	form	ffurfio
	formerly	cynt
	fort	caer *hon*
	fortnight	pythefnos *hwn neu hon*
	fortunate	ffodus
	fortune	ffortiwn *hon*
	forty	deugain
	forward	ymlaen
a	fossil	ffosil *hwn*
to	fossilize	ffosileiddio
	foul	budr
	foundation	sail *hon*, sylfaen *hwn* neu *hon*
	fox	cadno *hwn*, llwynog *hwn*
	fraction	ffracsiwn *hwn*
a	frame	ffrâm *hon*
to	frame	fframio
	France	Ffrainc
	free	rhydd, rhad
to	free	rhyddhau
to	freeze	rhewi
	freezer	rhewgell *hon*
	frequent	aml
	fresh	ffres
	freshness	ffresni *hwn*
	Friday	dydd Gwener
	friend	cyfaill *hwn*, ffrind *hwn*

	friendly	cyfeillgar
	frieze	ffris *hon*
	fright	braw *hwn*
to	frighten	dychryn
	frightful	dychrynllyd, ofnadwy
	frock	ffrog *hon*
	frog	broga *hwn*, llyffant *hwn*
	from	o
	front	blaen *hwn*
	frost	barrug *hwn*, llwydrew *hwn*, rhew *hwn*
	frosty	barugog
a	frown	gwg *hon*
to	frown	gwgu
	fruit	ffrwyth *hwn*
to	fry	ffrio
	fuel	tanwydd *hwn*
	full	llawn
	fun	sbort *hwn*, sbri *hwn*, hwyl *hon*
	fund	cronfa *hon*
	funeral	angladd *hwn*, cynhebrwng *hwn*
	fungus	ffwng *hwn*
	funnel	twndis *hwn*, twmffat *hwn*
	funny	doniol, digrif
	fur	blew *hyn*, ffwr *hwn*
	furious	cynddeiriog
	furniture	celfi *hyn*, dodrefn *hyn*
	fuse	ffiws *hwn*
	future	dyfodol *hwn*

G g

	gadget	teclyn *hwn*
	galaxy	galaeth *hon*
	gallery	oriel *hon*
to	gallop	carlamu
to	gamble	gamblo
	game	gêm *hon*
	games	chwaraeon *hyn*

	gander	clacwydd *hwn*
	gang	criw *hwn*
	gaol	carchar *hwn*
	gap	adwy *hon*, bwlch *hwn*
	garage	garej *hon*, modurdy *hwn*
a	garden	gardd *hon*
to	garden	garddio
	gardener	garddwr *hwn*
	gas	nwy *hwn*
	gash	clwyf *hwn*
	gate	clwyd *hon*, gât: giât *hon*, llidiart *hwn neu hon*
to	gather	casglu
	gear	gêr *hwn neu hon*
	gem	tlws *hwn*
	generous	hael
	gentle	tirion, mwyn
	geography	daearyddiaeth *hon*
	gerbil	gerbil *hwn*
	Germany	Yr Almaen
to	get up	codi
	ghost	bwgan *hwn*, ysbryd *hwn*
	giant	cawr *hwn*
	gift	rhodd *hon*
	gill	tagell *hon*
	ginger	sinsir *hwn*
	gipsy	sipsi *hwn neu hon*
	giraffe	jiráff *hwn*
	girl	hogen:hogan *hon*, geneth *hon*, merch *hon*
to	give	rhoi
to	give birth to	esgor (ar)
	glacier	rhewlif *hwn*
	glad	balch
a	glance	cip *hwn*
	glass	gwydr *hwn*
	glasses	sbectol *hon*
	glen	glyn *hwn*
	glider	gleider *hwn*

	glimpse	cip *hwn*
	globe	glob *hon*
	glove	maneg *hon*
to	glow	tywynnu
	glue	glud *hwn*
to	glue	gludo:gludio
	glutton	bolgi *hwn*
	gnat	gwybedyn *hwn*
to	go	mynd
	goal	gôl *hon*
	goat	gafr *hon*
	gold	aur *hwn*
	golf	golff *hwn*
	good	da
	Good Friday	dydd Gwener y Groglith
	goodness	daioni *hwn*
	goods	nwyddau *hyn*
	goose	gŵydd *hon*
	gorilla	gorila *hwn*
	gorse	eithin *hyn*
	gossamer	gwawn *hwn*
to	gossip	clepian
	government	llywodraeth *hon*
	gradual	graddol
to	graduate	graddio
	grain	grawn *hyn*
	gram	gram *hwn*
	granddaughter	wyres *hon*
	grandfather	tad-cu *hwn*, taid *hwn*
	grandmother	mam-gu *hon*, nain *hon*
	grandson	ŵyr *hwn*
	grapefruit	grawnffrwyth *hwn*
	grapes	grawnwin *hyn*
	graph	graff *hwn*
	grass	glaswellt *hwn*, porfa *hon*
	grasshopper	sioncyn y gwair *hwn*
	grate	grât *hwn neu hon*
	grave	bedd *hwn*

	gravity	disgyrchiant *hwn*	
	gravy	grefi *hwn*	
to	graze	pori	
	grease	saim *hwn*	
	greasy	seimlyd:seimllyd	
	Greece	Groeg	
	greedy	barus	
to	greet	cyfarch	
	greetings	cyfarchion *hyn*	
	grief	galar *hwn*	
to	grieve	galaru	
	grimace	jib *hwn*	
a	grin	gwên *hon*	
to	grin	gwenu	
to	grind	malu	
to	grip	gafael	
	grocer	groser *hwn*	
to	grope	palfalu	
	ground	maes *hwn*	
	group	grŵp *hwn*	
	grove	llwyn *hwn*	
to	grow	tyfu	
to	grumble	achwyn	
	guest	gwestai *hwn*	
	guilt	euogrwydd *hwn*	
	guilty	euog	
	guitar	gitâr *hon*	
	gun	gwn *hwn*, dryll *hwn*	
to	gush	arllwys	
	gymnasium	campfa *hon*	

H h

habit	arfer *hwn*	
hail	cenllysg *hyn*,	
	cesair *hyn*	
hair	gwallt *hwn*	
hairy	blewog	
half	hanner *hwn*	
hall	neuadd *hon*	
to halve	haneru	
hammer	morthwyl *hwn*	

	hand	llaw *hon*
	handkerchief	hances *hon*,
		macyn *hwn*,
		neisied *hon*
	handle	coes *hwn*, dolen *hon*
	handsome	hardd
to	hang	hongian
to	happen	digwydd
	happy	hapus, llawen, llon
	harbour	porthladd *hwn*
	hard	caled
	hare	ysgyfarnog *hon*
	harm	niwed *hwn*
to	harm	niweidio
	harness	harnais *hwn*
	harp	telyn *hon*
	harsh	cras
	hart	hydd *hwn*
	harvest	cynhaeaf *hwn*
	haste	brys *hwn*, hast *hwn*
		neu *hon*
	hat	het *hon*
to	hatch	deor
to	hate	casáu
to	have	cael
to	have to	gorfod
	Haverfordwest	Hwlffordd
	hawk	gwalch *hwn*,
		hebog *hwn*
	hay	gwair *hwn*
	hazel	collen *hon*
	head	prif
the	head	pen *hwn*
	headmaster	prifathro *hwn*
	headmistress	prifathrawes *hon*
	health	iechyd *hwn*
	healthy	iach
to	hear	clywed
	hearing	clyw *hwn*
	heart	calon *hon*
	hearth	aelwyd *hon*
	heat[1]	
	(competition)	rhagbrawf *hwn*

	heat²	gwres *hwn*
to	heat	poethi
	heather	grug *hyn*
	heaven	nef:nefoedd *hon*
	heavy	trwm
	hedge	clawdd *hwn*,
		perth *hon*
	hedgehog	draenog *hwn*
	heel	sawdl *hwn*
	helicopter	hofrenydd *hwn*
	helmet	helmed *hon*
to	help	cynorthwyo, helpu
	hen	iâr *hon*
	her	ei, hi
	herbs	llysiau *hyn*,
		perlysiau *hyn*
	herd	gyr *hwn*
	here	dyma, fan hyn, yma
	hero	arwr *hwn*
	heroic	arwrol
	heroine	arwres *hon*
	heron	crëyr *hwn*
to	hesitate	oedi
to	hibernate	gaeafgysgu
	hiccup	ig *hwn*
to	hide	cuddio
	high	uchel
	highway	priffordd *hon*
	hill	allt *hon*, bryn *hwn*,
		gallt *hon*, rhiw *hon*
	him	ef
to	hinder	rhwystro
	hinge	colfach *hwn*
	hippopotamus	dyfrfarch *hwn*,
		hipopotamws *hwn*
to	hire	llogi
	his	ei
	history	hanes *hwn*
to	hit	bwrw, taro
to	hold	cydio, cynnal
to	hold back	atal
	hole	twll *hwn*
	holidays	gwyliau *hyn*

	holly	celyn *hyn*
	holy	cysegredig, sanctaidd
	Holyhead	Caergybi
	home	cartret *hwn*
at	home	gartref
	homewards	adref
	honest	gonest:onest
	honesty	gonestrwydd *hwn*
	honey	mêl *hwn*
	honour	bri *hwn*
	hoof	carn *hwn*
	hook	bachyn *hwn*
to	hope	gobeithio
	hopeful	gobeithiol
	horizon	gorwel *hwn*
	horn	corn *hwn*
	horse	ceffyl *hwn*
	horseman	marchog *hwn*
	horseshoe	pedol *hon*
	hospital	ysbyty *hwn*
	hot	poeth, twym
	hotel	gwesty *hwn*
	hound	helgi *hwn*
	hour	awr *hon*
	house	tŷ *hwn*
	hovercraft	hofranfad *hwn*
to	howl	udo
	huge	anferth; anferthol
a	hum	si:su *hwn*
	humour	hiwmor *hwn*
	hundred	cant:can
	Hungary	Hwngari
to	hunt	hela
to	hurl	taflu
to	hurry	brysio
a	hurt	gloes:loes *hon*
to	hurt	brifo
	husband	gŵr *hwn*
	hut	cwt *hwn*
	hymn	emyn *hwn*
	hyphen	cyplysnod *hwn*,
		cysylltnod *hwn*
	hypodermic	chwistrell *hon*

I i

	I	fi
	I'm sorry	mae'n flin gennyf
	ice	iâ *hwn*
	Iceland	Gwlad yr Iâ
	icicles	pibonwy *hyn*
	idea	syniad *hwn*
	ideal	delfrydol
	igloo	iglw *hwn*
to	ignore	anwybyddu
	ill	gwael, sâl
	illness	afiechyd *hwn*, salwch *hwn*
to	ill-treat	cam-drin
	imagination	dychymyg *hwn*
to	imagine	dychmygu
to	imitate	dynwared, efelychu
	immense	anferth
	impersonator	dynwaredwr *hwn*
	impolite	anghwrtais
	importance	pwysigrwydd *hwn*
	important	pwysig
	impossible	amhosibl
to	improve	gwella
	inch	modfedd *hon*
to	increase	cynyddu
	incredible	anhygoel
	indebted	dyledus
	independent	annibynnol
	index	mynegai *hwn*
	indirect	anuniongyrchol
	industrious	gweithgar
	industry	diwydiant *hwn*
	information	gwybodaeth *hon*
to	inject	chwistrellu
to	injure	anafu
	injury	anaf *hwn*, dolur *hwn*
	ink	inc *hwn*
	innings	batiad *hwn*
	innocent	diniwed
	insect	pryf *hwn*, trychfil: trychfilyn *hwn*

to	insist	mynnu
to	inspect	archwilio
	inspection	archwiliad *hwn*
	instinct	greddf *hon*
	instinctive	greddfol
	instrument	offeryn *hwn*
	instrumental	offerynnol
to	insult	sarhau
to	intend	golygu, bwriadu
	intent	astud
	interest	diddordeb *hwn*
to	interest	diddori
	interesting	diddorol, difyr
to	interview	cyf-weld
to	introduce	cyflwyno
to	invent	dyfeisio
	inventor	dyfeisiwr *hwn*, darganfyddwr *hwn*
	invisible	anweledig
to	invite	gwahodd
	Ireland	Iwerddon
	iris	iris *hwn*
	iron	haearn *hwn*
to	iron	smwddio
	island	ynys *hon*
	Isle of Man	Ynys Manaw
	Italy	Yr Eidal
to	itch	cosi
	item	eitem *hon*
	ivy	eiddew *hwn*, iorwg *hwn*

J j

	jackdaw	jac-y-do *hwn*
	jacket	siaced *hon*
	jam	jam *hwn*
	January	Ionawr
	jar	jar *hon*
	jaw	gên *hon*
	jealous	cenfigennus, eiddigeddus

	jealousy	cenfigen *hon*, eiddigedd *hwn*
	jeans	jîns *hwn*
	jelly	jeli *hwn*
	jellyfish	slefren fôr *hon*
	jet	jet *hon*
	jewel	gem *hwn neu hon*
	jigsaw	jig-so *hwn*
	jockey	joci *hwn*
to	join (in)	ymuno
to	join	uno
	joke	jôc *hon*
	Jordan	Gwlad Iorddonen
	journey	taith *hon*
	joyful	llawen
to	judge	beirniadu, barnu
	jug	jŵg *hwn neu hon*
	juice	sudd *hwn*
	July	Gorffennaf
a	jump	naid *hon*
to	jump	neidio
	June	Mehefin
	jungle	jyngl *hwn*

K k

	kangaroo	cangarŵ
	keen	craff
to	keep	cadw
	kennel	cenel *hwn*
	kettle	tecell:tegell *hwn*
	key	agoriad *hwn*, allwedd *hon*
	keyboard	bysellfwrdd *hwn*
a	kick	cic *hwn neu hon*
to	kick	cicio
	kid (goat)	myn *hwn*
to	kill	lladd
	kilogram	cilogram *hwn*
	kilometre	cilometr *hwn*
	kind	caredig

	king	brenin *hwn*
	kingdom	teyrnas *hon*
	kingfisher	glas y dorlan *hwn*
a	kiss	cusan *hwn neu hon*
to	kiss	cusanu
	kitchen	cegin *hon*
	kite	barcud *hwn*
	knee	glin *hwn*, pen-glin *hwn*, pen-lin *hon*
to	kneel	penlinio
	knife	cyllell *hon*
	knight	marchog *hwn*
to	knit	gwau:gweu
	knob	bwlyn *hwn*
to	knock	cnocio
	knot	cwlwm *hwn*
to	know	adnabod, gwybod
	knowledge	gwybodaeth *hon*, adnabyddiaeth *hon*

L l

	label	label *hwn neu hon*
	laboratory	labordy *hwn*
	labour	llafur *hwn*
	lace[1]	les *hon*
	lace[2] (shoe)	carrai *hon*
	ladder	ysgol *hon*
	lady	arglwyddes *hon*
	ladybird	buwch goch gota *hon*
	lair	ffau *hon*
	lake	llyn *hwn*
	lamb	oen *hwn*
	lame	cloff
	lamp	lamp *hon*
	land	tir *hwn*
to	land	glanio
	lane	lôn *hon*
	language	iaith *hon*
	lard	lard *hwn*
	large	mawr
	lasso	lasŵ *hwn*

	last	diwethaf, olaf			lettuce	letysen *hon*
	last night	neithiwr			level	gwastad
	last year	llynedd			liar	celwyddgi *hwn*
to	last	para:parhau			library	llyfrgell *hon*
	latch	cliced:clicied *hon*		to	lick	llyfu, lluo, llyo
	late	diweddar, hwyr			lid	caead *hwn*,
to	laugh	chwerthin				clawr *hwn*
	Laugharne	Talacharn		a	lie	celwydd *hwn*
to	launch	lansio		to	lie	gorwedd
	lavender	lafant *hwn*			life	bywyd *hwn*
	law	cyfraith *hon*, deddf *hon*			lifeboat	bad achub *hwn*
	lawn	lawnt *hon*		a	lift	lifft *hwn*
to	lay	dodwy		to	lift	codi
	layer	haen:haenen *hon*			light¹	ysgafn
	laziness	diogi *hwn*			light²	golau
	lazy	diog		a	light	golau *hwn*
	lead	plwm *hwn*		to	light	cynnau
to	lead	arwain			lighthouse	goleudy *hwn*
	leader	arweinydd *hwn*			lightning	mellt *hyn*
	leaf	deilen *hon*			like	fel, tebyg
to	leak	gollwng			like that	felly
	leap	llam *hwn*		to	like	hoffi
to	learn	dysgu			lilac	lelog *hwn* neu *hon*
	least	lleiaf			lily	lili *hon*
	leather	lledr *hwn*			lime¹	calch *hwn*
to	leave	gadael			lime²	leim *hwn* neu *hon*
	Lebanon	Libanus			limp	llipa
	leek	cenhinen *hon*		to	limp	hercian
	left	chwith			line	lein *hon*, llinell *hon*
	leg	coes *hon*		to	linger	oedi
	legend	chwedl *hon*			link	dolen *hon*
	Leicester	Caerlŷr			lion	llew *hwn*
	leisure	hamdden *hon*			lip	gwefus *hon*
	lemon	lemwn:lemon *hwn*			liquid	hylif *hwn*
	lemonade	lemonêd *hwn*			list	rhes *hon*, rhestr *hon*
to	lend	benthyca		to	listen	gwrando
	length	hyd *hwn*			litre	litr *hwn*
	lens	lens *hwn*			little	bach, mân
	less	llai		a	little	tipyn, ychydig *hwn*
to	lessen	lleihau			little bit	mymryn *hwn*
	lesson	gwers *hon*		to	live	byw
	letter¹	llythyren *hon*,			lively	bywiog
	letter²	llythyr *hwn*			Liverpool	Lerpwl

178

	lizard	genau-goeg *hwn*, madfall *hon*
	Llandovery	Llanymddyfri
	load	llwyth *hwn*
	loaf	torth *hon*
	lobster	cimwch *hwn*
	local	lleol
a	lock	clo *hwn*
to	lock	cloi
	locked	ar glo
	locust	locust *hwn*
to	lodge	lletya
	lodging	llety *hwn*
	lollipop	lolipop *hwn*
	London	Llundain
	lonely	unig
	long	hir, maith
to	look	edrych
to	look after	gofalu
	loose	rhydd
	lord	arglwydd *hwn*
	lorry	lorri *hon*
to	lose	colli
	lottery	lotri *hon*
	lounge	lolfa *hon*
	love	cariad *hwn*
to	love	caru
	lovely	bendigedig, hyfryd
	low	isel
to	lower	gostwng
	luck	lwc *hon*
	lukewarm	claear
	lump	talp *hwn*, lwmpyn *hwn*
	lungs	ysgyfaint *hyn*
	luxurious	moethus

M m

	machine	peiriant *hwn*
	magazine	cylchgrawn *hwn*
	magic	hud *hwn*, lledrith *hwn*
	magical	lledrithiol
	magnet	magnet *hwn*
	magnificent	gwych
	magpie	pioden *hon*
	maid	morwyn *hon*
	main	prif
	majesty	mawrhydi *hwn*
to	make	gwneud
to	make a mess	gwneud cawl
	make-up	colur *hwn*
	male	gwryw
	mammal	mamolyn *hwn*
	man	dyn *hwn*, gŵr *hwn*
	Manchester	Manceinion
	mane	mwng *hwn*
	manger	preseb *hwn*
	manner	ffordd *hon*
	many	llawer
a	map	map *hwn*
to	map	mapio
	March	Mawrth
to	march	gorymdeithio, ymdeithio
	mare	caseg *hon*
a	mark	marc *hwn*
to	mark	marcio
	market	marchnad *hon*
	marmalade	marmalêd *hwn*
to	marry	priodi
	marsh	cors *hon*
	marvellous	gwych
	mask	mwgwd *hwn*
	massive	anferth
	mast	mast *hwn*
a	master	meistr *hwn*
to	master	meistroli
	mat	mat *hwn*
	match	matsen *hon*

179

	material	defnydd *hwn*, deunydd *hwn*	
	mathematics	mathemateg *hon*	
	mattock	caib *hon*	
	mattress	matras *hwn neu hon*	
	mature	aeddfed	
to	mature	aeddfedu	
	May	Mai	
	maze	drysfa *hon*	
	me	fi, mi	
	meadow	dôl *hon*	
	meal	pryd *hwn*	
	meaning	ystyr *hwn*	
to	measure	mesur	
	meat	cig *hwn*	
	mechanical	mecanyddol	
	medal	medal *hwn neu hon*	
the	media	cyfryngau *hyn*	
	medicine	moddion *hwn*	
	meek	addfwyn	
to	meet	cwrdd, cyfarfod	
	meeting	cyfarfod *hwn*	
	melody	alaw *hon*	
	melon	melon *hwn*	
to	melt	toddi	
	member	aelod *hwn*	
	memorial	cofgolofn *hon*	
	memory	cof *hwn*	
to	mend	trwsio	
to	mention	sôn	
	mermaid	môr-forwyn *hon*	
	merry	llawen	
	Merthyr Tydfil	Merthyr Tudful	
	message	neges *hon*	
	metal	metel *hwn*	
	method	dull *hwn*	
	metre	metr *hwn*	
	metric	metrig	
	microphone	microffon *hwn*	
	microscope	microsgop *hwn*	
	microwave	microdon *hon*	
	middle	canol *hwn*	
	middling	gweddol	

	mile	milltir *hon*	
	milk	llaeth *hwn*, llefrith *hwn*	
to	milk	godro	
	mill	melin *hon*	
	millionaire	miliwnydd *hwn*	
to	mime	meimio	
	mind	meddwl *hwn*	
to	mind	malio	
	miner	glöwr *hwn*	
	minister	gweinidog *hwn*, pregethwr *hwn*	
	mint¹	bathdy *hwn*	
	mint²	mintys *hwn*	
	minute	munud *hwn neu hon*	
	miracle	gwyrth *hon*	
	miraculous	gwyrthiol	
	mirror	drych *hwn*	
	mischief	drygioni *hwn*	
	mischievous	direidus	
	mischievousness	direidi *hwn*	
	miser	cybydd *hwn*	
	miserable	trist	
	miserly	cybyddlyd	
to	mislead	camarwain	
	missionary	cenhadwr *hwn*	
	mist	tarth *hwn*	
	mistake	camgymeriad *hwn*, camsyniad *hwn*, gwall *hwn*	
	mistletoe	uchelwydd *hwn*	
to	misunderstand	camddeall	
to	mix	cymysgu	
	mixed	cymysg	
to	moan	cwyno	
	model	model *hwn*	
	moderate	cymedrol	
	Mold	Yr Wyddgrug	
	mole	gwadd:gwadden: gwahadden *hon*	
	monastery	mynachlog *hon*	
	Monday	dydd Llun	

money	arian *hwn*, pres *hwn*
money box	cadw-mi-gei *hwn*
monk	mynach *hwn*
monkey	mwnci *hwn*
monster	anghenfil *hwn*
month	mis *hwn*
moon	lleuad *hon*
moor	rhos *hon*
more	mwy, rhagor *hwn*
morning	bore *hwn*
mosaic	mosaig *hwn*
mosque	mosg *hwn*
moss	mwsogl:mwswgl mwswm *hwn*
most	mwyaf
mother	mam *hon*
motor	modur *hwn*
motorway	traffordd *hon*
mountain	mynydd *hwn*
mouse	llygoden *hon*
mouth	ceg *hon*
mouth of river	aber *hwn*
to move	symud
movement	mudiad *hwn*
mud	llaid *hwn*, mwd *hwn*
to muddle	cymysgu
muddy	mwdlyd
mule	mul *hwn*
to murder	llofruddio
murderer	llofrudd *hwn*
murmur	murmur *hwn*
muscle	cyhyr *hwn*
muscular	cyhyrog
museum	amgueddfa *hon*
mushrooms	grawn unnos *hyn*, madarch *hyn*
music	cerddoriaeth *hon*
musical	cerddorol
must	rhaid
mustard	mwstard *hwn*
to mutate	treiglo
my	fy

N n

nail[1]	hoel:hoelen *hon*
nail[c] (finger)	ewin *hwn*
naked	noeth
a name	enw *hwn*
to name	enwi
narrow	cul
nasty	brwnt, cas
nation	cenedl *hon*
national	cenedlaethol
native	brodor *hwn*
nature	natur *hon*
naughty	drwg
navy	llynges *hon*
near	agos, ar bwys, ger, gerllaw
nearer	nes
neat	twt
Neath	Castell-nedd
necessary	angenrheidiol
neck	gwddf:gwddwg *hwn*
need	angen *hwn*
needle	nodwydd *hon*
neighbour	cymydog *hwn*
neighbourly	cymdogol
nephew	nai *hwn*
nerve	nerf *hon*
nervous	nerfus
a nest	nyth *hwn neu hon*
to nest	nythu
net	rhwyd *hon*
Netherlands	Yr Iseldiroedd
nettles	danadl *hyn*
never	byth
new	newydd
New Zealand	Seland Newydd
news	newyddion *hyn*
newt	madfall *hon*
next	nesaf
the next day	trannoeth
New Year's Day	dydd Calan
niece	nith *hon*

night	nos *hon*	to observe	sylwi
night-gown	coban *hon*	to obstruct	rhwystro
nightingale	eos *hon*	obvious	amlwg
nightmare	hunllef *hon*	occasion	achlysur *hwn*
nimble	sionc	occasional	ambell
no one	neb *hwn*	to occur	digwydd
nobleman	uchelwr *hwn*	ocean	cefnfor *hwn*
nobody	neb *hwn*	October	Hydref
noise	sŵn *hwn*	octopus	octopws *hwn*
noisy	swnllyd	odd	od
nonsense	lol *hon*	odd number	odrif *hwn*
Norway	Norwy	offensive	cas
north	gogledd *hwn*	to offer	cynnig
nose	trwyn *hwn*	office	swyddfa *hon*
nostril	ffroen *hon*	officer	swyddog *hwn*
not to do	peidio	often	aml
note	nodyn *hwn*	oil	olew *hwn*
nothing	dim *hwn*	ointment	eli *hwn*
nought	dim *hwn*	old	hen
November	Tachwedd	omlette	omled:omlet *hwn*
now	nawr, rŵan. yrŵan	on purpose	bwriadol
number	nifer *hwn neu hon*,	once	unwaith
	rhif *hwn*	one	un
to number	rhifo	onion	nionyn *hwn*,
nun	lleian *hon*		wynionyn:
a nurse	nyrs *hwn neu hon*		wynwynyn *hwn*
to nurse	magu, nyrsio	only	unig
nursery rhyme	hwiangerdd *hon*	open	ar agor, agored
nut¹ (metal)	nyten *hon*	to open	agor
nut² (fruit)	cneuen *hon*	opening	agoriadol
nylon	neilon *hwn*	opera	opera *hon*
		opinion	barn *hon*
		opportunity	cyfle *hwn*
		opposite	gwrthwyneb *hwn*

O o

oak	derwen *hon*	orange	oren *hwn*
oath	adduned *hon*	orchard	perllan *hon*
oats	ceirch *hyn*	orchestra	cerddorfa *hon*
to obey	ufuddhau	an order	archeb *hon*,
to object	gwrthwynebu		gorchymyn *hwn*
objection	gwrthwynebiad *hwn*	to order	archebu
obliging	cymwynasgar	organ	organ *hon*
oblong	petryal *hwn*	to organise	trefnu
		original	gwreiddiol

ostrich	estrys *hwn*	
Oswestry	Croesoswallt	
other	llall	
others	lleill	
otter	dyfrgi *hwn*	
ounce	owns *hon*	
our	ein	
out	allan	
outstanding	godidog	
oval	hirgrwn	
oven	ffwrn *hon*, popty *hwn*	
over	trosodd	
to overflow	gorlifo	
to overtake	goddiweddyd	
owl	gwdihŵ *hon*, tylluan *hon*	
to own	piau	
owner	perchennog *hwn*	
ox	ych *hwn*	
Oxford	Rhydychen	
oxygen	ocsygen *hwn*	
oyster	llymarch *hwn*, wystrysen *hon*	

P p

pace	cam *hwn*	
a pack	pac *hwn*	
to pack	pacio	
package	pecyn *hwn*	
packet	paced *hwn*	
pad	pad *hwn*	
to paddle	padlo	
page	tudalen *hon*	
pail	bwced *hwn*	
pain	gloes:loes *hon*, poen *hwn neu hon*	
paint	paent *hwn*	
to paint	arlunio, peintio	
pair	pâr *hwn*	
palace	palas *hwn*	

palm tree	palmwydden *hon*	
pan	padell *hon*	
pancake	crempog *hon*, ffroesen. ffroisen *hon*, pancosen *hon*	
pane	paen *hwn*	
panel	panel *hwn*	
pansy	pansi *hwn*	
pantomime	pantomeim *hwn*	
pantry	pantri *hwn*	
paper	papur *hwn*	
to paper	papuro	
parable	dameg *hon*	
parachute	parasiwt *hwn*	
parallel	paralel	
parcel	parsel *hwn*	
to pardon	maddau	
parent	rhiant *hwn*	
parish	plwyf *hwn*	
a park	parc *hwn*	
to park	parcio	
parliament	senedd *hon*	
parrot	parot *hwn*	
parsley	persli *hwn*	
parsnip	panasen *hon*	
part	rhan *hon*	
party	parti *hwn*	
to pass	pasio	
past	heibio	
pasta	pasta *hwn*	
paste	past *hwn*	
path	llwybr *hwn*	
patience	amynedd *hwn*	
patient	amyneddgar	
a patient	claf *hwn*	
pattern	patrwm *hwn*	
pavement	palmant *hwn*	
pavilion	pafiliwn *hwn*	
to pay	talu	
peace	heddwch *hwn*	
peaceful	heddychol	
peacock	paun *hwn*	

pear	gellygen *hon*,	
	peren *hon*	
pearl	perl *hwn*	
peas	pys *hyn*	
peat	mawn *hwn*	
to peck	pigo	
pedal	pedal *hwn*	
peel	croen *hwn*	
to peel	pilio	
pencil	pensil *hwn*	
pendulum	pendil *hwn*	
penguin	pengwin *hwn*	
penny	ceiniog *hon*	
people	pobl *hon*	
pepper	pupur *hwn*	
perfect	perffaith	
to perfect	perffeithio	
to perform	perfformio	
performance	perfformiad *hwn*	
perfume	persawr *hwn*	
perhaps	efallai	
perilous	peryglus	
Peru	Periw	
permission	caniatâd *hwn*	
to permit	caniatáu	
person	person *hwn*	
to persuade	perswadio	
petal	petal *hwn*	
petrol	petrol *hwn*	
petticoat	pais *hon*	
The Philippines	Pilipinas	
a phone	ffôn *hwn*	
to phone	ffonio:ffônio	
photography	ffotograffiaeth *hon*	
phrase	ymadrodd *hwn*	
physical	corfforol	
piano	piano *hwn*	
to pick	pigo	
picnic	picnic *hwn*	
picture	darlun *hwn*, llun *hwn*,	
	pictiwr *hwn*	
pie	pastai *hon*	
piece	darn *hwn*, pisyn *hwn*	

pig	mochyn *hwn*	
pigeon	colomen *hon*	
a pile	pentwr *hwn*	
to pile	pentyrru	
pilgrim	pererin *hwn*	
pill	pilsen *hon*	
pillow	gobennydd *hwn*	
pilot	peilot *hwn*	
a pin	pìn *hwn*	
to pin	pinio	
pincers	gefel *hon*	
to pinch	pinsio	
pine tree	pinwydden *hon*	
pineapple	afal pin *hwn*,	
	pinafal *hwn*	
pint	peint *hwn*	
pipe	pib *hon*, pibell *hon*	
pirate	môr-leidr *hwn*	
pit	pwll *hwn*	
pity	trueni *hwn*	
place	lle *hwn*, man *hwn*	
plague	pla *hwn*	
plain	plaen	
a plait	pleth *hon*	
to plait	plethu	
a plan	cynllun *hwn*	
to plan	cynllunio	
planet	planed *hon*	
plank	ystyllen *hon*	
a plant	planhigyn *hwn*	
to plant	plannu	
plastic	plastig *hwn*	
plate	plât *hwn*	
a play	drama *hon*	
to play	chwarae	
pleasant	dymunol	
pleased	balch	
pleasure	pleser *hwn*	
a plough	aradr *hwn*	
to plough	aredig	
to pluck	pigo	
plucky	dewr	
plug	plwg *hwn*	

	plum	eirinen *hon*		potter	crochenydd *hwn*
	plural	lluosog		pottery	crochenwaith *hwn*
	plus	plws *hwn*		poultry	ffowls *hyn*
	pocket	poced *hwn neu hon*		pound[1] (money)	punt *hon*
	pod	plisgyn *hwn*		pound[2] (weight)	pwys *hwn*
	poem	cerdd *hon*	to	pour	arllwys, tywallt
	poet	bardd *hwn*		powder	powdr:powdwr *hwn*
	poetry	barddoniaeth *hon*		powerful	grymus
a	point	pwynt *hwn*	to	practise	ymarfer
to	point	pwyntio		praise	clod *hwn*,
	poison	gwenwyn *hwn*			canmoliaeth *hon*
to	poke	procio	to	praise	canmol, moli
	Poland	Gwlad Pwyl		pram	pram *hwn*
	pole	polyn *hwn*	to	pray	gweddïo
	police	heddlu *hwn*	to	preach	pregethu
	police officer	plisman:		precious	gwerthfawr
		plismon *hwn*		pregnant	beichiog
to	polish	caboli, sgleinio		prelim	rhagbrawf *hwn*
	polite	bonheddig		preparations	paratoadau *hyn*
	Pontypool	Pont-y-pŵl	to	prepare	darparu, paratoi
	pony	merlen *hon*,		preposition	arddodiad *hwn*
		merlyn *hwn*	a	present	anrheg *hon*
	pool	pwll *hwn*	to	present	cyflwyno
	poor[1] (no money)	tlawd		president	arlywydd *hwn*
	poor[2] (in quality)	gwael	the	press	gwasg *hon*
	poppy	pabi *hwn*	to	press	gwasgu
	popular	poblogaidd		pretty	del, pert, tlws
	population	poblogaeth *hon*		price	pris *hwn*
	pork	porc *hwn*		prickly	pigog
	porpoise	llamhidydd *hwn*		pride	balchder *hwn*
	porridge	uwd *hwn*		priest	offeiriad *hwn*
	Portugal	Portiwgal		primary school	ysgol gynradd *hon*
	portrait	portread *hwn*		primroses	briallu *hyn*
to	portray	darlunio		prince	tywysog *hwn*
	possession	meddiant *hwn*		princess	tywysoges *hon*
	possible	posibl		principal	prif
	post	postyn *hwn*		principle	egwyddor *hon*
	post office	llythyrdy *hwn*,	to	print	argraffu
		swyddfa bost *hon*		prison	carchar *hwn*
to	post	postio		prisoner	carcharor *hwn*
to	postpone	gohirio		private	preifat
	potato	pytaten *hon*,		prize	gwobr *hon*
		taten *hon*		problem	problem *hon*

	procession	gorymdaith *hon*	to	put	gosod
	produce	cynnyrch *hwn*		puzzle	pos *hwn*
to	produce	cynhyrchu		pylon	peilon *hwn*
	producer	cynhyrchydd *hwn*		pyramid	pyramid *hwn*
	profit	elw *hwn*		python	peithon *hwn*
	program	rhaglen *hon*			
	programme	rhaglen *hon*			
	prominence	amlygrwydd *hwn*			
a	promise	addewid *hwn*			
to	promise	addo			

Q q

	proof	prawf *hwn*		quack	cwac *hwn*
	proper	cywir	to	quake	crynu
to	prophesy	proffwydo		quality	ansawdd *hwn*
	prophet	proffwyd *hwn*	a	quarrel	cweryl *hwn*
to	protect	amddiffyn	to	quarrel	cweryla, ffraeo
to	prove	profi		quarry	chwarel *hon*
	proverb	dihareb *hon*		quarryman	chwarelwr *hwn*
	psalm	salm *hon*		quarter	chwarter *hwn*
	public	cyhoeddus		quay	cei *hwn*
the	public	cyhoedd *hwn*		queen	brenhines *hon*
to	publish	cyhoeddi		question	cwestiwn *hwn*
	pudding	pwdin *hwn*		question mark	gofynnod *hwn*
	puddle	pwll *hwn*		queue	ciw *hwn*
	puffin	pâl *hwn*		quick	buan, cyflym
to	pull	tynnu		quiet	distaw, tawel
	pulley	chwerfan *hon*	to	quieten	tawelu
	pulpit	pulpud		quilt	cwilt *hwn*
to	pump	pwmpio		quite	eithaf
to	punctuate	atalnodi		quiz	cwis *hwn*
	punctuation				
	mark	atalnod *hwn*			
	puncture	twll *hwn*			

R r

to	punish	cosbi		rabbit	cwningen *hon*
	punishment	cosb *hon*	a	race	ras *hon*
	pupil	disgybl *hwn*	to	race	rasio
	puppet	pyped *hwn*		racket	raced *hwn* neu *hon*
to	purchase	prynu		radiator	rheiddiadur *hwn*
	pure	pur		radio	radio *hwn*
to	purify	puro		radius	radiws *hwn*
on	purpose	bwriadol		raffle	raffl *hon*
to	purr	canu grwndi		raft	rafft *hon*
	purse	pwrs *hwn*		rail	cledr *hon*
to	push	gwthio			

	railway	rheilffordd *hon*
	rain	glaw *hwn*
to	rain	bwrw glaw, glawio
	rainbow	enfys *hon*
to	raise	codi
a	rake	rhaca *hwn neu hon*
to	rake	rhacanu
	rally	rali *hon*
	ram	hwrdd *hwn,*
		maharen *hwn*
to	rap	cnocio
	rapid	cyflym
	rare	prin
	rascal	gwalch *hwn*
	rash	byrbwyll
	raspberries	afan coch *hyn,*
		mafon *hyn*
	razor	rasal *hon*
to	react	adweithio
to	read	darllen
	readiness	parodrwydd *hwn*
	ready	parod
to	realize	sylweddoli
to	recall	cofio
	rear	cefn *hwn*
to	rear	magu
	reason	rheswm *hwn*
	reasonable	rhesymol
	rebel	rebel *hwn*
to	recall	cofio
to	recede	cilio
to	receive	derbyn
	recipe	rysáit *hon*
to	recite	adrodd
to	recognise	adnabod
	record	record *hon*
	reeds	cawn *hyn*
to	reek	drewi
	reel	ril *hon*
	referee	dyfarnwr *hwn*
to	reflect	adlewyrchu
to	refuse	gwrthod, pallu
	region	rhanbarth *hwn*

to	register	cofrestru
to	regret	edifaru
	regular	cyson
	rehearsal	rihyrsal *hon*
to	rejoice	llawenhau
to	reign	teyrnasu
to be	related	perthyn
	relation	perthynas *hwn*
	relative	perthynas *hwn*
to	relax	ymlacio
to	release	gollwng
	religion	crefydd *hon*
to	rely	dibynnu
	remarkable	hynod, nodedig
to	remember	cofio
to	remind	atgoffa
	remote	anghysbell
	renowned	o fri
	rent	rhent *hwn*
to	repair	atgyweirio
to	repeat	ailadrodd
to	reply	ateb
a	report	adroddiad *hwn*
	reporter	gohebydd *hwn*
to	represent	cynrychioli
	reptile	ymlusgiad *hwn*
to	rescue	achub
	resolution	adduned *hon*
to	resolve	addunedu
	respect	parch *hwn*
	respectable	parchus
to	rest	gorffwys
	restless	aflonydd
	restlessness	aflonyddwch *hwn*
to	restore	adfer
	result	canlyniad *hwn*
to	retire	ymddeol
to	retreat	cilio
to	reveal	datgelu
	revolution	chwyldro *hwn*
	revolutionary	chwyldroadol
	rhinoceros	rhinoseros *hwn*
	rhubarb	rhiwbob *hwn*

	rhyme	odl *hon*
	rhythm	rhythm *hwn*
	rib	asen *hon*
	ribbon	ruban *hwn*
	rice	reis *hwn*
	rich	cyfoethog
to	ride	marchogaeth
	right (correct)	iawn
the	right (side)	de *hon*
	ring	modrwy *hon*
to	rip	rhwygo
	ripe	aeddfed
to	ripen	aeddfedu
to	rise	codi
to	risk	mentro
	river	afon *hon*
	river mouth	aber *hwn*
	road	ffordd *hon*
to	roam	crwydro
a	roar	twrw *hwn*
to	roar	rhuo
	robber	lleidr *hwn*
	robin	robin goch *hwn*
	robot	robot *hwn*
	rock	craig *hon*
	rocket	roced *hon*
	rocky	creigiog
	rod	rod *hon*, rhoden *hon*
a	roll	rholyn *hwn*
to	roll	rholio
	roof	to *hwn*
	room	ystafell *hon*
	root	gwraidd *hwn*, gwreiddyn *hwn*
	rope	rhaff *hon*
	rose	rhosyn *hwn*
to	rot	pydru
	rough	garw
	round	crwn
to	rouse	dihuno
to	row	rhwyfo
to	rub	rhwbio
	rubber	rwber *hwn*

	rubbish	sbwriel:ysbwriel *hwn*
	rude	anghwrtais
	rudeness	anghwrteisi *hwn*
	ruin	adfail *hwn*
a	rule	rheol *hon*
to	rule	rheoli
	ruler	riwl *hon*
	Rumney	Tredelerch
	rumour	si *hwn*
	rumpus	stŵr *hwn*
to	run	rhedeg
to	run away	ffoi
to	rush	rhuthro
	rushes	brwyn *hyn*
	Russia	Rwsia
	rust	rhwd *hwn*
to	rustle	siffrwd

S s

	sack	sach *hon*
	sackful	sachaid *hon*
	sacred	cysegredig
a	sacrifice	aberth *hwn*
to	sacrifice	aberthu
	sad	trist
	saddle	cyfrwy *hwn*
	safe	diogel
a	sail	hwyl *hon*
to	sail	hwylio
	sailor	llongwr *hwn*, morwr *hwn*
	saint	sant *hwn*
	St David's	Tyddewi
	Saint David's Day	dydd Gŵyl Dewi
	St Fagan's	Sain Ffagan
	salad	salad *hwn*
	salmon	eog *hwn*
	salt	halen *hwn*
	salty	hallt
	sand	tywod *hyn*

	sandal	sandal *hon*
	sandwich	brechdan *hon*
	Santa Claus	Siôn Corn
	satellite	lloeren *hon*
	Saturday	dydd Sadwrn
	satisfied	bodlon:boddlon
	sauce	saws *hwn*
	saucepan	sosban *hon*
	saucer	soser *hon*
	sausage	selsigen *hon*
to	save	achub, arbed, cynilo
a	saw	llif *hon*
to	saw	llifio
to	say	dweud
to	say grace	gofyn bendith
	says	medd
	scab	crachen *hon*
	scaffolding	sgaffaldau: ysgaffaldau *hyn*
	scale	cen *hwn*
	scales	clorian *hon*, mantol *hon*
	scar	craith *hon*
	scarce	prin
	scarcity	prinder *hwn*
	scarecrow	bwgan brain *hwn*
	scarf	sgarff *hon*
to	scatter	chwalu, gwasgaru
	scattered	gwasgaredig
	school	ysgol *hon*
	science	gwyddoniaeth *hon*
	scientist	gwyddonydd *hwn*
	scissors	siswrn *hwn*
	scooter	sgwter *hwn*
	score	sgôr *hwn*
to	score	sgorio
	scorpion	sgorpion *hwn*
	Scotland	Yr Alban
to	scowl	gwgu
to	scratch	crafu
	scream	sgrech: ysgrech *hon*
	screw	sgriw *hon*

to	screw	sgriwio
to	scrub	sgrwbio
	sculptor	cerflunydd *hwn*
	scythe	pladur *hon*
	sea	môr *hwn*
	seagull	gwylan *hon*
	seal	morlo *hwn*
to	search	chwilio, chwilota
	season	tymor *hwn*
	seat	sedd *hon*, sêt *hon*
	seaweed	gwymon *hwn*
	second[1] (2nd)	ail
	second[2] (time)	eiliad *hon*
	secret	dirgel, cyfrinachol
a	secret	cyfrinach *hon*
to	see	gweld
	seed	had *hyn*
a	seed	haden *hon*, hadyn *hwn* hedyn *hwn*
	see-saw	si-so *hwn* neu *hon*
	selfish	hunanol
to	sell	gwerthu
to	send	anfon, danfon
	sense	synnwyr *hwn*
	sensible	call
	sensitive	sensitif
	sentence	brawddeg *hon*
	September	Medi
	series	cyfres *hon*
	serious	difrifol
	servant	gwas *hwn*
to	serve	gwasanaethu
	service	cwrdd *hwn*, gwasanaeth *hwn*
a	set	set *hon*
to	set	machlud (am yr haul)
to	sew	gwnïo
	sex	rhyw *hon*
	shadow	cysgod *hwn*
to	shake	siglo, ysgwyd
	shallow	bas
	shame	cywilydd *hwn*

	shampoo	siampŵ *hwn*	
	shape	siâp *hwn*	
a	share	siâr *hon*	
to	share	rhannu	
	shark	siarc *hwn*	
	sharp	llym, miniog, siarp	
to	shave	eillio, siafio	
	shawl	siôl *hon*	
	sheaf	ysgub *hon*	
	sheep	dafad *hon*	
	sheet[1] (paper)	dalen *hon*	
	sheet[2]	cynfas *hon*	
	shelf	silff *hon*	
	shell[1] (sea)	cragen *hon*	
	shell[2]	masgl *hwn*, plisgyn *hwn*	
to	shelter	cysgodi	
a	shepherd	bugail *hwn*	
to	shepherd	bugeilio	
	shield	tarian *hon*	
to	shift	symud	
	shilling	swllt *hwn*	
to	shine	disgleirio, sgleinio	
	ship	llong *hon*	
	shirt	crys *hwn*	
a	shiver	ias *hon*	
to	shiver	crynu	
	shoal	haid *hon*	
	shock	sioc *hon*	
a	shoe	esgid *hon*	
to	shoe	pedoli	
to	shoot	saethu	
a	shop	siop *hon*	
to	shop	siopa	
	short	byr	
to	shorten	byrhau	
	shoulder	ysgwydd *hon*	
to	shout	bloeddio, gweiddi	
to	shove	gwthio	
	shovel	rhaw *hon*	
a	show	sioe *hon*	
to	show	dangos	
	shower	cawod *hon*	

	Shrewsbury	Amwythig	
to	shut	cau	
	shy	swil	
	shyness	swildod *hwn*	
	sick	sâl	
	side	ochr *hon*	
a	sigh	ochenaid *hon*	
to	sigh	ochneidio	
	sight	golwg *hwn*	
a	sign	arwydd *hwn*	
to	sign	arwyddo, llofnodi	
	silence	distawrwydd *hwn*	
	silent	distaw	
	silk	sidan *hwn*	
	silly	dwl, gwirion	
	silver	arian *hwn*	
	similar	tebyg	
	simple	syml	
	since	ers	
	sincere	diffuant	
	sincerity	diffuantrwydd *hwn*	
to	sing	canu	
	singer	canwr *hwn*	
	single	sengl	
to	sink	suddo	
a	sip	llymaid *hwn*	
	sir	syr *hwn*	
	sister	chwaer *hon*	
to	sit	eistedd	
	situation	sefyllfa *hon*	
	six	chwe:chwech	
	size	maint *hwn*	
to	skate	sglefrio:ysglefrio	
	skeleton	sgerbwd: ysgerbwd *hwn*	
	sketch	braslun *hwn*	
to	ski	sgio	
	skin	croen *hwn*	
to	skip	sgipio	
	skirt	sgert *hon*	
	skull	penglog *hon*	
	sky	awyr *hon*	
	skylark	ehedydd *hwn*	

	slab	slab *hwn*
	slack	llac
to	slant	goleddfu
	slate	llech:llechen *hon*
	slave	caethferch *hon*, caethwas *hwn*
	sleep	cwsg *hwn*
to	sleep	cysgu
	sleeping	ynghwsg
	sleepy	cysglyd
	sleet	eirlaw *hwn*
	sleeve	llawes *hon*
	sleigh	sled *hwn*
	slice	tafell *hon*, sleisen *hon*
a	slide	llithren *hon*
to	slide	llithro
to	slink	sleifio
	slippery	llithrig, slic
	slow	araf
to	slow down	arafu
	slug	gwlithen *hon*
	small	bach, bychan
	smaller	llai
	smallest	lleiaf
	smallholding	tyddyn *hwn*
a	smell	arogl *hwn*
to	smell	arogli, gwynto
a	smile	gwên *hon*
to	smile	gwenu
	smithy	gefail *hon*
	smoke	mwg *hwn*
to	smoke	mygu, smygu: ysmygu
	smooth	llyfn
to	smuggle	smyglo
	snail	malwen: malwoden *hon*
	snake	neidr *hon*
to	snatch	cipio
to	sneeze	tisian, twsian
to	sniff	ffroeni
	snooker	snwcer *hwn*
to	snore	chwyrnu

	snow	eira *hwn*
	snowdrop	eirlys *hwn*
	snug	clyd
	soup	sebon *hwn*
	society	cymdeithas *hon*
	socket	soced *hwn*
	soft	meddal
	soil	pridd *hwn*
to	soil	difwyno:dwyno
	soldier	milwr *hwn*
	sole	gwadn *hon*
	solid	solet:solid
	solitary	unig
	solo	unawd *hwn*
to	solve	datrys
	some	rhai, rhyw
	somehow	rhywsut
	someone	rhywun *hwn*
	sometimes	weithiau
	somewhere	rhywle
	son	mab *hwn*
	song	cân *hon*
	soot	huddygl *hwn*, parddu *hwn*
	sore	tost
	sort	math *hwn*
to	sort	didoli
	soul	enaid *hwn*
	sound	sain *hon*
	soup	cawl *hwn*, potes *hwn*
	sour	sur
	south	de *hwn*
a	sow (pig)	hwch *hon*
to	sow (seed)	hau
	space	gofod *hwn*
	spade	pâl *hon*, rhaw *hon*
	spaghetti	sbageti *hwn*
	Spain	Sbaen
	spare	sbâr
	sparks	gwreichion *hyn*
to	speak	llefaru, siarad
	spear	gwaywffon *hon*
	special	arbennig, neilltuol

191

specific	penodol	
speckled	brith	
spectacles	sbectol *hon*	
speech	araith *hon*	
a spell (magic)	swyn *hwn*	
to spell (words)	sillafu	
to spend	gwario	
to spend (time)	treulio	
sphere	sffêr *hon*	
spider	corryn *hwn*,	
	pryf copyn *hwn*	
to spill	colli	
spirit	ysbryd *hwn*	
to spit	poeri	
to splash	tasgu	
splendid	campus, ysblennydd	
to spoil	difetha	
sponge	sbwng:ysbwng *hwn*	
spoon	llwy *hon*	
sports	chwaraeon *hyn*	
spot	brycheuyn *hwn*,	
	smotyn:	
	ysmotyn *hwn*	
to spread	taenu	
spring	gwanwyn *hwn*	
to spring	sboncio	
to sprout	blaguro, egino	
square	sgwâr:ysgwâr *hwn*	
	neu *hon*	
squash	sboncen *hon*	
squeak	gwich *hon*	
to squeeze	gwasgu	
squirrel	gwiwer *hon*	
stable	stabl:ystabl *hon*	
stadium	stadiwm *hon*	
stage	llwyfan *hwn* neu *hon*	
stair	staer:ystaer *hon*	
stairs	grisiau *hyn*	
stalk	coes *hwn*	
stall	stondin *hwn* neu *hon*	
stallion	march *hwn*	
stammer	atal *hwn*	
stamp	stamp *hwn*	

to stand	sefyll	
standard	safon *hon*	
star	seren *hon*	
starling	drudwy *hwn*	
to start	cychwyn, dechrau	
starvation	newyn *hwn*	
to starve	newynu	
state[1]		
(condition)	cyflwr *hwn*	
state[2] (land)	talaith *hon*	
station	gorsaf *hon*	
statue	cerflun *hwn*	
to stay	aros	
to steal	lladrata	
steam	ager *hwn*,	
	anwedd *hwn*	
to steam	anweddu	
steel	dur *hwn*	
steep	serth	
stench	drewdod *hwn*	
a step	cam *hwn*	
to step	camu	
stew	cawl *hwn*	
a stick	ffon *hon*	
to stick	glynu	
stile	camfa *hon*,	
	sticil:sticill *hon*	
still	llonydd	
to sting	pigo	
to stink	drewi	
to stir	troi	
a stitch	pwyth *hwn*	
to stitch	pwytho	
stoat	carlwm *hwn*	
stomach	bol:bola *hwn*,	
	cylla *hwn*,	
	stumog:	
	ystumog *hon*	
stone	carreg *hon*	
Stonehenge	Côr y Cewri	
stony	caregog	
stool	stôl *hon*	
storm	storm:ystorm *hon*	

	story	stori:ystori *hon*
	stout	tew
	stove	stof *hon*
	straight	syth
	strange	dieithr, rhyfedd
	stranger	dieithryn *hwn*
	strap	strapen *hon*
	straw	gwellt *hyn*
	stream	ffrwd *hon*
	street	stryd *hon*
	strength	cryfder *hwn*, nerth *hwn*
to	strike[1] (refuse)	streicio
to	strike[2] (hit)	taro
	string[1] (instrument)	tant *hwn*
	string[2] (row)	rhibidirês *hon*
	strip	stribed *hwn*
to	strive	ymdrechu
	strong	cryf
to	struggle	strancio
	stubborn	cyndyn, ystyfnig
	student	myfyriwr *hwn*
	studio	stiwdio *hon*
to	study	astudio
	stuff	deunydd *hwn*
to	stuff	stwffio
	stupid	hurt
	stutter	atal *hwn*
	sty (on eye)	llefelyn:llyfelyn *hwn*, llyfrithen *hon*
	subject	pwnc *hwn*, testun *hwn*
	substitute	eilydd *hwn*
to	succeed	llwyddo
	success	llwyddiant *hwn*
	successful	llwyddiannus
to	suck	sugno
	sudden	sydyn
to	suffer	dioddef
	sufficient	digon
	sugar	siwgr *hwn*
to	suggest	awgrymu

	suggestion	awgrym *hwn*
	suit	siwt *hon*
	suitable	addas
to	sulk	pwdu
	summer	haf *hwn*
	sun	haul *hwn*
	Sunday	dydd Sul
	sunshine	heulwen *hon*
	sunset	machlud *hwn*
	superb	gwych
	supermarket	uwchfarchnad *hon*
	supper	swper *hwn neu hon*
to	support	cefnogi, cynnal
	supporter	cefnogwr *hwn*
	sure	siwr:siŵr
	surgeon	llawfeddyg *hwn*
	surgery[1]	meddygfa *hon*
	surgery[2]	llawfeddygaeth *hon*
	surname	cyfenw *hwn*
to	surprise	synnu
	suspicious	amheus
	swallow (bird)	gwennol *hon*
to	swallow	llyncu
	swan	alarch *hwn*
to	swear	rhegi
to	sweat	chwysu
to	sweep	ysgubo
	sweet	melys, pêr
	sweets	da-da *hyn*, fferins *hyn*, losin *hwn a hyn*, melysion *hyn*
to	swell	chwyddo
	swift	chwim
to	swim	nofio
	switch	swits *hwn*
	Switzerland	Y Swistir
	sword	cleddyf *hwn*
to	sympathize	cydymdeimlo
	sympathy	cydymdeimlad *hwn*

T t

	table	bord *hon*, bwrdd *hwn*, tabl *hwn*
	tablecloth	lliain *hwn*
	tablet	tabled *hon*
to	tack	tacio
to	tackle	taclo
	tadpole	penbwl *hwn*
	tail	cynffon *hon*
to	take	cymryd
to	take care	gofalu
	tale	chwedl *hon*, hanes *hwn*
	talent	dawn *hon*, talent *hon*
	talented	talentog
to	talk	siarad
	talkative	siaradus
	tall	tal
	tame	dof
	tank	tanc *hwn*
	tanker	tancer *hwn*
	tape	tâp *hwn*
	tar	tar *hwn*
	target	targed *hwn*
	tart	tarten *hon*
a	taste	blas *hwn*
to	taste	blasu
	tasty	blasus
	tax	treth *hon*
	taxi	tacsi *hwn*
	tea	te *hwn*
to	teach	addysgu, dysgu
	teacher	athrawes *hon*, athro *hwn*
	team	tîm *hwn*
	teapot	tebot *hwn*
a	tear¹ (crying)	deigryn *hwn*
a	tear² (rip)	rhwyg *hwn*
to	tear (rip)	rhwygo
a	telephone	ffôn *hwn*, teleffon:teliffon *hwn*
to	telephone	ffonio:ffônio

	telescope	telesgop *hwn*, ysbienddrych *hwn*
	television	teledu *hwn*
to	tell	dweud
	telltale	clapgi *hwn*
	temper	tymer *hon*
	temperature	tymheredd *hwn*
	temple	teml *hon*
	ten	deg
	Tenby	Dinbych-y-pysgod
to	tend	tendio
to	tend to	tueddu i
	tender	tyner
	tenderness	tynerwch *hwn*
	tennis	tennis *hwn*
	tent	pabell *hon*
	tepid	claear
	term	tymor *hwn*
	terminal	terfynell *hon*
	terror	braw *hwn*
to	thank	diolch
to	thaw	dadlaith, dadmer, meirioli
	theatre	theatr *hon*
	their	eu
	them	hwy:nhw
	there	acw, dacw, dyna
	therefore	felly
	thermometer	thermomedr *hwn*
	these	y rhain
	they	hwy:nhw
	thick	trwchus
	thickness	trwch *hwn*
	thief	lleidr *hwn*
	thigh	clun *hon*
	thimble	gwniadur *hwn*
	thin	tenau
	thing	peth *hwn*
to	think	meddwl
	thirst	syched *hwn*
	this year	eleni
	thorn	draenen:draen *hon*
	thorough	llwyr

	thousand	mil *hon*		together	gyda'i gilydd
	thread	edau *hon*		tomato	tomato *hwn*
a	threat	bygythiad *hwn*		tomorrow	yfory
to	threaten	bygwth		tongue	tafod *hwn*
	three	tair, tri		tonight	heno
	throat	gwddf *hwn*, llwnc *hwn*		tonsil	tonsil *hwn*
to	throw	lluchio, taflu		too	rhy
	thrush	bronfraith *hon*		too much	gormod
to	thrust	gwthio		tool	erfyn *hwn*,
	thumb	bawd *hwn*			teclyn *hwn*
	thunder	taran *hon*		tooth	dant *hwn*
	Thursday	dydd Iau		toothache	dannoedd:
to	tick	tipian			dannodd *hon*
	ticket	ticed *hwn*, tocyn *hwn*		top	brig *hwn*
to	tickle	cosi, goglais:		topic	testun *hwn*
		gogleisio		topsy-turvy	blith draphlith
	tide	llanw *hwn*		tortoise	crwban *hwn*
	tidy	destlus, taclus, twt	to	toss	taflu
to	tidy	tacluso	to	touch	cyffwrdd
a	tie	tei *hwn neu hon*		tough	gwydn
to	tie	clymu		towel	tywel *hwn*, lliain *hwn*
	tiger	teigr *hwn*		tower	tŵr *hwn*
	tight	tyn		town	tref:tre *hon*
	tile	teilsen *hon*		toy	tegan *hwn*
	time	adeg *hon*,		track	ôl *hwn*
		amser *hwn*,		tractor	tractor *hwn*
		gwaith *hon*,		trade	masnach *hon*
		pryd *hwn*		traffic	trafnidiaeth *hon*
to	time	amseru		trail	ôl *hwn*
	timetable	amserlen *hon*	a	train	trên *hwn*
	tinsel	tinsel *hwn*	to	train	hyfforddi
	tiny	mân		traitor	bradwr *hwn*
	tip	tip *hwn*		tramp	crwydryn *hwn*
to	tire	blino	to	trample	sathru
	tired	blinedig	to	translate	cyfieithu
	title	teitl *hwn*		translation	cyfieithiad *hwn*
	toad	llyffant *hwn*		trapeze	trapîs *hwn*
	toadstool	caws llyffant *hyn*		tray	hambwrdd *hwn*
	tobacco	tybaco *hwn*		treasure	trysor *hwn*
	toboggan	sled *hwn*	to	treat	trin
	today	heddiw		treatment	triniaeth *hon*
	toe	bys *hwn*		tree	coeden *hon*,
	toffee	cyflaith *hwn*			pren *hwn*

to	tremble	crynu
	trench	ffos *hon*
to	trespass	tresmasu
	triangle	triongl *hwn*
	trick	tric *hwn*
to	trim	tocio, trimio
a	trip	trip *hwn*
to	trip	baglu
	trolley	troli *hwn*
to	trot	tuthio
	trouble	helynt *hon*, trafferth *hwn* neu *hon*
	trough	cafn *hwn*
	trousers	trywser: trywsus *hwn*
	trout	brithyll *hwn*
	true	gwir
	trumpet	trwmped *hwn*, utgorn *hwn*
to	trust	ymddiried
	truth	gwir *hwn*
a	try	cais *hwn*
to	try	ceisio
	tube	tiwb *hwn*
	Tuesday	dydd Mawrth
	tug	tynfad *hwn*
	tune	tôn *hon*
	tunnel	twnnel *hwn*
	turkey	twrci *hwn*
	Turkey	Twrci
	turn	tro *hwn*
to	turn	troi
	turnip	erfinen *hon*
	twelve	deuddeg
	twenty	ugain
	twigs	brigau *hyn*
	twin	gefell *hwn* neu *hon*
	two	dau, dwy
a	type	math *hwn*
to	type	teipio
	tyre	teiar *hwn*

U u

	ugly	hyll
	umbrella	ambarél *hwn*, ymbarél *hwn*
	uncertain	ansicr
	uncertainty	ansicrwydd *hwn*
	uncle	ewythr *hwn*
	uncomfortable	anghyfforddus, anghysurus
	unconscious	anymwybodol
	under	dan, tan
to	understand	deall
to	undo	datod
to	undress	dadwisgo, diosg
	uneasy	anesmwyth
	uneven	anwastad
	unexpected	annisgwyl
	unfair	annheg
	unfairness	annhegwch *hwn*
	unforgettable	anfarwol
	unfortunate	anffodus
	unhappy	anhapus
	unhealthy	afiach
	unicorn	uncorn *hwn*
	unintentional	anfwriadol
	union	undeb *hwn*
	United Kingdom	Y Deyrnas Unedig
	United States	Yr Unol Daleithiau
	universe	bydysawd *hwn*
	university	prifysgol *hon*
to	unload	dadlwytho
	unlucky	anlwcus
	untidiness	annibendod *hwn*, blerwch *hwn*
	untidy	anniben, blêr
	until	nes
	untruth	anwiredd *hwn*
	unusual	anghyffredin, anarferol
	unwell	sâl
	up	i fyny, lan
	upstairs	llofft *hon*

to	urge	annog
	us	ni
to	use	defnyddio
	useful	defnyddiol
	usual	arferol
	usually	fel arfer

V v

	vacant	gwag
to	vaccinate	brechu
	vaccination	brechiad *hwn*
	valley	cwm *hwn*,
		dyffryn *hwn*,
		glyn *hwn*
	valuable	gwerthfawr
	value	gwerth *hwn*
	valve	falf *hon*
	van	fan *hon*
to	vanish	diflannu
	variety	amrywiaeth *hwn*
	various	amryw
	varnish	farnais *hwn*
to	varnish	farneisio
	Vatican City	Y Fatican
	vegetables	llysiau *hyn*
	vehicle	cerbyd *hwn*
	vein	gwythïen *hon*
	verb	berf *hon*
	venom	gwenwyn *hwn*
	verse[1]	pennill *hwn*
	verse[2] (Bible)	adnod *hon*
	version	fersiwn *hwn*
	vertical	fertigol
	vet	milfeddyg *hwn*
	vicar	ficer *hwn*
	victorious	buddugol
	victory	buddugoliaeth *hon*
	video	fideo *hwn*
	view	golygfa *hon*
	vigorous	chwyrn, heini
	village	pentref *hwn*

	villain	dihiryn *hwn*
	vinegar	finegr *hwn*
	violent	chwyrn
	violin	felolln *hon*,
		ffidl:ffidil *hon*
	virtue	daioni *hwn*
a	visit	ymweliad *hwn*
to	visit	ymweld
	vivid	llachar
	vixen	cadnawes *hon*
	vocabulary	geirfa *hon*
	voice	llais *hwn*
	volcano	folcano *hwn*,
		llosgfynydd *hwn*
	voluntary	gwirfoddol
to	volunteer	gwirfoddoli
a	vote	pleidlais *hon*
to	vote	pleidleisio
a	vow	adduned *hon*
to	vow	addunedu
	vowel	llafariad *hon*
to	voyage	morio

W w

to	wag	ysgwyd
	wage	cyflog *hwn*
	waist	gwasg *hwn neu hon*
	waistcoat	gwasgod *hon*
to	wait	aros, oedi
to	wake	deffro, dihuno
	Wales	Cymru
to	walk	cerdded
	walker	cerddwr *hwn*
	wall	mur *hwn*, wal *hon*
to	wander	crwydro
a	want	eisiau *hwn*
	war	rhyfel *hwn*
	warm	cynnes, gwresog
to	warm	cynhesu
to	warn	rhybuddio
	warning	rhybudd *hwn*

197

	wart	dafaden *hon*
to	wash	golchi, ymolchi
	wasp	cacynen *hon*, picwnen *hon*
	wasps	cacwn *hyn*
to	waste	gwastraffu
	watch	oriawr *hon*, wats *hon*
	water	dŵr *hwn*
	waterfall	rhaeadr *hon*
a	wave	ton *hon*
to	wave	chwifio
	way	ffordd *hon*
	we	ni
	weak	gwan
	weakling	llipryn *hwn*
	wealth	cyfoeth *hwn*
	wealthy	ariannog
	weapon	arf *hwn*
to	wear	gwisgo
	weather	tywydd *hwn*
	weatherproof	diddos
	weaving	gwe *hon*
	web	gwe *hon*
	wedding	priodas *hon*
	Wednesday	dydd Mercher
to	weed	chwynnu
	weeds	chwyn *hyn*
	week	wythnos *hon*
	weekend	penwythnos *hwn* neu *hon*
to	weep	llefain, wylo
to	weigh	pwyso, cloriannu
	weight	pwysau *hyn*
a	welcome	croeso *hwn*
to	welcome	croesawu
	well	da
a	well	ffynnon *hon*
	well-known	adnabyddus
	Welsh	Cymreig
	Welsh language	Cymraeg *hon*
	Welsh woman	Cymraes *hon*
	Welshman	Cymro *hwn*

	Welshpool	Y Trallwng
	west	gorllewin *hwn*
	Western Samoa	Gorllewin Samoa
	wet	gwlyb
to	wet	gwlychu
	whale	morfil *hwn*
	what	beth
	wheat	gwenith *hyn*
	wheel	olwyn *hon*
	wheelbarrow	berfa *hon*
	when	pan
	where	ble
	whip	chwip *hon*
	whiskers	blew *hyn*
to	whisper	sibrwd, sisial
a	whistle	chwib *hon*
to	whistle	chwibanu
	Whitsun	Sulgwyn
	why	paham:pam
	wicked	drwg
	wicket	llain *hon*, wiced *hon*
	wide	llydan
	widow	gweddw *hon*
	width	lled *hwn*
	wife	gwraig *hon*
	wild	gwyllt
	will	ewyllys *hon*
	willing	parod
	willow	helygen *hon*
to	win	ennill
	wind	gwynt *hwn*
	window	ffenestr *hon*
	wine	gwin *hwn*
	wing	asgell *hon*
	winner	enillydd *hwn*
	winter	gaeaf *hwn*
	wintery	gaeafol
to	wipe	sychu
	wire	weiren *hon*
	wise	doeth
a	wish	dymuniad *hwn*
to	wish	dymuno
	witch	gwrach *hon*

	with	â *neu* ag, gyda	
to	wither	gwywo	
	without	heb	
	witty	ffraeth	
	wizard	dewin *hwn*	
	wolf	blaidd *hwn*	
	woman	dynes *hon,*	
		gwraig *hon,*	
		menyw *hon*	
	wood	pren *hwn*	
a	wood	gallt:allt *hon,*	
		coedwig *hon*	
	woodpecker	cnocell y coed *hon*	
	wood pigeon	sguthan:	
		ysguthan *hon*	
	wool[1]	gwlân *hwn*	
	wool[2] (knitting)	edafedd *hyn*	
	woolly	gwlanog	
	woolly bear	siani flewog *hon*	
	word	gair *hwn*	
	work	gwaith *hwn*	
to	work	gweithio	
	worker	gweithiwr *hwn*	
	world	byd *hwn*	
	world-wide	byd-eang	
	worm	mwydyn *hwn*	
a	worry	gofid *hwn*	
to	worry	gofidio, poeni,	
		pryderu	
	worse	gwaeth	
to	worship	addoli	
	wound	anaf *hwn,* clwyf *hwn*	
to	wrap	lapio	
	wren	dryw *hwn*	
	Wrexham	Wrecsam	

	wrist	arddwrn,
		garddwrn *hwn*
to	write	ysgrifennu
	writing	ysgrifen *hon*
	wrong	anghywir

Y y

	yard[1]	iard *hon*
	yard[2] (measure)	llath:llathen *hon*
to	yawn	ymagor
	year	blwydd *hon,*
		blwyddyn *hon*
to	yell	gweiddi
	yesterday	doe:ddoe
	yew	ywen *hon*
	yoghurt	iogwrt *hwn*
	York	Caerefrog
	you	ti:di, chi
	young	ifanc
	young man	llanc *hwn*
	your	dy, eich

Z z

	zealous	selog
	zebra	sebra *hwn*
	zero	sero *hwn*
	zigzag	igam-ogam
a	zip	sip *hwn*
to	zip	sipio
	zoo	sw *hwn*

Rhifau

un	1
dau/dwy	2
tri/tair	3
pedwar/pedair	4
pump	5
chwech	6
saith	7
wyth	8
naw	9
deg	10

TRADDODIADOL		NEWYDD
un ar ddeg	11	un deg un
deuddeg	12	un deg dau/dwy
tri/tair ar ddeg	13	un deg tri/tair
pedwar/pedair ar ddeg	14	un deg pedwar/pedair
pymtheg	15	un deg pump
un ar bymtheg	16	un deg chwech
dau/dwy ar bymtheg	17	un deg saith
deunaw	18	un deg wyth
pedwar/pedair ar bymtheg	19	un deg naw
ugain	**20**	dau ddeg
un ar hugain	21	dau ddeg un
dau/dwy ar hugain	22	dau ddeg dau/dwy
tri/tair ar hugain	23	dau ddeg tri/tair
pedwar/pedair ar hugain	24	dau ddeg pedwar/pedair
pump ar hugain	25	dau ddeg pump
chwech ar hugain	26	dau ddeg chwech
saith ar hugain	27	dau ddeg saith
wyth ar hugain	28	dau ddeg wyth
naw ar hugain	29	dau ddeg naw
deg ar hugain	**30**	tri deg
un ar ddeg ar hugain	31	tri deg un
deuddeg ar hugain	32	tri deg dau/dwy
tri/tair ar ddeg ar hugain	33	tri deg tri/tair
pedwar/pedair ar ddeg ar hugain	34	tri deg pedwar/pedair
pymtheg ar hugain	35	tri deg pump

un ar bymtheg ar hugain	36	tri deg chwech
dau/dwy ar bymtheg ar hugain	37	tri deg saith
deunaw ar hugain	38	tri deg wyth
pedwar/pedair ar bymtheg ar hugain	39	tri deg naw
deugain	**40**	pedwar deg
un a deugain	41	pedwar deg un
dau/dwy a deugain	42	pedwar deg dau/dwy
tri/tair a deugain	43	pedwar deg tri/tair
pedwar/pedair a deugain	44	pedwar deg pedwar/pedair
pump a deugain	45	pedwar deg pump
chwech a deugain	46	pedwar deg chwech
saith a deugain	47	pedwar deg saith
wyth a deugain	48	pedwar deg wyth
naw a deugain	49	pedwar deg naw
hanner cant	**50**	pum deg
hanner cant ac un	51	pum deg un
trigain	**60**	chwe deg
un a thrigain	61	chwe deg un
deg a thrigain	**70**	saith deg
un ar ddeg a thrigain	71	saith deg un
deuddeg a thrigain	72	saith deg dau/dwy
pedwar ugain	**80**	wyth deg
un a phedwar ugain	81	wyth deg un
deg a phedwar ugain	**90**	naw deg
un ar ddeg a phedwar ugain	91	naw deg un
cant	**100**	cant
cant ac un	101	cant ac un
mil	**1000**	mil
mil ac un	1001	mil ac un
miliwn	**1m**	miliwn
dwy filiwn	2m	dwy filiwn
biliwn	**1b**	biliwn
dwy biliwn	2b	dwy biliwn

Rhifau Trefnol

cyntaf	1af	
ail	2il	
trydydd	3ydd/edd	trydedd
pedwerydd	4ydd/edd	pedwaredd
pumed	5ed	
chweched	6ed	
seithfed	7fed	
wythfed	8fed	
nawfed	9fed	
degfed	10fed	
unfed ar ddeg	11eg	
deuddegfed	12fed	
trydydd ar ddeg	13eg	trydedd ar ddeg
pedwerydd ar ddeg	14eg	pedwaredd ar ddeg
pymthegfed	15fed	
unfed ar bymtheg	16eg	
ail ar bymtheg	17eg	
deunawfed	18fed	
pedwerydd ar bymtheg	19eg	pedwaredd ar bymtheg
ugeinfed	20fed	
unfed ar hugain	21ain	
ail ar hugain	22ain	
trydydd ar hugain	23ain	trydedd ar hugain
pedwerydd ar hugain	24ain	pedwaredd ar hugain
pumed ar hugain	25ain	
chweched ar hugain	26ain	
seithfed ar hugain	27ain	
wythfed ar hugain	28ain	
nawfed ar hugain	29ain	
degfed ar hugain	30ain	
unfed ar ddeg ar hugain	31ain	

Dyddiau'r Wythnos

dydd Llun	Monday	dydd Gwener	Friday
dydd Mawrth	Tuesday	dydd Sadwrn	Saturday
dydd Mercher	Wednesday	dydd Sul	Sunday
dydd Iau	Thursday		

Misoedd

Ionawr	January	Gorffennaf	July
Chwefror	February	Awst	August
Mawrth	March	Medi	September
Ebrill	April	Hydref	October
Mai	May	Tachwedd	November
Mehefin	June	Rhagfyr	December

Tymhorau

gwanwyn	spring	hydref	autumn
haf	summer	gaeaf	winter

Dyddiau Gŵyl

dydd Calan	New Year's Day	y Sulgwyn	Whitsun
dydd Gŵyl Dewi	St David's Day	y Nadolig	Christmas
dydd Gwener y Groglith	Good Friday	dydd Gŵyl Sain Steffan	Boxing Day
y Pasg	Easter		

Enwau Lleoedd

Aberdâr	Aberdare	Cernyw	Cornwall
Abergwaun	Fishguard	Coed-duon	Blackwood
Aberhonddu	Brecon	Côr y Cewri	Stonehenge
Aberteifi	Cardigan	Croesoswallt	Oswestry
Abertyleri	Abertillery	Dinbych	Denbigh
Amwythig	Shrewsbury	Dinbych-y-pysgod	Tenby
Y Barri	Barry	Dulyn	Dublin
Y Bont-faen	Cowbridge	Y Fenni	Abergavenny
Bryste	Bristol	Y Fflint	Flint
Caer	Chester	Glynebwy	Ebbw Vale
Caerdydd	Cardiff	Hwlffordd	Haverfordwest
Caeredin	Edinburgh	Lerpwl	Liverpool
Caerefrog	York	Llanfair-ym-Muallt	Builth Wells
Caerfaddon	Bath	Llanymddyfri	Llandovery
Caerfyrddin	Carmarthen	Llundain	London
Caerffili	Caerphilly	Manceinion	Manchester
Caer-grawnt	Cambridge	Merthyr Tudful	Merthyr Tydfil
Caergybi	Holyhead	Môn	Anglesey
Caerlŷr	Leicester	Pen-y-bont ar Ogwr	Bridgend
Cas-gwent	Chepstow	Pont-y-pŵl	Pontypool
Castell-nedd	Neath	Rhydaman	Ammanford

Rhydychen	Oxford	Tyddewi	St David's
Sain Ffagan	St Fagan's	Wrecsam	Wrexham
Talacharn	Laugharne	Yr Wyddgrug	Mold
Y Trallwng	Welshpool	Ynys Manaw	Isle of Man
Tredelerch	Rumney		

Enwau Gwledydd

Affrica/Yr Affrig	Africa	Gwlad y Basg	Basque Country
Yr Aifft	Egypt	Gwlad yr Iâ	Iceland
Yr Alban	Scotland	Hwngari	Hungary
Yr Almaen	Germany	Yr Iseldiroedd	Netherlands
Yr Ariannin	Argentina	Iwerddon	Ireland
Awstralia	Australia	Libanus	Lebanon
Awstria	Austria	Lloegr	England
Brasil	Brazil	Llydaw	Brittany
Cymru	Wales	Norwy	Norway
Denmarc	Denmark	Periw	Peru
Y Deyrnas Unedig	United Kingdom	Pilipinas	The Philippines
Yr Eidal	Italy	Portiwgal	Portugal
Y Fatican	Vatican City	Rwsia	Russia
Y Ffindir	Finland	Sbaen	Spain
Ffrainc	France	Seland Newydd	New Zealand
Groeg	Greece	Y Swistir	Switzerland
Gweriniaeth Tsiec	Czech Republic	Tsieina/China	China
Gwlad Belg	Belgium	Twrci	Turkey
Gwlad Iorddonen	Jordan	Yr Unol Daleithiau	United States
Gwlad Pwyl	Poland		

Siroedd Cymru

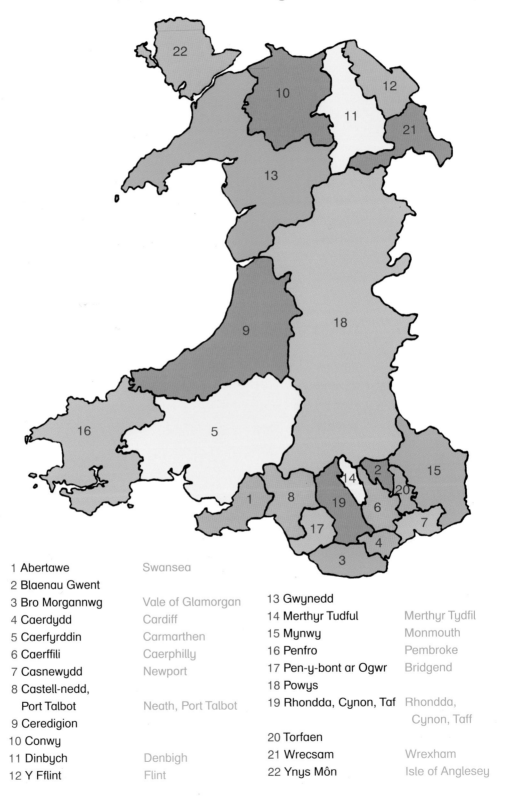

1 Abertawe — Swansea
2 Blaenau Gwent
3 Bro Morgannwg — Vale of Glamorgan
4 Caerdydd — Cardiff
5 Caerfyrddin — Carmarthen
6 Caerffili — Caerphilly
7 Casnewydd — Newport
8 Castell-nedd, Port Talbot — Neath, Port Talbot
9 Ceredigion
10 Conwy
11 Dinbych — Denbigh
12 Y Fflint — Flint

13 Gwynedd
14 Merthyr Tudful — Merthyr Tydfil
15 Mynwy — Monmouth
16 Penfro — Pembroke
17 Pen-y-bont ar Ogwr — Bridgend
18 Powys
19 Rhondda, Cynon, Taf — Rhondda, Cynon, Taff
20 Torfaen
21 Wrecsam — Wrexham
22 Ynys Môn — Isle of Anglesey